GEWALT UND GEWALTLOSIGKEIT IM ALTEN TESTAMENT

QUAESTIONES DISPUTATAE

Herausgegeben von
KARL RAHNER UND HEINRICH SCHLIER †

Theologische Redaktion
HERBERT VORGRIMLER

Internationale Verlagsschriftleitung
ROBERT SCHERER

96

GEWALT UND GEWALTLOSIGKEIT IM ALTEN TESTAMENT

Internationaler Marken- und Titelschutz: Editiones Herder, Basel

GEWALT UND GEWALTLOSIGKEIT IM ALTEN TESTAMENT

ERNST HAAG
NORBERT LOHFINK
LOTHAR RUPPERT
RAYMUND SCHWAGER

HERAUSGEGEBEN VON
NORBERT LOHFINK

HERDER

FREIBURG · BASEL · WIEN

Alle Rechte vorbehalten – Printed in Germany
© Verlag Herder Freiburg im Breisgau 1983
Herstellung: Freiburger Graphische Betriebe 1983
ISBN 3-451-02096-3

VINZENZ HAMP

Zur Vollendung seines
fünfundsiebzigsten Lebensjahres

Inhalt

Vorwort

Über die Bedeutung und Aktualität des in diesem Buch behandelten Themas braucht kein Wort verloren zu werden. Umso beschämender ist es, wie wenig die alttestamentliche Wissenschaft, faßt man das Gesamtvolumen ihrer Produktion ins Auge, auf dieses Thema eingegangen ist. Wenn daher die „Arbeitsgemeinschaft deutschsprachiger katholischer Alttestamentler" ihre Tagung vom 24.–28. August 1981 in Neustift bei Brixen unter dieses Thema gestellt hat, ist es fast eine Pflicht, die dort gehaltenen Referate und weitere, im Zusammenhang der Tagung entstandene Texte der Öffentlichkeit zugänglich zu machen. Wir danken dem Verlag Herder und den Herausgebern der „Quaestiones Disputatae", daß dies in einer Reihe geschehen kann, wo die Chance besteht, nicht nur eigentliche Fachexegeten zu erreichen.

Eine allseitige, ausgeglichene und befriedigende Behandlung des Themas darf in diesem Buch allerdings nicht erwartet werden. Das ist nicht nur durch den ursprünglichen Anlaß der hier gesammelten Arbeiten ausgeschlossen, sondern ebenso durch Forschungslage und Diskussionsstand. Hierüber einen Überblick zu verschaffen ist der Sinn des ersten Beitrags: *„Gewalt" als Thema alttestamentlicher Forschung* (Norbert Lohfink). Da ein solcher Forschungsüberblick unseres Wissens bisher noch nie versucht wurde, wird er sicher Lükken aufweisen und bisweilen auch zu subjektiv urteilen. Trotzdem könnte er vielleicht eine brauchbare Globalinformation bieten, und es ist zu hoffen, daß er möglichst viele Kollegen auf sinnvolle Fragestellungen und unbearbeitete Problemfelder aufmerksam macht.

Dieser Überblick wird durch ein das Buch abschließendes *Literaturverzeichnis* ergänzt. Es geht hauptsächlich auf die Sammlungen von N. Lohfink, aber für die entsprechenden Abschnitte auch auf die von L. Ruppert und E. Haag zurück. Für die Girard-Diskussion hat R. Girard durch Vermittlung von R. Schwager freundlicherweise eine Kopie seiner persönlichen Dokumentation zur Verfügung gestellt. Die Gesamtredaktion lag bei N. Lohfink. Wir haben bei unseren Vorarbeiten mit Schrecken entdeckt, daß man von unseren üblichen bibliographischen Hilfsmitteln her die Literatur zu den Themen Gewalt und Gewaltlosigkeit nicht erschlossen bekommt und daß Spezialbibliographien fehlen. Um die Weiterarbeit an den Themen zu erleichtern, haben wir beschlossen, unsere vornehmlich von unseren Beiträgen her entstandenen Sammlungen in einem klassifizierten und dann jeweils forschungsgeschichtlich geordneten Literaturverzeichnis zugänglich zu machen. Wir sind uns der Ergänzungsbedürftigkeit dieses Verzeichnisses bewußt. Doch uns stand nur eine bestimmte Zeit zur Verfügung, und wir hielten es für besser, dieses begrenzte Arbeitsmittel bereitzustellen als unter dem Druck eines uns unerreichbaren bibliographischen Ideals uns ganz zurückzuhalten. Wo es brauchbare Teilbibliographien gab, haben wir auf diese verwiesen und die dort dokumentierten Titel nicht wiederholt. In den Anmerkungen zu den einzelnen Beiträgen innerhalb des Buchs sind die zitierten Titel voll angegeben, so daß es dort nicht nötig ist, ständig das Literaturverzeichnis zu Rate zu ziehen. Nur der Forschungsüberblick von N. Lohfink arbeitet mit Verweisen auf das Literaturverzeichnis.

Aus dem weiten in Forschungsüberblick und Literaturverzeichnis abgesteckten Problemfeld können die drei inhaltlichen Beiträge des Bandes nur drei Einzelfragen erörtern, von denen wir allerdings hoffen, daß sie kritische und entscheidende Punkte berühren.

Der Beitrag *Die Schichten des Pentateuch und der Krieg* (N. Lohfink) greift die Frage nach der Hochschätzung und Theologisierung des Krieges im Alten Testament auf, speziell des Eroberungs- und Vernichtungskriegs bei der Landnahme. Er beschränkt sich auf den Pentateuch, berührt also das Buch Josua nur indirekt. N. Lohfink war der Meinung, die eigentliche Theologie des im Buch Josua geschilderten Landeroberungskriegs werde vor allem im Buch Deuteronomium entwickelt, und für die deuteronomistische Kriegstheologie sei es wichtig, sie einmal in ihrem dialektischen Verhältnis zu anderen im Pentateuch enthaltenen Kriegskonzeptionen zu untersuchen. Eine theologisch entscheidende Frage ist zum Beispiel die, ob die deuteronomistische Kriegskonzeption in der Entstehungsgeschichte des Pentateuchs und im synchronen Gesamtgefüge des endgültigen Pentateuchs das letzte und entscheidende Wort darstellt oder ob sie durch andere, unter Umständen sogar pazifistische Konzeptionen überholt oder zumindest relativiert wird. Ein Gesamtvergleich aller Pentateuchschichten unter dieser Fragestellung ist erstaunlicherweise noch niemals angestellt worden. Deshalb war, vor allem für die späten Schichten, auch viel Detailarbeit zu leisten. Aus den Ergebnissen der Untersuchung ist zu nennen, daß die deuteronomistische Kriegstheologie am besten aus den Bedürfnissen der joschijanischen antiassyrischen Propaganda erklärt werden kann. Ihr steht ein priesterschriftlicher Weltentwurf entgegen, in dem der Krieg grundsätzlich nicht vorkommt. Doch hat er nicht das letzte Wort: in den pentateuchischen Spätschichten setzt sich die deuteronomistische Konzeption wieder durch. Die Tora Israels bleibt im Endeffekt bei der Verbindung von Gott, Israel und Krieg. Etwas anderes ist erst von den Propheten zu erwarten.

Der Titel des zweiten Sachbeitrags lautet: *Klagelieder in Israel und Babylonien – verschiedene Deutungen der Gewalt* (L. Ruppert). Hinter dieser Themaformulierung steht die Überlegung, daß man etwas zu schmal ansetzt, wenn man unmittelbar nach Verfluchung oder Rache oder nach den sogenannten Fluchpsalmen fragt. Deshalb ist hier die Frage nach der Erfahrung und Deutung von Gewalt im gesamten Korpus der Klagelieder Israels gestellt. Über welche Gewalterfahrung berichtet der Beter überhaupt? Wo sieht er die Ursachen – bei Menschen, Dämonen, der Gottheit? Wie versucht er, sich der Gewalt zu erwehren? Und damit die Ergebnisse Rahmen und Profil bekommen, wird das am ehesten vergleichbare Textkorpus aus der damaligen Welt zur Kontrolle herangezogen: die babylonischen Klagelieder. Dadurch tritt die synchrone Besonderheit des Umgangs Israels mit der Gewalt im Bereich der Familienfrömmigkeit hervor. Während in Babylonien fast nur körperliche Krankheit im Blick ist, sind dies in Israel viel mehr die zur Rivalität entarteten zwischenmenschlichen Beziehungen. Während in Babylonien als Ursache erlittener Gewalt fast ausschließlich Dämonen und hinter ihnen dem Beter unbekannte Zauberer und Hexer vermutet werden, fehlen diese Erklärungen in Israel fast ganz, und alles ist einerseits auf die gestörte soziale Beziehung und andererseits auf den Zorn des einzigen in Frage kommenden Gottes, Jahwe, zurückgeführt. Während der babylonische Notleidende im Zusammenhang des Rituals nicht nur die Hilfe der Gottheiten erbittet, sondern vor allem auch selbst magisch aktiv wird und die Vernichtung der ihn verhexenden Gegner zu erwirken versucht, vertraut der Beter in Israel die Aufarbeitung der Situation allein seinem Gott an und erwartet von ihm alles. Wir glauben, daß erst derartige differenzierte Analysen eine theologische Aufarbeitung des Problems der sogenannten Fluchpsalmen ermöglichen.

Der dritte Sachbeitrag wendet sich jenem Textbereich zu, in dem die Auseinandersetzung Israels mit dem Problem der menschlichen Gewalttätigkeit wohl ihren alttestamentlichen Höhepunkt erreicht hat und der dann in der neutestamentlichen Deutung des gewaltsam erlittenen und durch keine Gegengewalt abgewehrten Todes Jesu zum Schlüssel werden soll, Deuterojesaja: *Die Botschaft vom Gottesknecht – Ein Weg zur Überwindung der Gewalt* (E. Haag). In methodengeleiteten Einzelschritten wird zunächst der Text der „Gottesknechtslieder" analytisch durchgearbeitet. Dabei ergibt sich ein imponierend harmonisches Bild der ursprünglichen Jahweknechtsdichtung und ihrer redaktionellen Einarbeitung in das Werk Deuterojesajas. Der ursprüngliche Text ging auf eine individuelle Mittlergestalt, die dann redaktionell auf das aus dem babylonischen Exil gerettete wahre „Israel" gedeutet wird. Traditionsgeschichtlich fließen in dieser Gestalt der deuteronomistische König David und der deuteronomistische Prophet Jeremia zusammen. Die Verheißung an David soll stehen bleiben, doch verwirklicht sie sich auf eine Weise, die am Geschick Jeremias ablesbar ist. Zugleich wird sie von einer Heilsverheißung für Israel zu einer solchen für alle Völker erweitert. Die von Gott abgefallene Welt zeigt sich als von Gewalttat und Lüge bestimmt. Der Knecht Gottes soll in diese Welt neu das „Recht" hineinbringen. Dies tut er nicht, wie das früher auch in Israel geschah, wenn zum Krieg gerufen wurde, auf gewaltbestimmte Weise. Er kündet denen, die schon geschlagen sind, auch nicht weiteres Unheil als Strafe an. Wenn die gewaltbestimmte Welt ihn bekämpft, läßt er sich in keine Rivalität bringen und schlägt nicht zurück. Ja, er nimmt stellvertretend das Strafgericht auf sich, das eigentlich die anderen treffen müßte. Indem er in Verzicht auf jede

Gewalt der Gewalt unterliegt, eröffnet er die Möglichkeit für das neue, von Gott kommende und der Gewalt nicht mehr bedürfende Heil.

Alle Beiträge des Buchs sind dadurch geprägt, daß ihre Verfasser die von René Girard in seinen Büchern „La violence et le sacré" und „Des choses cachées depuis la fondation du monde" vorgelegten Theorien zu Gewalt und primitiver Religion und auch zur Gewalt in den biblischen Schriften kennen und sich – im einzelnen auf durchaus verschiedene Weise – auch mit ihnen auseinandersetzen. Girards bedeutendster theologischer Weiterführer, der Innsbrucker Dogmatiker Raymund Schwager, war als Gast auf der Tagung anwesend. Wir sind der Meinung, daß Girard uns befähigt, in vielen Fällen neue und bessere Fragen an die Texte zu stellen. Andererseits dürften die einzelnen Untersuchungen in einem solchen Ausmaß von den normalen Methoden unserer Wissenschaft bestimmt sein, daß wohl kaum ein Verdacht aufkommen kann, in diesem Buch geschehe eine Eintragung fremder Theoreme in die biblischen Texte. Ohne die Provokation durch Girard wäre die Tagung aber vielleicht gar nicht zustandegekommen.

R. Schwager hat kurz nach der Tagung einen freundlich-kritischen Rückblick verfaßt, der die Reihe der Beiträge des Bandes abschließt: *Eindrücke von einer Begegnung.* In ihm spiegelt sich auch ein wenig die vielfache Diskussion auf der Tagung, die sonst in diesem Band aus verständlichen Gründen leider nicht zu Wort kommen kann. Doch vor allem werden Grundsatzfragen erörtert: Die Krise, die durch die historisch-kritische Methode und die literaturwissenschaftliche Betrachtung in den theologischen Umgang mit dem Alten Testament gekommen ist, und die Frage, ob die alttestamentliche Wissenschaft sich auf historische und literaturwissenschaftliche Urteile beschränken könne oder ob sie auch zu Sach-, in ihrem Falle also zu theologischen Urteilen kommen müsse. Schwager wirbt für das Zweite und vermutet sogar, daß auch historische und literarische Analyse mißraten müssen, wenn man kein Verhältnis zu der Sache gewinnen will, von der die Texte handeln. Deshalb betrachtet er es auch nicht als zufällig, wenn sich solche Grundsatzfragen des Selbstverständnisses einer Wissenschaft gerade im Zusammenhang mit dem Thema „Gewalt" ergeben. Denn: „Kein menschliches Tun steht dem Wort (und dem Text) so entgegen wie die Gewalt."

Für die Herstellung der Register danken wir Martina Abeln.

Wir widmen diesen Band Vinzenz Hamp, dem Lehrer und selbstlosen Promotor vieler gemeinsamer Unternehmungen der katholischen Alttestamentler, sei es der „Biblischen Zeitschrift", sei es der biblischen Teile des „Lexikons für Theologie und Kirche", der „Deutschen Einheitsübersetzung" oder auch der „Arbeitsgemeinschaft deutschsprachiger katholischer Alttestamentler", zur Vollendung seines 75. Lebensjahres.

Die Autoren

I

„Gewalt" als Thema alttestamentlicher Forschung

Von Norbert Lohfink, Frankfurt a. M.

1 Einführung

1.1 Gewicht des Themas im Alten Testament

Die immer neu sich zeigende Unfähigkeit unserer Welt zum Frieden, die immer neu drohenden, ja ausbrechenden Protuberanzen der Gewalt im Großen wie im Kleinen müßten das Thema „Gewalt und Gewaltverzicht" zu einem Hauptgegenstand theologischen Nachdenkens machen. Und besonders stark müßte die Frage uns Alttestamentler betreffen. Denn der Teil der Bibel, dessen Auslegung uns anvertraut ist, kennt kein anderes anthropologisches Thema, das ihn so erfüllen würde wie die Gewalttat. Ein Nichtalttestamentler, der ganz naiv eine Bibelübersetzung hergenommen und einfach einmal zu zählen begonnen hat, ist zu der entsetzten Feststellung gekommen: „Keine andere menschliche Tätigkeit oder Erfahrung wird so oft erwähnt (wie die Gewalttat), weder die Welt der Arbeit und Wirtschaft, noch die der Familie und Sexualität oder der Naturerfahrung und des Wissens"[1].

---

[1] *R. Schwager*, Brauchen wir einen Sündenbock? Gewalt und Erlösung in den biblischen Schriften, München 1978, 58. Schwager ist zu folgenden Zahlen gekommen: über 600 Stellen, die „ausdrücklich davon sprechen, daß Völker, Könige oder einzelne über andere hergefallen sind, sie vernichtet und getötet haben" (58), ungefähr 1000 Stellen, nach denen Jahwes Zorn entbrennt und er „mit Tod und Untergang bestraft, wie ein fressendes Feuer Gericht hält, Rache nimmt und Vernichtung androht" (65), über 100 weitere Stellen, „in denen Jahwe ausdrücklich befiehlt, Menschen zu töten" (70).

1.2 Markion und die Liturgiereform

Das ist auch nicht erst neuerdings entdeckt worden. Schon Markion, der erste große Ketzer der Kirchengeschichte, hatte gesagt, der Gott Jesu und der Evangelien sei ein neuer und vorher unbekannt gebliebener Gott, und der Schöpfergott des Alten Testaments sei durch ihn als das entlarvt, was er war: ein zwar Gerechtigkeit wollender Gott, aber dann doch schließlich nur ein unbeständiger, eifernder, wilder, kriegerischer, gewalttätiger und zorniger Despot[2]. Aus diesem Grunde hatte Markion auch das Alte Testament aus der Heiligen Schrift ausgeschieden.

Doch die Großkirche hatte das nicht mitgemacht. Sie hatte vielmehr Markion aus der Kirche ausgestoßen. Erst in unseren Jahren hat Markion in der römischen Kirche zumindest einen Teilerfolg erringen können: Bei der Reform des Stundengebets und des Lektionars wurden in verschiedenen Psalmen und auch in anderen Büchern jene Verse herausgestrichen, die von Gottes Zorn oder von seinem gewaltsamen Eingreifen zugunsten der Psalmenbeter sprachen[3]. Ob man sich im klaren war, wessen Forderungen man da letztlich entgegenkam, mag offen bleiben. Doch daß das seit Markion virulente Problem der im Alten Testament so offen hervortretenden Gewaltthematik auch heute immer noch da ist wie eh und je, das hat diese historisch unerhörte Operation einer kirchlichen Autorität gezeigt.

1.3 Das Fehlen des Themas in den alttestamentlichen Theologien

Wie beschäftigt sich unsere alttestamentliche Wissenschaft also mit diesem so zentralen Thema der „Gewalt"?

Es machte mir viele Mühe, für diesen einleitenden Forschungs- und Literaturüberblick das Material zusammenzusuchen. Weder

---

[2] *A. von Harnack*, Marcion. Das Evangelium vom fremden Gott. Eine Monographie zur Geschichte der Grundlegung der katholischen Kirche (TU 45) Berlin [2]1921.
[3] Eigentümlicherweise scheint von Gott verordnete oder durch ihn legitimierte menschliche Gewalttätigkeit dabei weniger anstößig gewesen zu sein. So blieb etwa Ps 149,6f unbehelligt. Der Psalm kam sogar ans Ende der Laudes des Sonntags der 1. Woche und damit aller Hochfeste. Die römisch-katholischen Beter beginnen jetzt also die höchsten Tage ihres Festkalenders am Morgen stets mit „Lobliedern auf Gott in ihrem Mund und einem zweischneidigen Schwert in ihrer Hand, um die Vergeltung zu vollziehen an den Völkern, an den Nationen das Strafgericht."

standen wirklich brauchbare Hilfsmittel zur Verfügung, etwa unter diesem Gesichtspunkt schon zusammengestellte Spezialbibliographien, noch gab es überhaupt einen einheitlichen und allgemein akzeptierten Gesichtspunkt, unter dem ich suchen konnte. Es handelt sich offenbar nicht um eines der üblichen Themen unserer bibelwissenschaftlichen Forschungstradition.

In den Inhaltsverzeichnissen der alttestamentlichen Theologien sucht man vergebens nach einem Kapitel oder auch nur einem Abschnitt über das Thema „Gewalt"[4]. Selbst in den oft sehr gründlichen Sachregistern am Ende dieser Bücher muß man bis auf Bertholets Buch aus dem Jahre 1911 zurückgehen, um auch nur dem Stichwort „Gewalttat" zu begegnen[5]. Autoren, die auf das Thema zu

---

[4] Selbstverständlich werden Themen wie „Bann", „Jahwekrieg", „Zorn Gottes", „Rachepsalmen" u. ä. nie ganz totgeschwiegen. Aber sie kommen wohlverpackt in anderen, übergreifenden Zusammenhängen vor, meistens beschwichtigend. Am reflexesten ist wohl noch *P. Heinisch*, Theologie des Alten Testamentes (HSAT.E 1) Bonn 1940, der die Themen „Bann", „Haß gegen fremde Völker" und „Haß gegen den persönlichen Feind" in einem Abschnitt „Die alttestamentliche Ethik im Lichte des Neuen Testaments" (181–185) behandelt. Bei *W. Eichrodt*, Theologie des Alten Testament II/III, Stuttgart-Göttingen [4]1961, 218–241, wird beschönigend und unter Evolutionsgesichtspunkten abgewiegelt. *W. Zimmerli*, Grundriß der alttestamentlichen Theologie (ThW 3) Stuttgart [3]1978, hat im Kapitel „Jahwes Gabe" einen ersten Paragraphen betitelt: „Der Krieg und sein Sieg" (49–53). Doch wird darin die Problematik der Gewalt kaum berührt. Andere Werke, die man eher als „Anthropologien" des Alten Testaments bezeichnen könnte, sind teilweise offener gegenüber der Gewaltproblematik. *J. Pedersen*, Israel. Its Life and Culture, hat breite einschlägige Passagen: I–II London-Kopenhagen 1926, 378–452; III–IV London-Kopenhagen 1940, 1–32. *L. Köhler*, Der hebräische Mensch. Eine Skizze, Tübingen 1953, und *H. W. Wolff*, Anthropologie des Alten Testaments, München 1973, schweigen dagegen. *H. van Oyen*, Ethik des Alten Testaments (Geschichte der Ethik 2) Gütersloh 1967, beschließt den Teil „Ethos des politischen Lebens" und damit das Buch mit kleinen Kapiteln über das „Ethos des Krieges" (182–185) und „Das ewige Friedensreich" (185–188). Doch er setzt sofort mit dem fragwürdigen Satz ein: „Israel hat hauptsächlich Verteidigungskriege geführt" (182). Völlig verschwiegen wird das Gewaltproblem auch bei *H. Haag*, Das Plus des Alten Testamentes, in: ders., Das Buch des Bundes. Aufsätze zur Bibel und ihrer Welt, Düsseldorf 1980, 289–305 – was angesichts der dort vertretenen Thesen allerdings vielleicht verständlich ist.

[5] *D. A. Bertholet*, Biblische Theologie des Alten Testaments (begonnen von B. Stade †) II: Die jüdische Religion von der Zeit Esras bis zum Zeitalter Christi, Tübingen 1911. Aus jüngerer Zeit könnte man höchstens *A. Deissler*, Die Grundbotschaft des Alten Testaments. Ein theologischer Durchblick, Freiburg i. Br. 1972, anführen, wo im Sachverzeichnis „Gewalttat" vorkommt, allerdings nur mit einer einzigen (unergiebigen) Seitenangabe sowie einem Querverweis zu „Ausbeutung". Das Stichwort „Ausbeutung" wiederum ist nicht auffindbar.

sprechen kommen, stellen einleitend oft mit Erstaunen fest, wie sehr es in der Forschung vernachlässigt wird[6]. Ich zweifle nicht daran, daß hier unbewußte Mechanismen am Werk sind, die bei der Auswahl unserer Forschungsgegenstände alles, was mit „Gewalt" zusammenhängt, verdrängen[7]. Dies gilt zumindest in dem Sinn, daß wir das Thema möglichst nicht direkt und als ganzes angehen.

Denn wirklich vermeiden können wir es ja auf keinen Fall. Unter zahlreichen Einzelgesichtspunkten sind wir philologisch, historisch, exegetisch und traditionsgeschichtlich recht häufig damit befaßt. Das sei zunächst ein wenig illustriert.

2 Seitenpfade zum Thema „Gewalt"

2.1 Lexikalische Forschung

Allein unsere lexikalische Grundlagenforschung konfrontiert viele Alttestamentler ständig mit Texten, die von menschlicher und göttlicher Gewalttätigkeit handeln. Das von G. J. Botterweck und H. Ringgren herausgegebene „Theologische Wörterbuch zum Alten Testament"[8], das erst bis zu *jarăd* „hinabsteigen", also noch nicht einmal bis zur Mitte des Alphabets, gelangt ist, enthält mindestens schon 30 Stichwörter, die gewalttätiges Handeln oder Metaphern

---

[6] *H. Ringgren*, Einige Schilderungen des göttlichen Zorns, in: E. Würthwein – O. Kaiser (Hg), Tradition und Situation. Studien zur alttestamentlichen Prophetie. FS A. Weiser, Göttingen 1963, 107–113, 107: „ein sehr vernachlässigtes Thema der alttestamentlichen Theologie und Religionsgeschichte"; *W. Dietrich*, Rache. Erwägungen zu einem alttestamentlichen Thema: EvTh 36 (1976) 450–472, 450: „Die alttestamentliche Fachwissenschaft ist denn auch dem heiklen Problem bisher recht sorgsam aus dem Weg gegangen; und wo sie es einmal streift, da erklärt sie entweder sogleich, in diesem Punkt sei das Alte Testament überholt, oder sie versichert, Rache meine hier etwas anderes, weniger Niedriges, als man heute darunter verstehe"; *Schwager*, Sündenbock (vgl. Anm. 1) 56: Am schwerwiegendsten sei bei G. von Rads Theologie des Alten Testaments, „daß Themen wie Eifersucht, Zorn, Gewalt, Rache, Zusammenrottung, Projektion usw. zwar in den alttestamentlichen Schriften ständig wiederkehren, in der Theologie von Rads aber kaum oder nur am Rand behandelt werden. Es sind dies Themen, die für ein modernes Empfinden vielleicht unangenehm sind. Die alttestamentliche Wissenschaft ist ihnen – von wenigen löblichen Ausnahmen abgesehen – wohl deshalb gern aus dem Weg gegangen."

[7] Vgl. *N. Lohfink*, Kirchenträume. Reden gegen den Trend, Freiburg i. Br. 1982, 115 f.

[8] Stuttgart, ab 1970, bisher drei volle Bände.

dafür bezeichnen können[9]. Bei fast allen gibt es im Wörterbuch auch Ausführungen über den „theologischen Gebrauch" der betreffenden Vokabel. Selbstverständlich gibt es zu manchen von diesen Vokabeln auch schon monographische Literatur[10]. In manchen Fällen, wie bei *dam* „Blut, Bluttat, Blutschuld" und *hæræm* „Vernichtungsweihe, Vernichtung" sogar in beachtlicher Zahl[11]. So führt allein schon die Wortforschung immer wieder zur Gewalt hin.

2.2 Textauslegung

Ebenso geht es bei der Untersuchung der Texte. Wer die Genesis kommentiert, stößt bald auf die Erzählung von einem Bruderzwist und Brudermord, die Geschichte von Kain und Abel in Gen 4. Die Arbeiten über Gen 4 kommen zwar nicht auf ein Zehntel der Arbeiten über Gen 2–3. Trotzdem sind sie an Zahl beachtlich[12]. Ähnlich geht es beim Buch Exodus. Schon in Ex 4,24–26 muß sich der Kommentator mit der Erzählung vom „Blutbräutigam" zurechtfinden, und auch hierüber ist mehr geschrieben worden, als man meinen möchte[13]. Und so auch in anderen Büchern[14].

2.3 Landnahme Israels

Dann gibt es historische Fragen, etwa die nach der Weise, wie die Frühisraeliten eigentlich in das Land Kanaan hineingekommen seien und sich dort ansässig gemacht hätten. Eine Zeitlang schien es, als käme man mit friedfertigen Kleinviehnomaden durch, die sich fast unmerkbar in Besiedelungslücken im Bergland niedergelassen hätten und dann höchstens in einer zweiten Phase, von A. Alt der „Landesausbau" genannt, auch schon einmal mit kanaanäischen

---

[9] *'emah, 'kl, 'np, 'eš, bl', b'r, gzl, grš, dwš, dk', dam, hmm, hrg, z'm, z*ʿ*rôa', ḥṭ', ḥll II, ḥemah, ḥms, ḥæræb, ḥrh, ḥrm, ṭbḥ, ṭrp, jad, jnh, jṣt, jqd, jr', jrh I, jrš.*

[10] Vgl. Literaturverzeichnis I „Zu Vokabular und Metaphorik der Gewalt".

[11] Vgl. Literaturverzeichnis I a „*dam*" und I b „*ḥrm*".

[12] Vgl. Literaturverzeichnis II a „Gen 4".

[13] Vgl. Literaturverzeichnis II b „Ex 4,24–26".

[14] Vgl. den Rest von Literaturverzeichnis II „Zu Schlüsseltexten für die Frage nach der Gewalt". Hier ist keine Vollständigkeit der Texte angestrebt. Es wurde nur zusammengestellt, was bei den Vorbereitungsarbeiten für dieses Buch aus verschiedenen Gründen besonders verfolgt wurde.

Städten handgemein geworden wären[15]. Die stärker vom Buch Josua beeindruckte Albright-Schule kam gegen diese Auffassung noch nicht wirklich an. Aber im Laufe der Zeit lieferte die Archäologie doch einige bedenkenswerte Fakten, die mindestens teilweise in eine andere Richtung wiesen, vor allem die Zerstörung von Hazor[16]. Inzwischen haben wir uns mit der Destruktion der soziokulturellen Voraussetzungen der Theorie von friedlich einsickernden Kleinviehnomaden auseinanderzusetzen[17]. Ferner gibt es inzwischen einen vor allem soziologisch orientierten Entwurf der Entstehung des israelitischen Stämmesystems, bei dem kämpferische Bandentätigkeit, Befreiungsaktionen egalitär eingestellter segmentärer Verbände, Vertreibung der in ihren Stadtburgen verschanzten kanaanäischen Herrschaftseliten, ja auch listenreiches Knacken der ummauerten Städte selbst unentbehrliche Theorieelemente darstellen.

---

[15] Als Überblick mit Literaturangaben vgl. *M. Weippert*, Die Landnahme der israelitischen Stämme in der neueren wissenschaftlichen Diskussion. Ein kritischer Bericht (FRLANT 92) Göttingen 1967; ergänzend dazu *ders.*, The Israelite „Conquest" and the Evidence from Transjordan, in: F. M. Cross (Hg), Symposia Celebrating the Seventy-Fifth Anniversary of the Founding of the American Schools of Oriental Research (1900–1975), Cambridge, MA, 1979, 15–34. Auch die neueste Darstellung dieser Phase der Geschichte Israels, *J. M. Miller*, The Israelite Occupation of Canaan, in: J. H. Hayes – J. M. Miller (Hg), Israelite and Judaean History (OTL) London 1977, 213–284 (Literatur!), kommt im Endeffekt wieder zu dieser Vorstellung. In welchem Maß man aber selbst unter ihren Voraussetzungen mit Krieg und kriegerischem Geist in den Anfängen Israels rechnen müßte, zeigt *L. Perlitt*, Israel und die Völker, in: G. Liedke (Hg), Frieden – Bibel – Kirche (SFF 9) Stuttgart 1972, 17–64, 19–21 und 38–50.

[16] Diese Linie der Betrachtung wird in den letzten Jahren vor allem in Israel fortgeführt. Vgl. z. B. aus dem in Anm. 15 zitierten Sammelband (Cross, Symposia) die Beiträge von *A. Malamat*, Israelite Conduct of War in the Conquest of Canaan, 35–56, und *Y. Yadin*, The Transition from a Semi-Nòmadic to a Sedentary Society in the Twelfth Century B.C.E., 57–68. Weitere Literatur: *J. M. Miller*, Israelite Occupation (vgl. vorige Anm.) 262–264.

[17] Vgl. z. B. *N. K. Gottwald*, Were the Israelites Pastoral Nomads?, in: J. Jackson – M. Kessler (Hg), Rhetorical Criticism. FS James Muilenburg, Pittsburgh, PA, 1974, 223–255; *T. L. Thompson*, Historical Notes on „Israel's Conquest of Palestine: A Peasant's Rebellion?": JSOT 7 (1978) 20–27; *N. K. Gottwald*, The Hypothesis of the Revolutionary Origins of Ancient Israel: A Response to Hauser and Thompson: JSOT 7 (1978) 37–52. Ferner, obwohl von älteren Perioden und anderen Regionen handelnd, wegen der zahlreichen Literaturverweise zum Nomadenproblem: *T. L. Thompson*, The Background of the Patriarchs: A Reply to William Dever and Malcolm Clark: JSOT 9 (1978) 2–43; *K. A. Kamp – N. Yoffee*, Ethnicity in Ancient Western Asia During the Early Second Millennium B. C.: Archaeological Assessments and Ethnoarchaeological Prospectives: BASOR 237 (1980) 85–104. Unabhängig davon: *B. Zuber*, Vier Studien zu den Ursprüngen Israels. Die Sinaifrage und Probleme der Volks- und Traditionsbildung (OBO 9) Freiburg i. Br. 1976, 99–138 (Nomadentum und Seßhaftigkeit).

Ich meine den von Mendenhall eher etwas extravagant und unglaubwürdig vorgetragenen, inzwischen aber von Gottwald in einem sehr breit und ausgewogen angelegten Werk vertretenen Entwurf der Anfänge Israels[18]. Mit dieser Sicht kehrt, wenn auch losgelöst von der Idee, die Protoisraeliten seien festorganisierte Vollnomadenstämme gewesen, der klassische Satz Wellhausens zu uns zurück: „Das Kriegslager, die Wiege der Nation, war auch das älteste Heiligtum. Da war Israel, und da war Jahve"[19].

2.4 Jahwekrieg und Jahwe als Krieger

Dies führt zu einem weiteren Komplex, mit dem sich die alttestamentliche Wissenschaft zunehmend intensiver beschäftigt hat: dem Krieg, und vor allem dem Krieg als sakralem Geschehen[20]. Die klassische Kontroverse, die sich später in umgekehrter Gestalt zwischen Gerhard von Rad und Manfred Weippert wiederholen sollte, fand zu Beginn des Jahrhunderts zwischen Friedrich Schwally und Wilhelm Caspari statt. Schwally beschrieb den „heiligen Krieg", und er sah in ihm ein verbreitetes Typicum primitiver Gesellschaften, von dem auch Israels Anfänge geprägt waren und das Israel nie ganz abstieß. Caspari schrieb dagegen vom „Jahwekrieg", einer durchaus israelitischen Angelegenheit, die das zunächst friedliche Israel erst langsam zur eigenen Glaubensverteidigung lernen mußte. In der Zeit des ersten Weltkriegs erschienen einige eher zwielichtige Broschüren. In den zwanziger Jahren äußerten sich Max Weber im Rahmen seiner umfassenderen Darstellung des antiken Judentums gründlich zum Bezug Israels zum Krieg. In den dreißiger Jahren arbeitete W. Müller in einer Dissertation über den „Rest" das Thema Krieg auch von der altorientalischen Umwelt her auf. In den vierzi-

---

[18] *G. E. Mendenhall*, The Hebrew Conquest of Palestine: BA 25 (1962) 66–87; *ders.,* The Tenth Generation, Baltimore 1973; *N. K. Gottwald*, Domain Assumptions and Societal Models in the Study of Pre-monarchical Israel, in: Congress Volume Edinburgh 1974 (VT.S 28) Leiden 1975, 89–100; *ders.,* The Tribes of Yahweh. A Sociology of the Religion of Liberated Israel 1250–1050 B.C.E., Maryknoll, NY, 1979. Vgl. auch das Diskussionsheft JSOT 7 (1978).

[19] *J. Wellhausen*, Israelitische und jüdische Geschichte, Berlin ²1895, 26.

[20] Die genauen Titel für alles Folgende, dazu die restliche bibliographische Information zum Thema „Krieg usw." finden sich im Literaturverzeichnis III a „Krieg, heiliger Krieg, Jahwekrieg".

ger Jahren äußerte sich Johannes Pedersen in seinem umfassenderen Werk über Israel zum Thema. Doch die Arbeit, die dann zu Veröffentlichungslawinen führen sollte, erschien erst nach dem zweiten Weltkrieg: Gerhard von Rads Schrift „Der Heilige Krieg im alten Israel". Inzwischen war auch die Kriegsrolle aus Qumran ans Licht getreten[21], und die Texte aus Ras Schamra wurden auf breiterer Basis ausgewertet. Auch diese beiden Tatsachen mögen dazu beigetragen haben, daß in den sechziger und siebziger Jahren die Untersuchungen sich häuften. G. von Rad hatte im Grunde die deuteronomistische Kriegsideologie ins Blickfeld gerückt, wenn er sie auch für eine recht getreue Spiegelung „amphiktyonischer" Verhältnisse der Frühzeit hielt. Eine ganze Reihe von Arbeiten führte seinen traditions- und formgeschichtlichen, vor allem inneralttestamentlich interessierten Ansatz weiter. Von Smend, Weippert und Stolz wurde er in wichtigen Punkten zurechtgerückt, vor allem auch durch Heranziehung außeralttestamentlichen Vergleichsmaterials. Letzteres ist dann typisch für viele Untersuchungen, die vor allem in Nordamerika vorgenommen wurden, und dort speziell in der Schule von F. M. Cross[22]. Bei ihm und seinen Schülern geriet vor allem die mit der sakralen Kriegsauffassung wohl notwendig verbundene Vorstellung von Jahwe als einem kriegerischen Gott deutlicher in den Blick. Henning Fredrikssons Pionierarbeit über „Jahwe als Krieger" aus dem Jahre 1945 wurde mehrfach weitergeführt und verfeinert. Durch diese Untersuchungen verlagerte sich das Interesse bald zu einem weiteren Textbereich, der zwar nie ganz unbeachtet geblieben war, aber doch in den beiden letzten Jahrzehnten so sorgfältig wie noch nie zuvor untersucht worden ist: die Orakel gegen fremde Nationen in den Prophetenbüchern[23]. Hier gibt es dann Zusammenhänge mit dem Krieg in der apokalyptischen Literatur. So war schließlich ein Weg der Forschung gegangen, bei dem sich Religion und Gewalt immer wieder als engstens verbunden zeigten. Er begann bei den Anfängen Israels und zog sich bis in die jüngsten

---

[21] Für Editionen, Übersetzungen, Kommentare und wichtigere Sekundärliteratur vgl. *P. R. Davies*, 1QM, the War Scroll from Qumran. Its Structure and History (BibOr 32) Rom 1977, 125–127.

[22] Vgl. hierzu im Literaturverzeichnis zusätzlich III c „Gewalttätige Züge an Jahwe".

[23] Vgl. Literaturverzeichnis II e „Völkerorakel".

Schichten des Alten Testaments. Immer mehr Forschungsaktivität hat sich nach Amerika verlagert, doch fehlen auch europäische Beiträge nicht.

2.5 Fluchpsalmen und Rache

Eher ein Bild der gleichmäßig dahinplätschernden Forschungskontinuität bietet demgegenüber die Beschäftigung mit den Themen Gewalt, Feinde, Fluch, Rache im Bereich der Psalmen und den zuzuordnenden Texten, etwa den Konfessionen im Jeremiabuch. Seit S. Mowinckels „Psalmenstudien" ist die Frage, wer eigentlich die „Feinde" vieler Psalmenbeter seien, mit Nachdruck gestellt, und sie ist offenbar immer noch nicht befriedigend beantwortet, sodaß sie immer von neuem angegangen wird[24]. Einige der Untersuchungen dieser Frage sind in der Verlängerung ihrer Linien bis ins zwischentestamentarische Schrifttum und ins Neue Testament gelangt, wo sie wichtig werden für die Deutung des Todesgeschicks Jesu[25]. In engem Zusammenhang damit stehen Arbeiten zu Fluch und Rache, speziell dann zu Fluch- und Rachepsalmen[26]. Die Beschäftigung mit den Fluch- und Rachepsalmen ist eine der wenigen Gelegenheiten, wo es schon einmal zu grundsätzlichen Überlegungen hinsichtlich des Themas „Gewalt" kommt.

2.6 Legitime Gewalt

Alles bisher Angeführte zusammengenommen ist nun schon sehr viel. Und doch ist damit überhaupt erst der Bereich dessen abgeschritten, was man als Gewalt zwischen Großgruppen und als illegitime Gewalt gegen einzelne bezeichnen kann. Walter Benjamin hat

---

[24] Vgl. Literaturverzeichnis III d „Die Feinde der Psalmenbeter".
[25] Vgl. O. H. Steck, Israel und das gewaltsame Geschick der Propheten. Untersuchungen zur Überlieferung des deuteronomistischen Geschichtsbildes im Alten Testament, Spätjudentum und Urchristentum (WMANT 23) Neukirchen-Vluyn 1967; L. Ruppert, Der leidende Gerechte. Eine motivgeschichtliche Untersuchung zum Alten Testament und zwischentestamentlichen Judentum (FzB 5) Würzburg 1972; ders., Jesus als der leidende Gerechte? Der Weg Jesu im Lichte eines alt- und zwischentestamentlichen Motivs (SBS 59) Stuttgart 1972.
[26] Vgl. Literaturverzeichnis III e „Vergeltung, Rache, Fluch, ‚Fluchpsalmen'".

in seinem Aufsatz „Zur Kritik der Gewalt"[27] jedoch mit Recht herausgestellt, daß die eigentliche Problematik der Gewalt in dem Bereich liegt, den man heute gern als „strukturelle Gewalt" bezeichnet, ja nochmals zuvor einfach in der „legitimen Gewalt", im System des jeweils geltenden Rechts. Denn bestehende Rechtsverhältnisse können nur durch Gewalt begründet, durch Androhung von Gewalt aufrechterhalten und häufig auch nur durch neue Gewalt modifiziert werden. So müßte man, wollte man die Detailbeschäftigung unserer Wissenschaft mit der Gewalt vollständig auflisten, nun eigentlich auch noch nach den Arbeiten zu Gesetz, Recht, Staat und anderen Ordnungsgefügen fragen. Doch können wir uns das auch wieder ersparen, denn diese Gegenstandsbereiche dürften bei uns kaum einmal unter der Rücksicht des Bezugs zur Gewalt studiert werden[28]. Vielleicht klingt das Thema noch am ehesten bisweilen an, wenn es um die Geschichte Davids und um den Traditionsbruch beim Übergang der israelitischen Stammesgesellschaft zur Staatlichkeit geht[29].

2.7 Tiere, Opfer und Kult

Ein weiterer Aspekt, der in unseren Arbeiten nur selten zur Sprache kommt, ist die Gewalttätigkeit der Tiere des unbewohnten irdischen Bereichs und die gewaltsame Zurückdrängung dieses chaotischen Bezirks durch Mensch und Gott, in der altorientalischen Bildkunst

---

[27] Archiv für Sozialwissenschaft und Sozialpolitik 47 (1920/21) 809–832; leicht zugänglich: *W. Benjamin*, Gesammelte Schriften II, 1 (Hg. v. R. Tiedemann u. H. Schweppenhäuser) Werkausgabe Band 4, Frankfurt a. M. 1980, 179–203; Anmerkungen der Herausgeber: ebd. II, 3 Werkausgabe Band 6, 943–946.

[28] Am ehesten wäre noch hinzuweisen auf die in den letzten Jahren an Zahl zunehmenden Arbeiten zur Sozialkritik der Propheten und die Früchte der methodologisch allerdings oft etwas fragwürdigen Bewegung für eine „materialistische Exegese".

[29] Vgl. vor allem *F. Crüsemann*, Der Widerstand gegen das Königtum. Die antiköniglichen Texte des Alten Testamentes und der Kampf um den frühen israelitischen Staat (WMANT 49) Neukirchen-Vluyn 1948; neuestens ferner: *M. Weinfeld*, The Transition from Tribal Rule to Monarchy and its Impact on the History of Israel, in: D. J. Elazar (Hg), Kinship and Consent. The Jewish Political Tradition and its Contemporary Uses, Jerusalem 1981, 151–166. Interessant ist, daß schon das ChrG über den Zusammenhang der Staatsgründung mit „Blut" reflektiert und daraus ableitet, daß erst Salomo den Tempel bauen durfte: vgl. *M. Bič*, Davids Kriegsführung und Salomos Bautätigkeit, in: M. S. H. G. Heerma von Voss u. a., Travels in the World of the Old Testament. FS M. A. Beek (SSN 16) Assen 1974, 1–11.

vor allem dargestellt durch den Bildtyp des „Herrn der Tiere"[30]. Von dieser Frage ist es nicht weit zu den Tieropfern im Kult, die ja außerdem oft nur als Ersatz für eigentlich geforderte Menschenopfer betrachtet werden. Das führt zum Kult- und Opferwesen. Besonders wichtig sind hier die Arbeiten zum Menschenopfer[31], zur Symbolik des Bluts im Kult[32] und zur sogenannten Kultkritik der Propheten und einiger Psalmen, insofern auch in ihr das Gewaltthema berührt wird[33].

2.8 Zusammenfassung

Hier sei der Überblick über die punktuelle Beschäftigung der alttestamentlichen Wissenschaft mit der „Gewalt" abgebrochen. Vielleicht ließen sich noch weitere Seitenpfade entdecken, die unbeabsichtigt zu ihm hinführen. Aber was würde es helfen? Auch so ist schon klargeworden, daß kaum ein die Alttestamentler beschäftigender Bereich oder Gesichtspunkt ausgespart werden kann, wenn es um Gewalt geht – und insofern bewegen wir uns eigentlich auch ständig in seiner Nähe. Aber zugleich verbinden wir die einzelnen Themen nicht unter der Rücksicht der Frage nach der Gewalt miteinander. Nirgends taucht die „Gewalt" als grundsätzliche und alles zusammenhängend durchdringende Frage auf.

Peter C. Craigie erzählt in seinem Buch über den Krieg, wie ihn, als er noch Student war, das Problem des „heiligen Krieges in Israel" zu bedrängen begann. Er ging zu einem seiner Professoren und fragte ihn um Rat. Dieser empfahl ihm einige Kommentare und G. von Rads Buch „Der Heilige Krieg im alten Israel". Craigie berichtet: „Ich machte mich ans Studium und kam auf eine Menge interessanten linguistischen, historischen und kulturellen Wissens. Aber ich fand nichts, was auf meine eigene Frage geantwortet hätte:

---

[30] Hierzu in Verbindung mit Ijob 38–41 vgl. *O. Keel*, Jahwes Entgegnung an Ijob. Eine Deutung von Ijob 38–41 vor dem Hintergrund der zeitgenössischen Bildkunst (FRLANT 121) Göttingen 1978, vor allem 64–125. Von hier her wäre auch neu über die Aussagen der jahwistischen und priesterschriftlichen Urstandserzählungen zum Verhältnis Mensch–Tier nachzudenken.
[31] Vgl. Literaturverzeichnis III f „Menschenopfer".
[32] Vgl. Literaturverzeichnis I a *„dam"*.
[33] Vgl. Literaturverzeichnis II c „Kultkritische Texte".

auf die theologische Angst, die ich deshalb hatte, weil Gott und Krieg als dasselbe erschienen"[34].

Vielleicht macht dieses Erlebnis eines Theologiestudenten deutlich: Die Tatsache, daß wir uns intensiv mit den Wortbedeutungen und der Verwendung von Wörtern für Gewalttätigkeit, mit blutigen Erzählungen wie der von Kain und Abel, mit der historischen Frage der gewaltsamen Eroberung Kanaans durch Israel, mit Institutionen und Theoremen wie Heiligem Krieg und Jahwekrieg, mit halbmythischen Aussagen über Jahwe als göttlichen Kämpfer, mit Orakeln gegen andere Völker und apokalyptischen Endkampffantasien, mit Fluch- und Rachepsalmen und den Gebeten ungerecht Verfolgter, mit Gewalttat bei der Stiftung von Staat und Recht, mit im Schutz des Staats gedeihender, legal oft einwandfreier, aber dennoch der Ausbeutung und Unterdrückung von Menschen dienender Gewalt, mit deren prophetischer Kritik, mit der Gewaltbeziehung zwischen Mensch und Tier, mit blutigen Tier-, ja Menschenopfern und wiederum deren prophetischer Kritik beschäftigen, sichert uns keineswegs davor, daß wir vielleicht die wichtigsten oder doch wenigstens die unsere Schüler und Zeitgenossen am meisten bedrängenden Fragen verfehlen. In manchen Fällen mag unsere emsige Vielgeschäftigkeit sogar den geheimen Zweck haben, vor lauter Vor- und Einzelfragen vielleicht vor der Begegnung mit den eigentlichen Fragen bewahrt zu bleiben.

Doch vielleicht tue ich mit solchen Worten auch manchem Kollegen Unrecht. Vielleicht ist doch manche Arbeit über die Feinde in den Klagepsalmen letztlich nur deshalb geschrieben worden, damit der Schreiber selber wieder die Psalmen ohne innere Beklemmung beten konnte – auch wenn sich das nachher nicht objektiv in der Veröffentlichung niederschlug. Und es gibt dann doch auch Veröffentlichungen, die sich mit der eigentlichen Sachfrage selbst auseinandersetzen, wenn ihre Zahl auch weitaus geringer ist als die Zahl der bisher vorgeführten Veröffentlichungen. Von diesen Arbeiten sei nun im folgenden kurz berichtet.

---

[34] *P. C. Craigie*, The Problem of War in the Old Testament, Grand Rapids 1978, 106 (Übersetzung von mir).

3 „Gewalt" als Hauptproblem

3.1 Vorbemerkungen

Ich beschränke mich hier auf Veröffentlichungen von Alttestament-lern. Ich gehe also nicht auf Systematiker oder praktische Theologen ein, die sich zur Bedeutung des Alten Testaments für die Kirche oder für die Theologie geäußert haben. Meist gehen sie auch von einem anderen Problem aus als von dem der im Alten Testament zutagetretenden Gewalt[35]. Das Problem der Gewalt erscheint zwar dann gewöhnlich auch, aber doch meist erst an untergeordneter Stelle im Systemzusammenhang.

3.2 Zu Gewalt überhaupt

Das Stichwort „Gewalt" wird bei Alttestamentlern erst in allerjüngster Zeit vernehmbar.

3.2.1 H. D. Preuß 1978

1978 erschien in der Taschenbuchreihe „Zur Sache – Kirchliche Aspekte heute" als Nr. 14 eine im Auftrag der Evangelisch-Lutherischen Kirche in Bayern erarbeitete Aufsatzsammlung „Macht und Gewalt. Leitlinien lutherischer Theologie zur politischen Ethik heute". In ihr findet sich ein Beitrag von H. D. Preuß, „Alttestamentliche Aspekte zu Macht und Gewalt"[36]. Preuß betont sofort, daß innerhalb des alttestamentlichen Raums nicht so etwas wie eine „Vergeistigung oder Pazifizierung des dann nur in seinen Anfängen kriegerischen Gottesbildes" stattgefunden hat, erst recht nicht ein „fortschreitender Entwicklungsprozeß". Allenfalls könne man gegen Ende von einer „Verlagerung" ins Eschatologische reden. Der alttestamentliche „Friedensgedanke" habe auch keineswegs zu einer „prinzipiellen Kritik an Macht und Gewalt gefunden" und besage eher einen „Nicht-Krieg" als das, was wir heute mit „Frieden" meinen (124).

---

[35] Vgl. etwa die bei *H. Seebaß*, Biblische Hermeneutik (Urban Taschenbücher 199) Stuttgart 1974, besprochenen Autoren, die im übrigen auch einige Bibelwissenschaftler einschließen.
[36] *H. Greifenstein* (Hg), Macht und Gewalt. Leitlinien lutherischer Theologie zur politischen Ethik heute, Hamburg 1978, 113–134.

Preuß behandelt dann inhaltlich Jahwe als „Kriegsmann" und den Jahwekrieg, das bleibend Kriegerische im Verhältnis Israels zu den anderen Völkern, das kriegerische Element in Jahwes Theophanie und Epiphanie, die Gewalt in den eschatologisch-apokalyptischen Entwürfen.

Wichtiger aber sind die an den Anfang der Ausführungen gestellten grundsätzlichen Erwägungen. Nach ihnen gibt es in der Bibel für die Fragen von Macht und Gewalt keinen einheitlichen Befund. Das Alte Testament ist „in seiner Sicht der Phänomene von der des Neuen Testaments in vielen Bereichen seiner Texte weit geschieden" (115). Daher bliebe „ein wertungsfreies Nebeneinander der beiden biblischen Testamente" unzureichend (116). Vom Neuen Testament her muß bei diesem Thema eine schriftgemäße Verkündigung „zur Predigt gegen Teile der Schrift" werden (117). Nur in Randbereichen gibt es hinsichtlich des Themas „Gewalt" schon innerhalb des Alten Testaments eine beginnende Dialektik, etwa wenn in den Psalmen neben den Aussagen über die „Feinde" solche über die „Armen" stehen (118).

An den manchmal etwas gewundenen Ausführungen gewinnt man den Eindruck, daß es Preuß nicht leicht fällt, einen „Teil" (117) des Alten Testaments einfach vom Neuen Testament her mit einem „Nein" zu bedenken. Aber er sieht offenbar keine andere Möglichkeit als die Alternative zwischen Wahr und Falsch.

3.2.2 J. Ebach 1980

Das 1980 erschienene Buch von Jürgen Ebach „Das Erbe der Gewalt" behandelt zwar nur im ersten von vier Teilen das Alte Testament[37]. Doch er ist der grundlegende, und hier ist der Verfasser auf seinem Fachgebiet. Es handelt sich um eine alle kritischen Punkte berührende und im Urteil sehr ausgewogene Darstellung. Nichts wird verschwiegen oder beschönigt, aber alles wird auch in seine damaligen Zusammenhänge gestellt und nicht sofort mit falschen Wertmaßstäben gemessen. Jahwe ist gerade als Israels Retter gewalttätig. Der Krieg ist nicht „heiliger" als alle anderen Lebensberei-

---

[37] *J. Ebach*, Das Erbe der Gewalt. Eine biblische Realität und ihre Wirkungsgeschichte (GTB Siebenstern 378), Gütersloh 1980, 14–56: Gewalt und Krieg im Alten Testament. Es folgen Teile über das Neue Testament, die Wirkungsgeschichte und gegenwärtige Fragen.

che und als in allen Nationen der damaligen Welt. Dazu besteht die Tendenz, ihn der Verfügung des Menschen zu entziehen. Die Propheten sind gegen die rechtsstaatlich gepflegte und geschützte Gewalt. Sie nähren die Hoffnung auf das Ende der Kriege. Die Kain-Abel-Erzählung wird als Darstellung des Übergangs von individueller auf strukturelle Gewalt gedeutet. Nächstenliebe und Verzicht auf Haß innerhalb Israels gehen zusammen mit der Aufbietung aller Härte und Grausamkeit, wenn es um die Sicherung der Identität des Volkes geht – wie etwa in den Ausrottungsgesetzen des Deuteronomiums deutlich wird.

Im ganzen ergibt sich das Bild von zwei Linien, die unverbunden nebeneinander her laufen, bisweilen sich auch umschlingen. Im Neuen Testament setzt sich dann eher die Aufdeckung des überall herrschenden Gewaltzusammenhangs und die Aufforderung zum Gewaltverzicht durch.

Für uns heute betrachtet Ebach die Bibel als eine Art Erbgut, in dem sich „vielerlei Erbstücke finden, darunter museale, verstaubte, offenkundig wertvolle, solche vielleicht, die überraschend brauchbar sind" (109). Wir müssen uns ans Aussortieren begeben und zusehen, was noch verwendbar ist.

Ebachs eigene Optionen gehen in Richtung alternativer Unternehmungen und konkreter Utopien. Dabei bleibt „die Veränderung der Gesamtgesellschaft auf Solidarität und Gewaltlosigkeit das Ziel, freilich nicht ein Nahziel, dem gegenüber ein Alles-oder-Nichts der einzig mögliche Weg" wäre (124). Ebach gewinnt offenbar eine hohe Ausgeglichenheit und Freiheit gegenüber dem Zutagetreten der Gewalt im Alten Testament gerade dadurch, daß er die Bibel nicht als letzte Autorität betrachtet, sondern nur als Hilfe für die utopische Fantasie, die zu ihren Entscheidungen dann von woandersher kommt. So kann er mit dem Alten Testament eklektisch umgehen, ihm dabei aber vielleicht sogar besser gerecht werden als eine formalistisch am Neuen Testament fixierte Einstellung, die stets in der Gefahr sein wird, Texte und ganze Textkomplexe sofort für überwunden und überholt zu erklären[38].

---

[38] Neben den Titeln von Preuß und Ebach wären hier noch zwei andere zu erwähnen. Nicht zugänglich war mir *J. Lasserre*, Non-violence et Ancien Testament, Poitiers 1977. Schon in den Umkreis der von R. Girard beeinflußten Literatur gehört *N. Lohfink* und *R. Pesch*, Weltgestaltung und Gewaltlosigkeit. Ethische Aspekte des Alten

3.3 Zu den Fluch- und Rachepsalmen

Vor dieser also höchst rezenten und noch ganz anfangshaften Zuwendung von Alttestamentlern zum umfassenden Thema „Gewalt" gab es nur Auseinandersetzungen mit speziellen Reizthemen aus dem Gegenstandsbereich: dem Thema „Fluchpsalmen" und dem Thema „Krieg". Doch haben sie einen gewissen Modellcharakter. Deshalb sollen die wichtigeren Äußerungen dazu aus den letzten Jahrzehnten vorgestellt werden.

Die sogenannten Fluch- oder Rachepsalmen zwangen einfach deshalb immer wieder zur Auseinandersetzung, weil die katholischen Bibelwissenschaftler, normalerweise Geistliche, sie täglich im Stundengebet zu rezitieren hatten, und weil es auch breite evangelische Traditionen gab, die Psalmen als Gebete zu sprechen oder zum Beispiel am Krankenbett vorzulesen[39]. Da war man immer von neuem konfrontiert mit den Bitten an Gott, die Feinde zu vernichten, ja man war aufgerufen, sich mit diesen Bitten zu identifizieren und sie ins eigene Leben zu übertragen.

3.3.1 A. Miller 1943

Ältere Hilfen hatten aus dem Geist der allegorischen Auslegungstradition heraus dazu geraten, in den Feinden Satan und sein Reich, in der angesprochenen Situation die eschatologische Endauseinandersetzung, im Betenden Christus selbst zu sehen. Demgegenüber versuchte Athanasius Miller 1943 einen historisch-kritischen Zugang zum Problem zu finden[40]. Millers Ausgangspunkt ist der enge Zusammenhang von Religion und Recht in Israel. Er interpretiert das israelitische Rechtswesen als durchgehend sakral. Der Übeltäter wurde der Gottheit zur Bestrafung übergeben. Letztlich sind die Rachegedanken der Psalmen also gerade der Ausdruck dafür, daß es in Israel keine „selbständig handelnde Rache" gab (101). Die Herstellung der Gerechtigkeit in der Welt wurde allein Gott überlassen.

---

und Neuen Testaments in ihrer Einheit und ihrem Gegensatz (Schriften der katholischen Akademie in Bayern 87) Düsseldorf 1978 (vgl. auch *N. Lohfink,* Was hat Jesus genutzt?: BiKi 34 [1979] 39–43).

[39] Vgl. *E. Hirsch,* Das Alte Testament und die Predigt des Evangeliums, Tübingen 1936, 6f: Dort erzählt Hirsch, wie seine theologische Einstellung zum ganzen Alten Testament entscheidend beeinflußt wurde durch die Reaktion einer kranken Frau, der er während des 1. Weltkriegs am Krankenbett den 91. Psalm vorlas.

[40] *A. Miller,* Fluchpsalmen und israelitisches Recht: Ang. 20 (1943) 92–101.

3.3.2 H. A. Brongers 1963

Auf der gleichen Linie wie Miller bewegt sich 1963 der Protestant Brongers[41]. Nach einer gründlichen und übersichtlichen Darstellung von Art und Funktion der Rache- und Fluchmotive in den Psalmen geht auch er von der starken Identifizierung von Sache Jahwes und Sache Israels in der Rechtsgemeinschaft aus. Alles wird noch zugespitzt dadurch, daß der israelitische Glaube darauf angewiesen ist, daß sich die Gerechtigkeit im Diesseits durchsetzt. Es geht daher nicht um „banale Racheübung", sondern „um das Recht Jhwhs, das unter allen Umständen aufrechterhalten werden soll, damit die ganze Welt erfahre, daß Er Herrscher ist in Jakob und bis an der Erde Enden!" (42). Brongers scheint der Meinung zu sein, nach Entgegennahme dieser Erklärung könne man die Psalmen auch heute ohne weiteres beten.

3.3.3 R. Schmid 1967

Rudolf Schmid, der 1967 in einem Festschriftartikel auf ähnliche Gedanken zurückgriff[42], tut sich da etwas schwerer. Er versucht deshalb in der zweiten Hälfte seiner Ausführungen, vom Neuen Testament her nachzuweisen, man solle als Christ alle diese Gebetstexte in eschatologischem Kontext verstehen, man könne „den Vollzug des vom Psalmisten erflehten Gerichts in die Endzeit verlegen" (389). Damit gewinnt er ein Prinzip der traditionellen Allegorese zurück, allerdings als vom Ganzen der Bibel her kritisch gesichert.

3.3.4 N. Füglister 1969

Auf diesem Weg geht auch Notker Füglister 1969 in seinem streitbaren Aufsatz über den „Mut zur ganzen Schrift"[43], und er geht noch einige Schritte weiter. Dieser Aufsatz hatte das Ziel, die vorgesehe-

---

[41] *H. A. Brongers*, Die Rache- und Fluchpsalmen im Alten Testament, in: OTS 13, Leiden 1963, 21–42.

[42] *R. Schmid*, Die Fluchpsalmen im christlichen Gebet, in: Theologie im Wandel. FS der Kath.-theol. Fakultät Tübingen 1817–1967, I, München 1967, 367–393.

[43] *N. Füglister*, Vom Mut zur ganzen Schrift. Zur Eliminierung der sogenannten Fluchpsalmen aus dem neuen Römischen Brevier: StZ (1969) 186–200. Eine etwas gekürzte Zweitveröffentlichung dieses Artikels ist: *ders.*, Gott der Rache?, in: T. Sartory (Hg), Entdeckungen im Alten Testament oder Die vergessene Wurzel, München 1970, 117–133.

nen Streichungen im katholischen Lektionar und Stundengebet noch in letzter Minute abzuwenden.

Dieses Ziel erreichte er nicht. Füglister zeigt zunächst, in welchem Ausmaß Vergeltungsbitten, Vernichtungswünsche, ja auch indikativische Feststellungen über entsprechendes Handeln Gottes den gesamten Psalter durchziehen: nicht nur die Klagelieder, sondern zumindest ebenso stark die sogenannten messianischen Psalmen. „Mit dem Streichen von ein paar besonders anstößigen Stellen" sei dem Phänomen auf keinen Fall wirksam beizukommen (191). Es geht hier schon um „Wesen und Struktur der gesamtbiblischen (d. h. der alt- und neutestamentlichen) Botschaft und Theologie" (191). Hier kommen zwei wesentliche Kategorien der biblischen Soteriologie zum Zug, das „Gericht" und der „Krieg". Sie sind auch im Neuen Testament keineswegs aufgehoben, wie viele Belege zeigen (190 und 192). Doch erhalten sie schon im Alten Testament – nicht erst, wie Schmid meinte, im Neuen – eine dämonisch-eschatologische Färbung (192 f), übersteigen damit die Grenzen von Raum und Zeit (194) und werden eschatologisch (194). Dabei ist alles ganz theozentrisch zu sehen. Gott ist der eigentlich Angefochtene. Er allein ist Richter und Herrscher. Es geht nicht um irgendein privates Gut, sondern allein im Gottes Herrlichkeit und Herrschaft (194–196). Der Psalmenbeter tritt in ein „überindividuelles Groß-Ich" ein – und auch dies schon von Sinnschichten des Alten Testamentes her[44]. Dies kann implizieren, daß er, sich mit Christus identifizierend, mit den Verwünschungen auch sich selbst meint und sie über sich selbst spricht (198 f).

Diese Überlegungen, die ja nun nicht im Namen einer ungeprüft übernommenen allegorischen Verständnistradition, sondern im Namen einer auf ihrer eigenen Ebene nur weit genug vorangetriebenen historisch-kritischen und literaturkritischen Exegese vorgetragen wurden, sind, soweit ich sehe, noch nirgends aufgegriffen und überprüft oder ausgebaut worden.

3.3.5 O. Keel 1969
Othmar Keel versuchte 1969 im Anhang seines Buches „Feinde und

---

[44] Hier verweist F. auch auf *J. Becker*, Israel deutet seine Psalmen (SBS 18) Stuttgart 1966.

Gottesleugner" darzutun, daß die Fluchwünsche der Psalmen trotz ihrer Christusferne oft angemessener Ausdruck auch der inneren Situation von Christen sind[45].

3.3.6 G. E. Mendenhall 1973

Zwei weitere, in diesem Zusammenhang anzuführende Arbeiten gehen nicht eigentlich über die Fluchpsalmen, sondern knüpfen an dem gewöhnlich mit „rächen" übersetzten Wort *nqm* an. Sie bemühen sich um die Klärung des Verständnisses von sogenannten Rachewünschen auch schon im ursprünglichen Aussagesinn.

G. E. Mendenhall handelt in einem ausführlichen Kapitel seines 1973 erschienenen Buchs „The Tenth Generation" über die „Rache Jahwes", wobei er das Wort „Vengeance", „Rache", sofort in Anführungszeichen setzt[46]. Nach ihm meint *nqm* niemals privatrechtliche Deliktsahndung, sondern nur legitime Ausübung von Gewalt zur Wiederherstellung des Rechts, und zwar durch eine gesellschaftlich anerkannte Autorität, deren Recht letztlich von der Gottheit kommt. In Israel ist normalerweise Jahwe selbst das Subjekt der Aussage. Infolge der Konzeption Israels als einer Suzerängemeinschaft unter Jahwe übt er seine Herrschaft direkt, nicht durch staatliche Autoritäten vermittelt aus. Deshalb muß er zur Aktion des *nqm* aufgefordert werden[47].

3.3.7 W. Dietrich 1976

Walter Dietrich, der Mendenhalls Buch nicht zu kennen scheint, zieht in seinem Aufsatz über die „Rache" aus dem Jahre 1976[48] nicht nur *nqm*, sondern auch benachbarte Wörter heran und untersucht etwa 130 Belege. Auch er stellt sofort fest, daß es im Zusammenhang

---

[45] O. Keel, Feinde und Gottesleugner. Studien zum Image des Widersachers in den Individualpsalmen (SBM 7) Stuttgart 1969, 226–231.

[46] G. E. Mendenhall, The Tenth Generation. The Origins of the Biblical Tradition, Baltimore 1973, 69–104 (The „Vengeance" of Yahweh). Die diesbezüglichen Überlegungen sind bei ihm wesentlich älter. Vgl. ders., „God of Vengeance, Shine Forth!": Wittenberg Bulletin 45 (1948) 37–42.

[47] Inzwischen ist die philologische Basis der Thesen von Mendenhall ernsthaft in Frage gestellt: vgl. W. T. Pitard, Amarna *ekēmu* and Hebrew *nāqam*: Maarav 3 (1982) 5–25.

[48] W. Dietrich, Rache. Erwägungen zu einem alttestamentlichen Thema: EvTh 36 (1976) 450–472.

meist um Gott geht, nicht um einen Menschen. Jahwe ist „der einzige absolut zuverlässige Garant dafür, daß Unrecht nicht ungesühnt bleibt" (458). Rechtlich gesehen ist unsere heutige scharfe Unterscheidung von privater und öffentlicher Deliktsahndung auf die israelitische Gesellschaft nicht anwendbar. In ihr herrscht in dieser Hinsicht eine eigentümliche Geschiebelage. Es gibt auch so etwas wie „gesellschaftlich normierte Privatstrafe" (461). Die Vorstellung vom rechtsdurchsetzenden gewaltsamen Eingreifen Gottes (im privaten wie im internationalen Bereich) sieht Gott da, wo anders kein Recht geschaffen werden kann, in Analogie zu einem Menschen, der auf privater Ebene rechtens Recht wieder herstellt.

Psychologisch gesehen sei vor allem zu beachten, daß die Übertragung der Rache auf Gott gerade den Verzicht auf eigene Rache bedeute. Der immer wieder beobachtbare Freimut, die eigenen Rachegefühle zu artikulieren, sei aber vielleicht eine Aufforderung an uns, das „gerade auch von der Psychologie propagierte Ideal einer möglichst gründlichen Unterdrückung oder Sublimierung von Rachewünschen auf eventuelle Mängel oder unerwünschte Nebenwirkungen zu überprüfen" (466). Im Vergeltungsdenken „kommt immer Protest zur Sprache; Protest aber kann berechtigt sein" (466 f).

Das Neue Testament fordere zweifellos zum Verzicht auf Rache auf. Doch es bleibe dabei, daß Gott die Rache übernehmen werde. Allerdings weckt dann die Verlassenheit Christi am Kreuz überhaupt „Zweifel an der christlichen Legitimität des Redens von der Rache Gottes, mehr noch: an der Identität des dabei vorgestellten Gottes mit dem im Kreuzesgeschehen sich offenbarenden" (470). Gott bleibt einer, der „über Sünde nicht gutmütig hinwegsieht." Aber er setzt am Ende das Recht durch „nicht mehr, indem er sich für Sünde rächt, sondern indem er den Sünder rechtfertigt" (472).

Man gewinnt den Eindruck, daß Dietrich im Neuen Testament keine letzte Eindeutigkeit feststellen kann. Doch vorher läuft der Duktus aller Ausführungen so, daß das zurechtgerückte und in seinem Kontext verständlich gemachte Racheethos des Alten Testaments, dort selbst schon umgewandelt in die Übertragung der Rache auf Gott und damit gerade in den eigenen Racheverzicht, etwas für uns durchaus noch Vorbildhaftes sei. Der Schluß des Artikels überrascht. Hier gelang es offenbar nicht, eine Einheit herzustellen.

Allen anderen Autoren, die sich zu den Fluchpsalmen geäußert haben, scheint dies eher gelungen zu sein – aber nach meinem Eindruck doch wohl nur deshalb, weil sie die zentrale Aussage des Neuen Testaments vom Tod Jesu am Kreuz und von der Rechtfertigung der Sünder nicht oder kaum ins Auge gefaßt haben. Dies zu konstatieren ist immerhin bedeutsam. Fast alle Alttestamentler, die sich am Sonderfall der Fluchpsalmen mit dem Thema Gewalttätigkeit auseinandersetzen, kommen dazu, diese auch für christlich vertretbar, ja betbar zu halten, und das, ohne in die eigentliche Dialektik von Altem und Neuem Testament hineinzugeraten.

3.4 Zum Thema Krieg

3.4.1 H. Junker 1947

Ist es bei denen, die sich dem Sonderfall „Krieg" zuwenden, anders? Hubert Junker knüpft mit seinem Aufsatz zum „Bann gegen heidnische Völker" aus dem Jahre 1947[49] zunächst an die ältere kirchliche Deutetradition an. Doch lehnt er deren Antwort, es handle sich bei den Vernichtungskriegen Israels eben um Aktionen aufgrund positiver und einmalig-konkreter Anweisungen Gottes, die als solche auch sittlich gerechtfertigt sein müßten, als heute nicht mehr vertretbar ab. Vielmehr handle es sich nur um „alte rohe Kriegssitte", die Gott aber zunächst wegen der menschlichen „Herzenshärte" geduldet habe, genau so wie die Ehescheidung (83). Gottes Offenbarung lief eben so, daß er die Menschheit sich „erst in langsamer und allmählicher Entwicklung" aus der „Tiefe der sittlichen Verwilderung" zur Höhe „emporarbeiten" ließ (85). Nachdem später „das Gesetz der Nächstenliebe in seiner ganzen Reinheit und Vollkommenheit" bekanntgeworden war, wäre ein Auftrag zur Völkervernichtung durch einen Propheten nicht mehr möglich gewesen (89).

Junker macht also die in der historischen Betrachtung damals übliche Kategorie der „Entwicklung" auch zu einer theologischen. Damit hätte für uns ein großer Teil der alttestamentlichen Literatur natürlich nur noch exotischen Museumswert.

---

[49] *H. Junker*, Der alttestamentliche Bann gegen heidnische Völker als moraltheologisches und offenbarungsgeschichtliches Problem: TThZ 56 (1947) 74–89. Zur älteren Auslegung: 79–82.

3.4.2 N. K. Gottwald 1964

Gleiches läßt sich zu Normann K. Gottwalds Aufsatz über den Heiligen Krieg im Deuteronomium aus dem Jahre 1964 sagen[50]. Nach seiner Auffassung ist der Heilige Krieg „einer der Restbestände alter semitischer Religion, Spreu inmitten des Weizens des altisraelitischen Glaubens" (308). „Jesus hat mit der Idee, Krieg sei das beliebteste Werkzeug Gottes, emphatisch ein Ende gemacht" (308). Ich vermute, daß Gottwald heute andere Akzente setzen würde[51].

3.4.3 P. D. Miller 1965

Auf jeden Fall melden sich von da an auch in Nordamerika ganz andere Stimmen zu Wort, und zwar aus dem Umkreis von Harvard, wo damals viel über „God the Warrior" diskutiert und publiziert wurde[52]. Dies ist auch der Titel eines Aufsatzes von Patrick D. Miller, in dem dieser sich schon Jahre vor der Veröffentlichung seines Buches über den „göttlichen Kriegshelden" im Jahre 1965 zu den Grundsatzfragen geäußert hat[53]. Mit Recht schiebt er gleich zu Anfang zu leichte Antworten auf dieses „wirkliche Skandalon des Alten Testaments für den modernen Menschen" (40) beiseite: etwa, in Wirklichkeit sei es gar nicht so blutig hergegangen, wie dies im Alten Testament aufgebauscht dargestellt werde, oder es handle sich nur um ein Phänomen der Frühzeit, das dann später überwunden worden sei. In Wirklichkeit ziehe sich diese Vorstellung ja bis zum Neuen Testament durch (41). Man müsse sich vielmehr die Gott-Krieger-Aussage des Alten Testaments in Theologie und Predigt positiv zu eigen machen.

---

[50] *N. K. Gottwald*, „Holy War" in Deuteronomy. Analysis and Critique: RExp 61 (1964) 296–310. Zitate sind von mir übersetzt.

[51] Vgl. *ders.*, The Tribes of Yahweh. A Sociology of the Religion of Liberated Israel 1250–1050 B.C.E., Maryknoll 1979, 543–550: Hier versucht G., den *ḥeræm* historisch zu reduzieren auf „selective expulsion and annihilation of kings and upper classes and the selective expropriation of resources such as metals – all with the aim of buttressing the egalitarian mechanisms of Israelite society and providing a solid, renewable support base for the peasant economy" (550). In diesem Sinne sieht er darin dann eine geradezu originelle und von der Sache des alten egalitären Israels her unentbehrliche Prozedur.

[52] Vgl. oben S. 22 f.

[53] *P. D. Miller*, God the Warrior. A Problem in Biblical Interpretation and Apologetics: Interp. 19 (1965) 39–46. In *ders.*, The Divine Warrior in Early Israel, Cambridge, MA, 1973, 170–175, werden diese Gedanken gerafft wiederaufgenommen. Zitate sind von mir übersetzt.

Miller sieht in dieser Aussage drei positive Inhalte. Erstens wird durch sie wie durch nichts anderes deutlich, daß Gott konkret in der Geschichte am Werke ist (43). Zweitens kommt in ihr das Herrsein und die Oberhoheit Gottes zum Ausdruck (44). Drittens wird in ihrem Zusammenhang deutlich, worin dann, wenn Gott in der Geschichte handelt, die Aufgabe des Gottesvolkes besteht: nur in Glauben und furchtlosem Vertrauen (45).

Es ist vielleicht nicht zufällig, wenn Miller am Ende des Aufsatzes darauf hinweist, daß die reformierte Theologie in der Nachfolge Calvins die „Oberhoheit Gottes" zur zentralen Aussage des Credos gemacht hat. Denn hier spricht sich ein Typ von Auslegung aus, der nicht, wie der eher von Luther herkommende Typ, zunächst einmal das Alte Testament vom Neuen her in Frage stellt.

3.4.4 G. E. Wright 1969

Einige Jahre darauf, 1969, veröffentlichte G. Ernest Wright, einer der Lehrer Millers in Harvard, ein Büchlein, das man als sein theologisches Testament bezeichnen könnte: „The Old Testament and Theology"[54]. Die drei zentralen Kapitel des Buches sind überschrieben: „Gott der Schöpfer", „Gott der Herr" und „Gott der Krieger". Sofort am Anfang des Kapitels „Gott der Krieger" (121–150) beklagt er sich darüber, daß „kein anderes Attribut des Gottes der Bibel bewußter und allgemeiner abgelehnt wird" als das des „Kriegers" (121). Er versucht dann, nachzuweisen, daß man das Wirklichkeitsverständnis der Bibel auflöst, wenn man diesen Begriff aus der Theologie ausscheidet. Dadurch gehe der Unterschied zu den anderen Religionen verloren (122). Von Exodus und Landnahme bis hin zur Apokalypse des Neuen Testaments legt er geduldig einen Text nach dem andern aus (122–144). Er distanziert sich deutlich von allen modernen theologischen Ansätzen, die es ablehnen, „politisch" zu reden, vor allem von den existentialen Entwürfen (145–147). Die Durchsetzung der kosmischen Weltherrschaft Gottes in unserer Wirklichkeit müsse notwendig immer wieder zu Konflikten führen, die wegen „unserer Sünde und Endlichkeit oft auch offenen und bösen Gebrauch von Gewalt" bedeuten (148).

---

[54] *G. E. Wright*, The Old Testament and Theology, New York 1969. Zitate sind von mir übersetzt.

In einem fingierten Gespräch mit einem Vertreter einer traditionellen christlichen Friedenskirche gibt er zwar zu, daß er als Presbyterianer sich innerhalb der U.S.A. wohl spontan eher auf der Seite des Establishments findet (148), insistiert aber darauf, daß Gewaltlosigkeit nicht in jedem Fall der einzige Weg der Liebe sein kann (149).

3.4.5 W. Janzen 1975

Ein Schüler von ihm, W. Janzen, ein Mennonit, also Mitglied einer solchen pazifistischen Kirche, hat 1975 in der Wright-Gedenknummer von BASOR dieses Gespräch weiterzuführen versucht[55]. Er sagt, er könne die biblische Theologie von Gott, dem Krieger, voll übernehmen – denn gerade aus ihr folge für ihn der radikale christliche Gewaltverzicht. Aufgabe der Gläubigen im Heiligen Krieg sei es ja nur, stillezuhalten, zu warten und zu glauben, damit Gott allein und auf seine göttliche Weise sein wirkliches Werk in der Geschichte tun könne. Die göttliche Weltherrschaft sei nicht schon da, so daß wir Menschen sie als ein uns anvertrautes Gut zu verteidigen hätten. Sie sei erst am Kommen, und unsere Aufgabe sei es, Gott im Glauben Raum zu geben.

3.4.6 H.-J. Kraus 1977

Ohne daß er diese amerikanische Auseinandersetzung, die parallel zum Vietnamkrieg und Watergate lief, zu kennen scheint, hat Hans-Joachim Kraus, Inhaber eines Lehrstuhls für Reformierte Theologie in Göttingen, 1977 eine sich von der Struktur des Denkens her hier unmittelbar anschließende Meditation über den „Kampf des Glaubens" vorgelegt[56].

Sie baut auf G. von Rads Ausführungen über den Heiligen Krieg in Israel auf, übernimmt auch deren an sich ja in manchem überholte Thesen, konzentriert sich aber ganz auf das menschliche Element des Stillehaltens und Vertrauens. Doch verlängert Kraus die Linie ins Neue Testament hinein. Hier entdeckt er, unter Umgehung

---

[55] *W. Janzen*, God as Warrior and Lord. A Conversation with G. E. Wright: BASOR 220 (1975) 73–75.
[56] *H.-J. Kraus*, Vom Kampf des Glaubens, in: H. Donner u. a. (Hg), Beiträge zur alttestamentlichen Theologie. FS W. Zimmerli, Göttingen 1977, 239–256.

der Entwicklungen in der Makkabäerzeit und in Qumran, ein Anknüpfen vor allem an Jesaja. Unter „Negation alles Militärischen" (250) kann er die zentralen Aussagen des Neuen Testaments in die Typologie des Heiligen Krieges einpassen: es gehe vor allem um den „Kampf des Glaubens".

3.4.7 P. G. Craigie 1978

Vor kurzem ist in den U.S.A. ein kleines, eher populäres Büchlein über den Krieg im Alten Testament erschienen, dessen Verfasser, P. C. Craigie, vorher vor allem durch ugaritologische Beiträge zum Deboralied bekannt war[57]. Craigie breitet die verschiedenen Aspekte der Frage bedächtig vor dem Leser aus und gelangt am Ende, obwohl die Grenzen des Alten Testaments nicht überschreitend, eher zu einer gebrochenen Aussage: „Die vollen Dimensionen und Folgen des Kriegs werden erst sichtbar, wenn man die ganze Botschaft des Alten Testaments ins Auge faßt. Dann lernt man, daß Gewalt nur wieder neue Gewalt hervorbringt, daß die Wahrheit zutagetritt, wenn man im Krieg besiegt wird, und daß die Zukunft eine Vision des Friedens enthält" (107). Das ist eigentlich außerordentlich nahe an dem, was Girard und seine Schüler sagen und worüber jetzt bald gehandelt werden muß[58].

3.5 Zusammenfassung

Denn wenn wir nun zurückblicken, dann entdecken wir, daß die sowieso seltenen und aus ganz verschiedenen Lagern und Situationen kommenden Äußerungen zur Problematik der Gewalt im Alten Testament sehr verschieden klingen je nachdem, ob sie zur Gewalt als solcher, zu den Gebeten um Vergeltung oder zum Problem des Krieges gemacht werden. Die Scheidung zwischen einem mehr lutherischen und einem eher reformierten Ansatz liegt nochmals quer dazu. Doch gewinnt man den Eindruck, daß die Alttestamentler reformierten oder katholischen Hintergrunds es etwas leichter haben, der

---

[57] *Craigie*, Problem (vgl. oben Anm. 34). Zitat von mir übersetzt.
[58] Das Buch von *M. C. Lind*, Yahweh is a Warrior. The Theology of Warfare in Ancient Israel, Scottdale, PA, 1980, war mir leider nicht mehr rechtzeitig zugänglich. Ebenfalls bin ich auf *J. J. Enz*, The Christian and Warfare. The Roots of Pacifism in the Old Testament, Scottdale, PA, 1972, zu spät aufmerksam geworden.

Darstellung der Gewalt im Alten Testament ins Auge zu blicken. Manchmal gelangen sie zu fast überraschend starken Identifikationen mit den alttestamentlichen Aussagen oder doch wenigstens Bildern.

Aber ist das Problem bisher überhaupt in seiner ganzen Breite aufgerollt worden? Ist die Ausgangsbasis vieler Überlegungen nicht viel zu schmal? Wird der lutherische Ansatz vom Neuen Testament her nicht viel zu formalistisch gehandhabt? Machen es sich die Reformierten mit dem Neuen Testament und mit der von Jesus erlittenen Gewalttat seines eigenen Todes nicht etwas zu einfach? Ist irgendwo überhaupt schon einmal ins Auge gefaßt worden, daß Gewalt mit Rechtsordnung und mit Staat zusammenhängt und man vielleicht das eine ohne das andere gar nicht diskutieren darf? Auch bestimmte traditionelle Begriffe der Theologie tauchen bei den Diskussionen kaum oder nur ganz am Rande auf: etwa Sünde, erst recht Erbsünde, oder Erlösung. Wird dadurch, daß zu solchen Zentralthemen christlicher Theologie ein deutlicher Abstand gesucht wird, das Gewaltproblem nicht marginalisiert und verharmlost? Ist das aber bei seiner Verquickung mit den zentralen alttestamentlichen Themen wie Exodus, Landnahme, Königtum, Endzeithoffnung erlaubt?

Faktisch ist auf all diese Fragen eine Antwort von außen gegeben worden – nicht nur von außerhalb der alttestamentlichen Wissenschaft, sondern von außerhalb der christlichen Theologie überhaupt. Der Franzose René Girard ist von Literaturtheorie, Psychoanalyse, Ethnologie und Gesellschaftstheorie her zu einer Theorie der Gewalt gekommen, die ihn hinterher das Neue Testament und von ihm aus auch das Alte Testament als für die menschliche Beurteilung der Gewalt zentrale Textbereiche entdecken ließ. Seine Gedanken sind gerade erst dabei, in unserem Raum wahrgenommen und geprüft zu werden. Von ihnen und ihrer ersten Aufnahme soll nun die Rede sein.

4 Die durch René Girard ausgelöste Diskussion

4.1 Übersicht über die Literatur

4.1.1 Girard 1972 – 1975

Zunächst eine Übersicht über die in Frage kommende Literatur[59]. Das grundlegende Werk von René Girard zur Problematik der Gewalt ist das 1972 bei Grasset erschienene Buch „La violence et le sacré". Es ist der Versuch, vom Problem der gesellschaftlichen Bändigung des menschlichen Hangs zur Gewalttätigkeit her eine Theorie der Entstehung der primitiven Gesellschaften und ineins damit der primitiven Religion und des Opferrituals zu gewinnen. Girard führt dabei eine Theorie des menschlichen Triebsystems weiter, die er vorher bei der Analyse großer Werke der Weltliteratur gewonnen hatte. Das Buch gibt sich als anthropologischer Systementwurf, und es könnte durchaus in einem atheistischen Verstehenshorizont gelesen werden.

Doch im darauffolgenden Jahr 1973 wies Girard während einer in der Zeitschrift „Esprit" veröffentlichten Diskussion („Discussion avec René Girard") darauf hin, daß einzig die christlichen Evangelien der Grundstruktur aller Religionen nicht folgen. Sie verschleierten nicht den Sündenbockmechanismus, durch den die Gewalt gesellschaftlich gebändigt wird, sondern deckten ihn auf. Diese These entwickelte er dann textauslegend in einem Vortrag „Les malédictions contre les pharisiens et la révélation évangélique" (gedruckt 1975).

---

[59] Ich beschränke mich bei den Veröffentlichungen von Girard auf Schriften zur Gewaltproblematik, bei den Veröffentlichungen zu Girard nochmals enger auf theologische, ja alttestamentliche Stellungnahmen und Weiterführungen. Volle Titel finden sich im Literaturverzeichnis IV „Literatur um René Girard". Dieses Literaturverzeichnis kann trotz seines Auswahlcharakters auf Typika der Girarddiskussion hinweisen: Sie spielt sich praktisch im französisch-englischsprachigen Raum ab. Ins Deutsche ist noch kein Buch von Girard übersetzt, und abgesehen von Theologen (genauer: Dogmatikern und Exegeten) hat auch noch niemand im deutschen Sprachraum von Girard in irgendwie bemerkbarer Weise Notiz genommen. Girard war zwar auch in seiner französischen Heimat lange Zeit ein Geheimtip, aber nach dem Erscheinen von „Des choses cachées depuis la fondation du monde" im Jahre 1978 entstand eine umso ausgebreitetere Publizität bis in die Tageszeitungen hinein. Die Theologen spielen dabei in der Girard-Diskussion nur eine Nebenrolle, erst recht die Bibelwissenschaftler. Der Kulturgraben zwischen dem deutschen Sprachraum und dem Rest der Welt nimmt offenbar immer mehr die Form eines Abgrunds an.

4.1.2 *Deutsche Rezeption durch Schwager und andere seit 1976*

Hier muß der damalige Redakteur der Zeitschrift „Orientierung"
und jetzige Innsbrucker Dogmatiker Raymund Schwager die entscheidenden Anregungen für sein 1976 erschienenes Buch „Glaube,
der die Welt verändert" empfangen haben. Sein Problem besteht
darin, das anscheinend unausweichliche Dilemma der Christen in
einer pluralistischen Welt zu sprengen: daß sie entweder sich als
Christen selbst aufgeben oder sich in eine sektenartige Sonderexi-
stenz zurückziehen. Er sieht die Lösung in dem, was er das „hohe
Glaubensbewußtsein" nennt. Der einzelne Christ kann es gewinnen
im nachfolgenden Anschluß an Jesu „hohes Selbstbewußtsein".
Dieses ist wesentlich davon bestimmt, daß es die geheimen Mechanismen der menschlichen Gesellschaften durchschaut und eine
selbst zur Übernahme des Todes fähige Freiheit von Aggressivität
besitzt. Schwager sieht in Girard den Denker, bei dem die europäische Geistesentwicklung in der Konsequenz ihrer eigenen Logik
und aus ihren eigenen Voraussetzungen wieder da angekommen ist,
wo die Evangelien schon vor 2000 Jahren standen, als die Menschheit aber noch nicht reif für sie war. In den letzten Abschnitten des
Buchs beruft er sich ausdrücklich auf ihn.

Doch muß er dann, auch in persönlichen Diskussionen mit Girard, den Eindruck gewonnen haben, es sei nötig, den Entwurf Girards überhaupt einmal bekannt zu machen und dabei seine theologischen Implikationen auszuformulieren. Das führte zu seinem
Buch „Brauchen wir einen Sündenbock? Gewalt und Erlösung in
den biblischen Schriften", das 1978 bei Kösel erschien. Das Alte Testament wird in einem eigenen Buchteil auf den Seiten 54–142 behandelt („Vom Gott der Rache zum Gott des Friedens").

Bei der Vorbereitung des Buchs waren Rudolf Pesch und ich bera-
tend beteiligt. Da uns das Thema nicht mehr losließ, behandelten
wir es 1978 auf einer gemeinsam gestalteten Akademietagung in
München, die im gleichen Jahr bei Patmos als Buch veröffentlicht
wurde: „Weltgestaltung und Gewaltlosigkeit". Unsere Girardrezep-
tion unterscheidet sich von derjenigen Schwagers vor allem dadurch, daß wir die Nachfolge Jesu nicht im „hohen Glaubensbewußtsein" je einzelner Christen, sondern in gewaltlos miteinander
umgehenden christlichen Gemeinden, die sich als Kontrastgesell-
schaft zur allgemeinen Gesellschaft verstehen, suchen.

4.1.3 Girard 1978 und weitere Rezeption

Im gleichen Jahr erschien dann auch das schon lange erwartete zweite Buch Girards zu seiner Theorie: „Des choses cachées depuis la fondation du monde." Girard stellt zunächst seine Theorie noch einmal neu dar. Dann führt er selbst eine Analyse des Alten und des Neuen Testaments durch (165–304: L'écriture judéo-chrétienne) und entwirft im dritten Teil eine neue psychologische Anthropologie, vor allem in Auseinandersetzung mit Freud. Die Behandlung des Alten Testaments ist allerdings, verglichen mit der bei Schwager (89 Seiten) und Girards eigener des Neuen Testaments (123 Seiten), recht kurz: 17 Seiten (165–181). Für Girard ist das Alte Testament ein Bereich, wo sich das, was dann im Neuen Testament zutage tritt, nur gerade erst ankündigt.

Auch Othmar Keel hat 1978 in einem Artikel, in dem er ausführlich zu Schwagers Buch Stellung nimmt (Wie böse ist Gewalt?), für fast das ganze Alte Testament eine größere Ferne zu den von Girard am Neuen Testament erhobenen Phänomenen einer Überwindung gewaltbestimmter Gesellschaftskonstruktion behauptet.

Da es im Zusammenhang Girardschen Denkens nicht nur um die Überwindung, sondern vorgängig dazu schon um die Aufdeckung solcher Strukturen geht, bleibt aber die Frage, ob das Alte Testament wirklich so schnell beiseitegeschoben werden darf. Ich selbst habe 1978 in einem Referat, das erst kürzlich veröffentlicht wurde, versucht, die aus der alttestamentlichen Theologie in den vergangenen Jahren herausgedrängte Frage nach der Theologie der Erbsünde mit Hilfe der Leitbegriffe von Girard wieder neu zu stellen (Wie sollte man das Alte Testament auf die Erbsünde hin befragen?).

R. Schwager veröffentlicht seit 1980 in schneller Folge in der „Zeitschrift für katholische Theologie" Untersuchungen zu den einzelnen Repräsentanten der christlichen Erlösungslehre im Hinblick auf seinen von Girard her bestimmten Ansatz. Einige, etwa die über Markion und Irenäus, sind auch als Studien zur Auslegungsgeschichte des Alten Testaments wichtig.

4.1.4 H. U. von Balthasar 1980

Hans Urs von Balthasar hat 1980 im 3. Band seiner „Theodramatik", in dem er die Soteriologie behandelt, die Darstellung der Geschichte der Soteriologie in einer ausführlichen Würdigung des Entwurfs von

Girard-Schwager gipfeln lassen (276–291). Er stellt Girards Thesen sehr genau mit viel Sympathie dar, bringt aber am Ende als entscheidenden Einwand, daß dann ja der neutestamentliche Gott kein zorniger Gott mehr sei – und das widerspreche der Johannesapokalypse (291). Bei Schwager sieht er in mehreren Punkten einen Fortschritt gegenüber Girard. Er erkläre die Transzendenz des Sakralen nicht allein aus der Gewalt, und bei der Übertragung der Sünden durch die Menschen auf Jesus handle es sich nicht mehr um die ursprüngliche Form des Sündenbockmechanismus, wie sie in den Religionen vorliegt (289). Der Analyse des Alten Testaments durch Schwager stimmt er zu (290).

4.1.5 Auseinandersetzungen mit Girards Opferbegriff

Drei eher skeptische Reaktionen auf Girard aus dem Kreis von Alttestamentlern haken vor allem bei Girards Opferbegriff ein. 1979 schrieb Jacques Guillet in den „Etudes" über „René Girard et le sacrifice", 1980 setzte sich Walter Kornfeld, der Präsident des Kongresses der „Internationalen Organisation für das Studium des Alten Testaments" in Wien, bei seiner Eröffnungsansprache mit Girard, Schwager und mir auseinander („QDŠ und Gottesrecht im Alten Testament"), und 1981 brachte Adrian Schenker sein Buch „Versöhnung und Sühne" heraus, in dem zwar sehr vornehm nur ganz verhalten und am Rande auf Girard und Schwager hingewiesen wird, das aber doch wohl als eine Art soteriologischen Gegenentwurfs gemeint ist.

4.2 Die Theorie von Girard

Soweit die Veröffentlichungen. Nun gilt es, die entscheidenden Punkte der Girardschen Konzeption, soweit sie für das Alte Testament wichtig sind, kurz zu umreißen.

4.2.1 Überblick

Der den einzelnen Menschen und die menschlichen Gesellschaften nicht verlassende Hang zur Gewalttätigkeit ist nicht ein Trieb unter anderen innerhalb des menschlichen Triebsystems, etwa ein „Aggressionstrieb". Er hat seinen Sitz vielmehr da, wo der Mensch sich vom Tier unterscheidet – in der letzten Unbestimmtheit und Offenheit seines Strebevermögens. Deretwegen muß der einzelne Mensch sich seine Ziele immer von anderen Menschen, denen er nacheifert, vorgeben lassen. Er lebt aus einer bestimmten, beim Tier so nicht beobachtbaren Mimesis.

Wenn zwei dasselbe anstreben, werden sie aber zu Rivalen. Das Dreiecksverhältnis der Begierde gebiert den Konflikt. Der Konflikt drängt in die Gewalttätigkeit. Da das Begehren des Menschen jedoch letztlich undeterminiert ist, verliert die aufflammende Leidenschaft bald das ursprünglich angestrebte Einzelobjekt aus dem Blick, es geht ums Ganze, die Gewalt wird blind, zugleich ist sie gesellschaftlich ansteckend und provoziert nur wieder neue Gegengewalt.

So droht allen menschlichen Gesellschaften ständig das Chaos, und das, was man „Gesellschaft" nennt, ist gerade der gemeinsame Versuch, dieses Chaos, einmal ausgebrochen, zu bändigen oder, wenn noch nicht ausgebrochen, zu verhindern.

Entscheidend ist nun, wie Gesellschaft entsteht. Sie entsteht nicht durch Vernunft, Willensakte und vertragliche Einigung – so wie es sich rationalistische Gesellschaftstheorien, die alles auf einem „Gesellschaftsvertrag" aufbauten, vorgestellt haben. Vielmehr rollt ein Mechanismus ab, den Girard in Anlehnung an Freud (und nur indirekt dadurch an den Sündenbock des priesterschriftlichen Rituals) den „Sündenbockmechanismus" genannt hat. Wenn irgendwo der Kampf aller gegen alle entfesselt ist, geschieht es, daß sich die Aggressionen aller zufällig auf einen zufälligen einzelnen konzentrieren. Er wird vernichtet und dabei von allen als der Schuldige an der Gesamtsituation betrachtet. Über seinem Kadaver kommen die anderen zum Frieden.

Die neue Einmütigkeit der Überlebenden hat religiösen Schimmer. Alle Schuld ist auf das Opfer der Gewalt projiziert, so ist es der Inbegriff des Schrecklichen. Doch durch das Opfer wurde die Freiheit von Schuld gewonnen, so ist es zugleich der Inbegriff des Rettenden. An der neuen Lebensmöglichkeit über dem ausgestoßenen Opfer werden also die beiden Aspekte des Heiligen erfahren: Tremendum und Fascinosum.

Die primitiven Gesellschaften haben nun eine Möglichkeit gefunden, den Ausbruch neuer Rivalität und allgemeiner Gewalttätigkeit gewissermaßen prophylaktisch zu verhüten. Sie besteht in der regelmäßigen rituellen Vorwegnahme der Krise. Dieses Ritual kulminiert in der Tötung oder Vernichtung eines Opfers und mündet in allgemeine Versöhnung in rituellem Mahl oder ähnlichen Feiern aus. Das Opferritual ist eine Art Ableitungsmechanismus für den ständig nach oben drängenden Hang zur Gewalttätigkeit. Es hält für eine bestimmte Zeit vor, dann muß es wiederholt werden.

Es ist deutlich, daß es in solchen archaischen Gesellschaften keine Unterscheidung von Religion und Gesellschaft geben kann. Beides ist eine Einheit. Die Opfer der um der Vermeidung unkontrollierbarer Gewalt willen kontrolliert gehandhabten rituellen Gewalt sind ursprünglich Menschen, auf späteren Stufen dann auch Tiere oder sogar andere Opfergaben. Es können sich höchst sublime Systeme der symbolischen Vertretung entwickeln. Je unrealer allerdings das rituelle Geschehen ist, desto gefährdeter ist auch wieder seine gesellschaftliche Wirksamkeit.

Die aus den archaischen Kulturen sich allmählich entwickelnden höheren Kulturen unterscheiden sich dadurch, daß neue Methoden der Gewaltbändigung gefunden werden. Die wichtigste dürfte das mit gewaltsamen Sanktionen arbeitende Rechtswesen sein. Bei ihm ist Gewalt gesellschaftlich wieder zugelassen – aber nur bei ganz bestimmten Gewaltinhabern und unter ganz genauen, mit allgemeinem Konsens bedachten Bedingungen. In solchen evolutiv höheren Gesellschaftssystemen kann der Opferkult langsam abgebaut, die Identität von Religion und Gesellschaft gelockert und der Religion eine neue Funktion gegeben werden.

Doch dürfte es deutlich sein, daß auch in diesen Systemen die allgemeine Gewalttätigkeit nur dadurch verhindert wird, daß punktuell Gewalt eingesetzt oder zumindest angedroht wird. Deshalb leben wir auch heute noch unter der ständigen Drohung des neuen Ausbruchs allgemeiner Gewalttätigkeit.

Da die Gotteserfahrung natürlich gerade an diesen für den einzelnen lebenswichtigen und für die Gesellschaft stiftenden und tragenden Prozessen aufbricht, ist von ihnen das Gottesbild selbst wesentlich mitbestimmt. Das heißt: Gott selbst wird als Verdichtung der Erfahrung des Schrecklichen und zugleich Heilbringenden erlebt, das im realen Sündenbockmechanismus oder in seiner Ersetzung durch Opferritual, Justiz oder „gerechten Krieg" erfahren wird. Der Gott der Religionen ist daher nur in einem bestimmten Ausmaß der wahre Gott. Weithin ist er Projektion des gesellschaftsstiftenden Tremendum und Fascinosum. Er erscheint als blutgieriger und un- berechenbarer Götze ebenso wie als huldreiches und segenstiftendes Numen.

Die Projektion der sakralen Erfahrungen auf die Gottheit ist ein Teil jenes Vorgangs, der zum ganzen dazugehört: der Verschleierung und Verdrängung. Der Sündenbockmechanismus, ja auch der legale Rechtsdurchsetzungsmechanismus enthält einen Täuschungsvor- gang. Das vernichtete Opfer ist nicht mehr und nicht weniger schul- dig am herrschenden Chaos als alle die andern, die durch seinen Tod zu neuem Heil gelangen. Doch wird im Denken und Reden jetzt alle Schuld auf das zufällige Opfer geladen. Da sitzt die Lüge. Sie darf aber nicht aufgedeckt werden. Sonst zerbräche die fragile Ein- mütigkeit, die über dem Opfer entstand. Daher wird das wahre We- sen dieser gesellschaftsstiftenden und -erhaltenden Prozesse ver- schleiert. In den alten Mythen kommt es immer nur verdeckt und fragmentarisch zur Sprache. Es muß die Entlarvung fürchten. Hier liegt der tiefe Ursprung des gesellschaftlichen Zwangs zu jeder Art von Ideologien.

4.2.2 Die Theorie zum Alten Testament

Bezüglich des Alten Testaments ist es nun die These Girards, daß auch das Alte Testament zunächst einmal an all dem schlicht Anteil hat. So erklärt sich sein durchaus blutiges Ritual, erklären sich viele seiner Mythen, erklärt sich sein gewalttätig-grausamer Gott und er- klärt sich die unglaublich wilde Gewalttätigkeit, die faktisch das Bild der Geschichte Israels beherrscht.

Gleichzeitig geschieht aber, im Alten Testament anhebend, im Neuen voll, etwas, das sich so in den anderen Religionen und Ge- sellschaften nicht beobachten läßt. Der Gewaltmechanismus wird aufgedeckt, und es wird eine Möglichkeit, menschliche Gesellschaft zu gründen und zu erhalten, eröffnet, die nicht mehr dem Kreislauf der Gewalt unterliegen muß. Genau im Zusammenhang damit ver- liert das Bild Gottes seine aus Projektionen stammenden, verzerren- den Züge, und der wahre Gott wird ansichtig.

Dies alles hebt im Alten Testament nur an. Deshalb fordert diese Theorie geradezu, daß das Alte Testament ambivalent bleibt. Wenn man es nur von der Aussageintention seiner Autoren her liest, muß man es als zutiefst widersprüchlich empfinden. Gerade weil in ihm die Gewalt nicht nur insgeheim herrscht, sondern sogar, zumindest anfänglich, als das herrschende Prinzip auch entlarvt wird, ist das Alte Testament bluterfüllter als viele andere Werke der religiösen Literatur der Welt. Auf weite Strecken muß es durchaus noch durch verschleiernde Ideologien verhangen sein. Andererseits müßten ansatzhaft oder auch nur an einzelnen Punkten, dann aber mit großer Deutlichkeit, jene Figurationen durchbrechen, die dann im Neuen Testament als das Neue eindeutig erkennbar werden.

4.2.3 Die hermeneutische Implikation der Theorie

Die Theorie Girards verlangt also, soll sie Deutekraft entfalten, mehr als nur eine Lektüre des Alten Testaments unter Beschränkung auf die Aussageintentionen der ursprünglichen Verfasser. Sie impliziert eine Hermeneutik. Sie führt zu einer, wenn man so will, unterscheidenden und beurteilenden Lektüre des Alten Testaments vom Neuen her.

Diese hermeneutische These deckt sich allerdings in ihrer Grundstruktur mit der traditionellen christlichen Hermeneutik des mehrfachen Schriftsinns, die aus der Zeit der Väter stammt. Nur bleibt sie nicht formal, sondern sucht nach ganz bestimmten, anthropologisch und gesellschaftstheoretisch formulierbaren Inhaltlichkeiten. Ihr eigentliches Stichwort ist dabei das Wort „Gewalt", doch dies in einem sehr breit ausgreifendem Zusammenhang. Vom Ansatz her stünde sie vielleicht der in der Literatur zum Thema beobachteten lutherischen Linie näher als der reformierten – doch könnte sie sich niemals mit deren faktischer Abstraktheit abfinden.

4.3 Die Darstellung der Theorie bei Schwager 1978

Wie stellt Raymund Schwager, der den Girardschen Ansatz für den Bereich des Alten Testaments wohl am breitesten entfaltet hat, die Zusammenhänge dar?[60]

Zunächst weist er auf, in welchem Ausmaß das Alte Testament eine Welt der Gewalt präsentiert. „Gewalttaten unter Menschen"

---

[60] Die Seitenangaben im Text beziehen sich im folgenden auf *Schwager*, Sündenbock (vgl. oben Anm. 1).

bestimmen es von Anfang bis Ende (58–63), aber auch sein Gott erscheint als „Der gewalttätige Jahwe" (64–81). Schwager zeigt dann, daß im Alten Testament einzelne Theorieelemente der Gesamttheorie Girards an dieser oder jener Stelle zur Sprache kommen. Der alttestamentliche Mensch gewinnt Einsicht in die Rolle von „Rivalität und Eifersucht" (81–85), in die Funktion der „Mimesis" (85–91), in den Vorgang der „Projektion sakraler Vorstellungen" (91–100) und in die sonst so sorgfältig verschleierte Wirklichkeit der einen Unschuldigen zum Sündenbock machenden „Rotte der Gewalttäter" (100–117). Schließlich deutet Schwager an, wo er im Alten Testament die ersten Vorentwürfe menschlicher und gesellschaftlicher Lebensmöglichkeiten ohne eine Basis der Gewalt vorfindet. Er nennt das „Wirken Gottes durch das Wort", nicht durch Gewalttaten (119–124), die prophetische Idee der „neuen Sammlung" (125–129), die Texte vom „Geist Gottes und der Liebe unter den Menschen" (129–133), schließlich als deutlichsten aller Textkomplexe die Aussagen über den „Leidensknecht" (134–142).

Schwager tritt als Nicht-Fachexeget ans Alte Testament heran. Dem Bibelwissenschaftler selbstverständlich erscheinende Aspekte der Textauslegung, vor allem literarkritische und historisch-kritische Analyse, muß er notgedrungen vernachlässigen, will er nicht der Kompetenzanmaßung bezichtigt werden. Noch mehr gilt das übrigens von Girards Interpretationen in seinem Buch „Des choses cachées depuis la fondation du monde". Doch wäre die Bibelwissenschaft sicher falsch beraten, wenn sie diese Ausführungen deshalb nicht ernstnehmen würde. Gerade der unbefangene Außenseiter kann oft Dinge erkennen, für die der Fachmann betriebsblind geworden ist.

5 Abschluß

Das Thema dieser Tagung lautet nicht „René Girard", sondern „Gewalt und Gewaltlosigkeit". Es wäre also sicher falsch, wenn wir nur noch an Kritik oder Weiterführung der Theorien Girards dächten. Es soll nicht um eine Theorie gehen, sondern um die von dieser Theorie und uns gemeinte Sache.

Andererseits ist es vielleicht doch so, daß wir gestehen müssen:

Trotz der maßlosen Einzelarbeit, die immer wieder mehr oder weniger zum Thema „Gewalt" hingeführt hat, und trotz der wenn auch nicht zahlreichen, so doch immerhin vorhandenen Ansätze von Zuwendung zur Sachfrage selbst besitzen wir eigentlich nichts, das die Frage im Blick auf die von uns auszulegenden Texte mit solcher Grundsätzlichkeit und Weite, aber auch mit solcher Deutekraft angeht wie der Girardsche Entwurf. Das ist die Lage. Von ihr müssen wir ausgehen.

Und wir sollten niemals vergessen, daß wir nicht in seliger Zeitlosigkeit vor uns hinforschen können. Wir stehen unter einem berechtigten Erwartungsdruck, der von unseren Mitchristen, ja von der ganzen Gesellschaft ausgeht. Und die Fragen der „Gewalt" zu verdrängen, ist eine bleibende Versuchung.

II

Die Schichten des Pentateuch und der Krieg

Von Norbert Lohfink, Frankfurt a. M.

1 Einführung

1.1 Die Relativität der Vorstellung von der kriegerischen Landnahme, gezeigt am Beispiel des ChrG

Selbst wer noch dabei bleibt, die Entstehung des Stämmegebildes „Israel" sei lediglich das allmähliche und absolut friedliche Seßhaftwerden von wandermüde gewordenen Schaf- und Ziegenhirten gewesen, wer also historisch die gewaltfreieste aller je aufgestellten Theorien über den Ursprung Israels hält, wird kaum daran zweifeln, daß in Israel zumindest von deuteronomischer Zeit an alle davon überzeugt waren, ganz Israel sei einmal mehrere Generationen lang in Ägypten gewesen, und nachher habe es das ihm von Jahwe, seinem Gott, geschenkte Land in einem gewaltigen Eroberungszug in Besitz genommen. Die kriegerische Landnahme erscheint uns als selbstverständlicher Hauptsatz im alttestamentlichen Credo.

Und doch hat Sara Japhet vor kurzem in einer außerordentlich genauen und überzeugenden Analyse nachgewiesen, daß das Chronistische Geschichtswerk diesem Glaubensartikel nicht nur durch Auslassungen, sondern sogar durch positive Gegenaussagen – wenn auch vorsichtig angebracht und in Nebenbemerkungen verschlüsselt – eindeutig und offen widerspricht[1]. Efraim und Manasse, die nach den alten Schriften in Ägypten geborenen und gestorbenen Söhne Josefs, lebten nach der Chronik nicht in Ägypten, sondern im Lande

---

[1] *S. Japhet,* Conquest and Settlement in Chronicles: JBL 98 (1979) 205–218. Zu Efraim und Josua vgl. 213–216.

Kanaan. Die Genealogie Efraims wird in 1 Chr 7 unterbrochen, um die Händel seiner Sippe mit Gat zu erzählen, die ihn in Trauer versetzten. Josua aber gehört, lange nach diesen Ereignissen, die sich schon im Land Kanaan abspielten, erst der zehnten Generation an (1 Chr 7, 14–29). Kein Zweifel, die Chronik will uns sagen, ein gewaltsamer Einmarsch des Volkes Israel in sein Land habe niemals stattgefunden.

Ich beginne mit dieser Beobachtung an der ganz späten Geschichtsschreibung des Alten Testaments, um von vornherein für Offenheit gegenüber der Möglichkeit zu werben, daß es im Alten Testament sehr unterschiedliche Auffassungen von der Landnahme gegeben haben könne. Es scheint nötig zu sein, für solche Offenheit zu werben. Ich habe schon mehrfach meine Meinung geäußert, die Priesterschrift lehne den Krieg ab, und deshalb sei in ihr, auch wenn man mit einer priesterschriftlichen Landnahmeerzählung rechnet, auf keinen Fall die Darstellung eines kriegerischen Eroberungszugs zu erwarten. Ich bin dabei unter Kollegen immer wieder auf freundliche, aber entschiedene Skepsis gestoßen. Es scheint eben undenkbar, daß eine Pentateuchquelle, wenn sie überhaupt den Einzug ins Land Kanaan erzählt, diesen nicht als Eroberungszug schildert. So sehr dominiert das jetzige Buch Josua die Forscherfantasie.

Der Umbau der heiligen Geschichte durch die Chronik sollte unserem Denken größere Beweglichkeit verleihen. Dabei hat die Chronik die Eroberung des Landes durch Josua keineswegs deshalb aus ihrem Geschichtsbild gestrichen, weil sie gegen „Heilige Kriege" gewesen wäre. Im Gegenteil: Nirgends im Alten Testament gibt es so hingebend beschriebene Heilige Kriege wie gerade in der Chronik[2]. Sie hat nach Sara Japhet ein ganz anderes Interesse. Israel und sein Land gehören zusammen. Sie dürfen nicht erst irgendwann einmal geschichtlich zusammengekommen sein, sondern Israel muß als autochthones Volk in dem ihm von seinem Gott zugewiesenen Land betrachtet werden[3]. Doch wenn der Grund für die Ablehnung des Buches Josua durch die Chronik auch nicht in pazifistischer Einstel-

---

[2] Vgl. *G. von Rad,* Der Heilige Krieg im alten Israel (AThANT 20) Zürich 1951, 80 f. Es gibt allerdings zugleich tiefgründige Reserven gegen die Kriege Davids: vgl. *M. Bič,* Davids Kriegsführung und Salomos Bautätigkeit, in: Travels in the World of the Old Testament = FS. M. A. Beek (SSN 16) Assen 1974, 1–11.
[3] *Japhet* ebd. (vgl. Anm. 1) 218.

lung zu suchen ist, auf jeden Fall war es selbst in dieser Spätzeit noch möglich, die deuteronomistische Theologie von „Krieg und Sieg" als der ersten von „Jahwes Gaben" an das junge Israel schlichtweg auszustreichen[4]. Deshalb sollten wir auch für ältere Perioden bei den Geschichtsdarstellungen mit größerer Beweglichkeit der Verfasser rechnen.

1.2 Die Neuheit der Fragestellung

Was die im Pentateuch vereinten Darstellungen angeht, so ist es auffallend, daß Gerhard von Rad in seinem klassischen Werk über den „Heiligen Krieg im alten Israel" zu deren jeweiliger Einstellung zur kriegerischen Landnahme nichts zu berichten hat. Selbstverständlich äußert er sich zum Deuteronomium. Außer diesem wird aber nur noch Ex 14 als eine „vergeistigte Kriegserzählung" aus dem Bereich der „nachsalomonischen Novellistik" ein wenig gründlicher behandelt[5].

Mir ist auch keine andere eine Gesamtschau anstrebende Abhandlung über die Aussagen des Alten Testaments zum Krieg begegnet, die die literarischen Schichten des Pentateuch unter dieser Rücksicht auf eine Differenz hin befragen würde[6]. Die gewöhnlich hervorgehobene Differenz ist die zwischen der aus Einzelerzählungen, Liedern und anderen Hinweisen in Pentateuch und historischen Büchern erkennbaren Wirklichkeit und Theorie des Jahwekriegs in Israels frühen Jahrhunderten einerseits und der deuteronomischen Theorie des Heiligen Kriegs andererseits[7].

---

[4] Die in Anführungszeichen gesetzten Formulierungen nach *W. Zimmerli,* Grundriß der alttestamentlichen Theologie (ThW 3) Stuttgart ³1978. Dort werden Krieg und Sieg noch vor dem Land und seinem Segen als Gaben Jahwes behandelt.

[5] *Von Rad,* Heiliger Krieg (vgl. Anm. 2) 45–47.

[6] Am ehesten käme noch *F. Stolz,* Jahwes und Israels Kriege. Kriegstheorien und Kriegserfahrungen im Glauben des alten Israel (AThANT 60) Zürich 1972, in Frage. Stolz strebt in der Behandlung der Texte, die vom Jahwekrieg sprechen, Vollständigkeit an. Bei Texten aus dem Pentateuch stellt er auch immer die Quellenzugehörigkeit fest. Doch er geht nicht der Frage nach typischen Gesamtanschauungen bestimmter Schichten nach.

[7] Etwas anders *L. Perlitt,* Israel und die Völker, in: G. Liedke (Hg), Frieden – Bibel – Kirche (SFF 9) Stuttgart 1972, 17–64. Hinsichtlich des Themas „Krieg" behandelt er nacheinander die historischen Fragen (19–29), die Jahwekriegstheorie in der seit David entstehenden Literatur (38–50) und die speziell am Buch Dtn festgemachte „deutero-

Der Grund hierfür läßt sich angeben. Fragt man etwa nach dem „Kerygma" von Jahwist, Elohist oder Priesterschrift[8], dann begegnet der Krieg kaum als beachtenswertes Element, auch wenn diese Werke einzelne Kriegserzählungen oder Kriegsgesänge enthalten[9]. Noch weniger rasselt der Säbel, wenn man bei der literarkritischen Abgrenzung der Quellenschriften nur noch eine Art Minijahwisten und Minielohisten übrigbehalten hat[10]. Da kann es dann sein, daß – vom Schilfmeerwunder bei J abgesehen – Krieg und Kampf gar nicht mehr vorkommen.

Nur müßte gerade dies alles Aufsehen erregen. Denn wenn man voraussetzt, daß es an sich im vorliterarischen Erzähl- und Liedgut recht häufig nach Krieg und Brandschatzung gerochen hat und daß es zwischenhinein in der deuteronomischen Schicht des Pentateuch eine geradezu rabiate Kriegstheologie gab, dann müßte das Zurücktreten oder gar das völlige Fehlen des Kriegs in anderen Schichten als „bemerkenswertes Schweigen" gelten. Es wäre ein Schweigen an Stellen des traditionellen Aussagenablaufs, wo man eigentlich die Rede vom Krieg erwartet. Es wäre im vorgegebenen Syntagma eine Null-Aussage, das heißt – es wäre eine Aussage.

Deshalb scheint es mir sinnvoll zu sein, die verschiedenen Schichten des Pentateuch noch einmal neu vergleichend auf ihre Einstellung zum Krieg hin zu befragen. Es geht dabei vor allem um die Einstellung zu einer gewaltsamen Landnahme Israels. Mein Hauptinteresse richtet sich auf die Differenz zwischen der deuteronomisch-deuteronomistischen Schicht und der priesterlichen.

---

nomische Absonderungstheologie", die eine ausgesprochene „Staatstheologie" sei (50–56). Für die Darstellung der „Jahwekriegstheorie" zieht er selbst dtr Texte heran. Doch rechnet er mit der Entstehung dieser Theorie im 10. Jh. (39). Zur Stellung der Vätererzählungen des Jahwisten zum Krieg vgl. *M. Rose*, „Entmilitarisierung des Kriegs"? Erwägungen zu den Patriarchen-Erzählungen der Genesis: BZ 20 (1976) 197–211. Hierauf werde ich weiter unten eingehen.

[8] Das Stichwort geht auf mehrere einflußreiche Aufsätze von *H. W. Wolff* zurück. Sie finden sich in seinen Gesammelten Studien zum Alten Testament (TB 22) München 1964 (vollständig erst seit der 2. Aufl. 1973). In *W. Brueggemann*, The Vitality of Old Testament Traditions, Atlanta 1975, sind sie übersetzt, interpretiert und ergänzt.

[9] Vgl. die lakonische Bemerkung von *W. Caspari*, Was stand im Buch der Kriege Jahwes?: ZWTh 54 (1912) 110–158, 123: „Vermutlich war aber schon der Elohist auch nur ein Zivilist".

[10] Wie etwa *P. Weimar*, Untersuchungen zur Redaktionsgeschichte des Pentateuch (BZAW 146) Berlin 1977; *ders.*, Die Berufung des Mose. Literaturwissenschaftliche Analyse von Exodus 2,23 – 5,5 (OBO 32) Freiburg i. Br. 1980.

1.3 Literarkritische Voraussetzungen der Untersuchung

Für das, was Julius Wellhausen nach Abzug alles Priesterschriftlichen und Deuteronomischen das „jehovistische Geschichtsbuch" genannt hat, möchte ich mich relativ kurz fassen. Bei der augenblicklichen Diskussionslage ist es nicht möglich, für Schichtenzuteilungen und Zeitansätze in diesem Literaturbereich irgendeinen Konsens vorauszusetzen. In diesem Rahmen ist es aber auch nicht möglich, eigene Theorien zu entwickeln. Nur an einem möchte ich festhalten. Ich betrachte das „jehovistische Geschichtsbuch" als den deuteronomisch-deuteronomistischen Texten und erst recht den priesterschriftlichen vorgegeben und bin höchstens bei einzelnen Texten bereit, darüber zu streiten, ob sie pentateuchischen Spätredaktionen angehören[11]. Die Haupt- oder Schlußredaktion des Geschichtsbuchs oder doch wenigstens seine letzte deutende Glossierung dürfte in protodeuteronomischen Händen gelegen haben – also gerade jene Aktivität gewesen sein, bei der die „Deuteronomisten" ihre ersten Gehversuche machten[12].

Für die „Priesterschrift" setze ich voraus, daß P^g, die „Priesterliche Geschichtserzählung", mehr war als eine Serie von Ergänzungen, die zum „jehovistischen Geschichtsbuch" hinzugefügt worden wären[13]. Vielmehr war sie ein selbständiges Werk, das als Alternative zum „jehovistischen Geschichtsbuch" und zwecks Ersetzung

---

[11] Anders in neuerer Zeit *J. Van Seters,* Confessional Reformulation in the Exilic Period: VT 22 (1972) 448–459 (JE ist vom Schlüsselphänomen der Behandlung der Patriarchen-Landverheißung her D nachzuordnen); *H. Vorländer,* Die Entstehungszeit des jehowistischen Geschichtswerkes (EHS.T 109) Frankfurt 1978 (369: „Nachdem das dtr Geschichtswerk eine ‚Ätiologie des Landverlustes' entworfen hatte, bot das jehowistische Werk eine ‚Ätiologie des Landbesitzes'"); *M. Rose,* Deuteronomist und Jahwist. Untersuchungen zu den Berührungspunkten beider Literaturwerke (AThANT 67) Zürich 1981 (Der „Jahwist" verlängert das deuteronomistische Geschichtswerk durch sukzessive Vorbauten nach rückwärts). Alle drei Arbeiten werden den Befunden vor allem im Buch Dtn nicht gerecht. Zu Van Seters vgl. vor allem *D. E. Skweres,* Die Rückverweise im Buch Deuteronomium (AnBib 79) Rom 1979; zu Rose meine Besprechung in ThPh 57 (1982) 276–280 sowie unten Anm. 66.
[12] So schon Wellhausen in seiner Composition des Hexateuch.
[13] So erstmalig K. H. Graf. Volle Bibliographie: *N. Lohfink,* Die Priesterschrift und die Geschichte, in: Congress Volume, Göttingen 1977 (SVT 29) Leiden 1978, 189–225, 197 Anm. 28. Meine Abgrenzung von P^g: 198 Anm. 29.

desselben im ausgehenden Exil oder bald danach abgefaßt wurde[14]. Sie war die literarische Grundlage bei der redaktionellen Komposition des Pentateuch und bei seiner Auffüllung mit zahlreichen legislativen Stoffen. In dieser Spätphase sind auch noch im narrativen Bereich Glossen, Zusätze, ja ganze Perikopen eingefügt worden.

2 Das „jehovistische Geschichtsbuch" und der Krieg

Ich formuliere zunächst einige Thesen, dann gehe ich noch etwas näher auf einen Aufsatz von Martin Rose zur „Entmilitarisierung des Kriegs" in den Patriarchenerzählungen der Genesis ein.

2.1 Sechs Thesen

2.1.1 Historisch: Die faktischen Anfänge Israels und der Krieg

Faktisch dürften die Anfänge Israels kämpferischer und kriegserfüllter gewesen sein, als man längere Zeit hindurch meinte. Man stand zu sehr unter dem Eindruck der Theorie allmählicher und friedlicher Seßhaftwerdung machtloser Schaf- und Ziegenhirten[15]. Gerhard von Rads Studie über den Heiligen Krieg im alten Israel hat diese Vorstellung eher noch gesteigert, da dort sogar die Kriege der „Richterzeit" als reine Verteidigungskriege interpretiert werden[16]. Inzwischen haben sich selbst unter der Voraussetzung, Israel gehe auf die Ansiedelung von Nomadengruppen zurück, Zweifel am friedlichen Charakter dieser Vorgänge ergeben[17]. Sie mehren sich

---

[14] Vgl. *Lohfink*, ebd. 199–201 Anm. 31–33.

[15] Klassische Studie: *A. Alt*, Erwägungen über die Landnahme der Israeliten in Palästina: PJ 35 (1939) 8–63 = *ders.*, Kleine Schriften zur Geschichte des Volkes Israel I, München 1959, 126–175. Alles ist schon grundgelegt in *ders.*, Die Landnahme der Israeliten in Palästina. Reformationsprogramm der Universität Leipzig 1925 = KS I, 89–125. Kriegerische Vorgänge gehören nach Alt erst einem zweiten Stadium an, dem „Landesausbau".

[16] Heiliger Krieg (vgl. Anm. 2) 26: „Diese Kriege scheinen … tatsächlich ausschließlich Defensivkriege gewesen zu sein." Er beruft sich auf Caspari, Buch der Kriege Jahwes (vgl. Anm. 9), der diese These ausführlich zu begründen versucht hatte.

[17] Erstmals in deutlicher Form bei *R. Smend*, Jahwekrieg und Stämmebund (FRLANT 84) Göttingen 1963; dann vgl. etwa *Perlitt*, Israel und die Völker (vgl. Anm. 7) 20: „Landnahme, Landausbau und Landsicherung … sind ohne ein bestimm-

da, wo man nun doch beginnt, die Zerstörungsschichten kanaanäischer Städte am Übergang von der Spätbronze zu Eisen I aufgrund des damit verbindbaren Kulturwechsels und der siedlungsgeschichtlichen Veränderungen der gleichen Epoche mit dem Fußfassen der späteren Größe Israel zusammenzusehen[18]. Das Kriegslager wird schließlich, wenn auch in einem anderen Sinn als bei dem ganz in Wüstennomadenkategorien denkenden Wellhausen, wirklich wieder zur „Wiege der Nation", wenn man den soziologischen Deutungen der Entstehung und der Frühzeit Israels Aufmerksamkeit schenkt, die neuerdings vor allem in Nordamerika entwickelt worden sind[19].

Die „Richterzeit" war keineswegs friedlich. Zur Zeit Sauls und Davids gehörte der Krieg zum täglichen Brot. Daher ist es höchst unwahrscheinlich, daß die Erinnerungen der Israeliten an ihre Vergangenheit, wie sie etwa zur Zeit Davids und Salomos existierten und weitergegeben wurden, nicht weithin von Kampf und Krieg handelten. Das schließt zwar nicht aus, daß es gleichzeitig auch Erinnerungen von der Art der Patriarchenerzählungen gab, die um Stammväter, Hoffnung auf Nachkommen, Frauenzwist, Bruderzwist, Zwist zwischen Herrn und Gesinde kreisten. Denn auch diese

---

tes Maß an kriegerischer Aktion nicht vorstellbar ... Landnahme bedeutete intentional (und ein Stück weit auch praktisch) Eroberung. Landausbau bedeutete mehr oder weniger gewaltsame Unterwerfung der wehrhaften Kanaanäerstädte, neben denen die Stämme jedenfalls nicht auf die Dauer schiedlich-friedlich leben konnten. Landsicherung bedeutete gegenüber diesen ersten Stufen der Festsetzung und Ausdehnung dann sehr bald sowohl Abwehr nachrückender nomadischer Stämme, die die jungen Siedler gefährlich bedrohten, als auch Befreiungskampf gegen die Philister." So besteht für ihn kein Zweifel, „daß Kampf und Krieg in ihren verschiedensten Größenordnungen und Motivationen das Anfangserlebnis Israels bildeten".

[18] Es sei auf drei neuere Aufsätze hingewiesen: *Y. Yadin,* The Transition from a Semi-Nomadic to a Sedentary Society in the Twelfth Century B. C. E., in: F. M. Cross, Symposia Celebrating the Seventy-Fifth Anniversary of the Founding of the American Schools of Oriental Research (1900–1975), Cambridge MA, 1979, 57–68; *M. Weippert,* Canaan, Conquest and Settlement of, in: IDB Suppl. 125–130; *A. Mazar,* Giloh: An Early Israelite Settlement Site near Jerusalem: IEJ 31 (1981) 1–36, bes. 33–36. Für die Besiedlungsgeschichte vgl. *T. L. Thompson,* The Settlement of Palestine in the Bronze Age (BTAVO.B 34) Wiesbaden 1979; *ders.,* The Background of the Patriarchs: A Reply to William Dever and Malcolm Clark: JSOT 9 (1978) 2–43, bes. 28–38.

[19] Erstmalig in: *G. E. Mendenhall,* The Hebrew Conquest of Palestine: BA 25 (1962) 66–87; jetzt monumental entfaltet: *N. K. Gottwald,* The Tribes of Yahweh. A Sociology of the Religion of Liberated Israel 1250–1050 B.C.E, Maryknoll, N.Y., 1979. Hierzu vgl. meine Rezension in ThPh 58 (1983).

Thematik ist für eine egalitäre und segmentär organisierte akephale Bauerngesellschaft, wie es das Israel der vorstaatlichen Zeit gewesen zu sein scheint[20], unentbehrlich. Doch daß zur Zeit Davids und Salomos die kriegerische Thematik näherlag, zeigt das, was sich in den Samuelbüchern als Literatur über jene Zeit aus jener Zeit selbst erhalten hat.

2.1.2 Der Krieg in vorpentateuchischen Traditionen Israels

Aus dem, was aus dem Pentateuch und den Büchern Josua bis Samuel an älterem vorliterarischem Material erschlossen werden kann, geht eindeutig hervor, daß schon in der davidisch-salomonischen Epoche (der ältesten für eine Pentateuchquellenabfassung üblicherweise ins Auge gefaßten Periode) vielfaches Traditionsmaterial zur Verfügung stand, in dem Kampf und Krieg (auch mit Landeroberung verbunden) eine große Rolle spielten und Jahwe gefeiert wurde als der für Israel den Krieg führende und den Sieg erringende Gott.

An Textgruppen sind besonders zu nennen: a) Siegeslieder und andere Arten kriegerischer Lyrik wie z. B. das Deboralied oder das Mirjamlied[21], teilweise mindestens gesammelt vorliegend im „Buch der Jahwekriege" und vielleicht auch im „Buch der Wackeren"[22];

---

[20] *Gottwald,* Tribes of Yahweh (vgl. vorige Anm.), vor allem Teile VI–IX; *F. Crüsemann,* Der Widerstand gegen das Königtum. Die antiköniglichen Texte des Alten Testamentes und der Kampf um den frühen israelitischen Staat (WMANT 49) Neukirchen-Vluyn 1978, 194–222. Die von Crüsemann vor allem als Analogiefeld herangezogenen Beobachtungen der Social Anthropology sind am leichtesten zugänglich durch *F. Kramer* und *C. Sigrist* (Hg), Gesellschaften ohne Staat, Band 1: Gleichheit und Gegenseitigkeit; Band 2: Genealogie und Solidarität, Frankfurt 1978; *C. Sigrist,* Regulierte Anarchie. Untersuchungen zum Fehlen und zur Entstehung politischer Herrschaft in segmentären Gesellschaften Afrikas, Frankfurt [2]1979.

[21] Um diese Texte hat sich seit Albright vor allem die nordamerikanische Forschung bemüht. Als Schlüssel kann die 1947/48 ausgearbeitete, mit einem Nachwort und Literaturverweisen aber erst 1975 veröffentlichte Dissertation von *F. M. Cross* und *D. N. Freedman,* Studies in Ancient Yahwistic Poetry (SBLDS 21) Missoula, Montana, 1975, dienen. Unter unserer Fragestellung vgl. vor allem *P. D. Miller,* The Divine Warrior in Early Israel (HSM 5) Cambridge, Massachusetts, 1973. Kritisch zur angewandten Methode: *D. W. Goodwin,* Text-Restoration Methods in Contemporary U.S.A. Biblical Scholarship (Pubblicazioni del Seminario di Semitistica, Ricerche 5) Neapel 1969.

[22] Zum „Buch der Jahwekriege" vgl. Num 21,14, zum „Buch der Wackeren" vgl. Jos 10,13; 2 Sam 1,18. Zum Inhalt des „Buchs der Jahwekriege" formuliert etwa *F. Schwally,* Semitistische Kriegsaltertümer, I. Der heilige Krieg im alten Israel, Leipzig 1901, 4, die übliche Auffassung: „Nach Num. 21,14 gab es ein Werk über die Kriege Jahve's, worin die Kämpfe um die Eroberung Palästinas aufgezeichnet waren." Ein

b) Kriegs- und Eroberungserzählungen, die oft auch Angaben über den Kriegs-*hærœm* enthielten[23]; c) Stammessprüche, die oft Bezug auf die Kriegstüchtigkeit oder die Kriegserfolge der gelobten Gruppe enthielten[24]; d) kultische Texte von der Art des privilegrechtlichen Manifests von Ex 34,10–26, die Landeseroberung, Bündnisverbot und Vertreibungsverheißung im besonderen Verhältnis Israels zu Jahwe verankerten[25].

2.1.3 Altorientalische Gemeinsamkeiten in der Kriegstheologie

Die Theologisierung von Kriegen und Siegen ist keine Erfindung Israels, sodaß man dafür auf die Propheten oder eine geeignete Ursprungssituation in deuteronomischer oder exilischer Zeit warten müßte. Sie ist ein gemeinaltorientalisches Erbstück. Aussagen wie die, daß in der Schlacht eigentlich der göttliche Schrecken alles bewirkt, daß die Gottheit allein der wirkliche Handelnde ist, daß der Mensch nur zu vertrauen hat, standen Israel vermutlich von Anfang an zur Verfügung, sogar der Gedanke, daß die Gottheit sich gegen ihr eigenes Volk wenden könnte[26].

---

höchst detaillierter Versuch, diese Auffassung zu widerlegen, ist Caspari, Kriege Jahwes (vgl. Anm. 9). Interessant, wenn auch keineswegs sicher, ist die Rekonstruktion des Zitats aus dem „Buch der Jahwekriege" in Num 21,14f durch *D. L. Christensen*, Num 21:14–15 and the Book of the Wars of Yahweh: CBQ 36 (1974) 359f. Dann handelte es sich um die Schilderung des theophanen Herbeikommens Jahwes zu einem Kampf, ähnlich wie im Debora-Lied. Abwegig ist *N. H. Tur-Sinai*, Was There an Ancient ,Book of the Wars of the Lord?' (Hb.), BIES 24 (1959/60) 146–148.

[23] Eine durchgehende Analyse dieser Erzählungen findet sich bei *Stolz*, Kriege (vgl. Anm. 6). Zu vermutlich alten *hæræm*-Erwähnungen in diesen Texten vgl. *N. Lohfink, hāram*, in: ThWAT III, 192–213, bes. 206.

[24] Vgl. *H.-J. Zobel*, Stammesspruch und Geschichte. Die Angaben der Stammessprüche von Gen 49, Dtn 33 und Jdc 5 über die politischen und kultischen Zustände im damaligen „Israel" (BZAW 95) Berlin 1965.

[25] Neueste Monographie: *J. Halbe*, Das Privilegrecht Jahwes Ex 34,10–26. Gestalt und Wesen, Herkunft und Wirken in vordeuteronomischer Zeit (FRLANT 114) Göttingen 1975. Dort ältere Literatur.

[26] Vgl. die Parallelen bei *Stolz*, Kriege (vgl. Anm. 6) 187–191; *M. Weippert*, „Heiliger Krieg" in Israel und Assyrien. Kritische Anmerkungen zu Gerhard von Rads Konzept des „Heiligen Krieges im alten Israel": ZAW 84 (1972) 460–493; *M. Weinfeld*, „They fought from Heaven" – Divine Intervention in War in Israel and the Ancient Near East (Hb.), in: M. Haran (Hg.), H. L. Ginsberg Volume (EI 47) Jerusalem 1978, 23–30. Zur Wendung einer Gottheit gegen das eigene Volk vgl. aus einem der ältesten biblischen Texte den Vers Num 21,29.

2.1.4 Die „natürliche" Einstellung zum Krieg im „jehovistischen Geschichtsbuch"

Setzt man dies alles voraus, dann läßt sich die Einstellung zum Krieg und auch zum Gedanken einer gewaltsamen Eroberung des Landes oder einzelner Teile desselben, wie sie sich im „jehovistischen Geschichtsbuch" findet, als diejenige bezeichnen, die schon zur Zeit Davids und selbstverständlich auch später gewissermaßen „natürlich" war.

Wenn das „jehovistische Geschichtswerk" mit Landeroberungserzählungen endete, dann waren diese Jahwekriege der natürliche Höhepunkt der von Jahwe gelenkten Vorgeschichte des Volkes. Wenn es schon vorher endete, dann enthielt es doch Verweise auf den späteren Lebensraum, ja auf dessen volle Gestaltwerdung im Reich Davids. Zumindest in Gedichten wie dem Siegeslied von Ex 15 oder dem Bileamsegen in Num 24, 15–19 war genügend angedeutet, daß Jahwe seine Verheißungen durch die Kriegstaten Davids erfüllen werde.

Zu weiteren Einzelheiten möchte ich in den folgenden Thesen unter Bezugnahme auf die klassischen Quellen sprechen. Was dort gesagt wird, gilt, wenn man diese Quellenscheidung ablehnt, *mutatis mutandis* natürlich vom „jehovistischen Geschichtsbuch".

2.1.5 Die „natürliche" Einstellung zum Krieg im jahwistischen Werk

Bei der traditionellen Unterscheidung zwischen J und E gilt für J, daß die soeben definierte „natürliche" Einstellung zu Krieg und Landnahme etwa vom Buch Ex an beobachtet werden kann. Dagegen kommt der Krieg nicht vor in Urgeschichte und Vätergeschichte[27]. In der Urgeschichte fehlt eine Götter- oder Chaoskampfmythologie, die sonst im Alten Orient die irdischen Kriege urbildlich legitimiert. Ihr Fehlen dürfte mit der Alleinverehrung Jahwes zusammenhängen. Inhaltlich ist sie, wenigstens andeutend, zum Schilfmeerereignis verlagert und dort historisiert worden. Der sehr friedliche Charakter der Vätergeschichte dürfte teilweise mit den In-

---

[27] Hinweise auf Autoren, die den friedlichen Charakter des jahwistischen und elohistischen Werks betonen, finden sich bei Vorländer, Entstehungszeit (vgl. Anm. 11) 297.322.328.331 – wobei es stets um die Begründung bestimmter Datierungen geht.

teressen dieser Tradition zusammenhängen, die für segmentäre Gesellschaften durchaus typisch sind (vgl. oben 2.1.1). Doch kommt selbst dann, wenn die Vätertraditionen auch kriegerischere Elemente vor ihrer Verarbeitung im jahwistischen Werk gehabt haben sollten, eine literarische Strategie hinzu. Die Vätergeschichten werden chronologisch und genealogisch vor die Exodus-, Wüsten- und (eventuell) Landnahmetraditionen gebaut. Daher dürfen in ihnen noch gar keine Eroberungen geschildert werden. Ich werde sofort bei der Besprechung eines Aufsatzes von Rose darauf zurückkommen.

2.1.6 Die „natürliche" Einstellung zum Krieg in den elohistischen Texten

Auch in den traditionell der elohistischen Pentateuchquelle zugeordneten Texten fehlen Kriege nicht – etwa die Amalekiterschlacht in Ex 17 oder die Besiegung Sihons in Num 21. Mehr kann man beim fragmentarischen Erhaltungszustand der Schrift, falls es je eine selbständige Schrift war, nicht verlangen[28]. Spricht man diese und vergleichbare Texte allerdings E ab, dann stellt sich unter Umständen die Frage, ob die verbleibenden Texte nicht von einer antimilitärischen Grundeinstellung mitgeprägt sind.

2.2 Zu M. Rose, „Entmilitarisierung des Kriegs"?

Nun zu M. Roses „Erwägungen zu den Patriarchenerzählungen der Genesis" über eine dort geschehene „Entmilitarisierung des Kriegs"[29]. Dieser Aufsatz hat das Verdienst, die Frage nach der Stellung zum Krieg in einem bestimmten Bereich des „jehovistischen Geschichtsbuchs" überhaupt einmal aufgeworfen zu haben. Er vertritt die These, die Vätertraditionen seien keineswegs so friedlich

---

[28] Als neueste Monographien, die mit einer ursprünglich selbständigen elohistischen Quelle rechnen, vgl. *K. Jaroš,* Die Stellung des Elohisten zur kanaanäischen Religion (OBO 4) Freiburg 1974 (23–37: literarkritische Tabelle; 435–496: Literaturverzeichnis); *A. W. Jenks,* The Elohist an North Israelite Traditions (SBLMS 22) Missoula, Montana, 1977 (67 f: Die E-Texte im Pentateuch).
[29] *Rose,* Entmilitarisierung (vgl. Anm. 7).

gewesen, wie sie jetzt erscheinen, sondern künstlich „entmilitarisiert" worden[30].

2.2.1 Zum Argument aus den vom „Jahwisten"
aufgenommenen Texten

Ein erster Beweisgang bezieht sich auf das in den Vätererzählungen verarbeitete Traditionsmaterial. Hier findet Rose stehengebliebene Restbestände, die auf ursprünglich kriegerischeren Charakter verweisen. Was er dann aufführt, wird allerdings außer den Gottesnamen *'ᵃbîr jăʿᵃqob* und *păḥăd jiṣḥaq*, der Ätiologie für Mahanajim in Gen 32,2f, dem Kampf am Jabbok in Gen 32,23–33, der Dinageschichte in Gen 34 und dem Wort Jakobs in Gen 48,22, er habe das Grundstück bei Sichem dem Amoriter „mit Schwert und Bogen" entrissen, nicht allgemein dem Jahwisten oder dem Elohisten zugeteilt: nämlich vor allem Gen 14 und Gen 15. Doch meint er, derartige Kapitel hätten sich nicht mit einer Person verbinden können, die in der Tradition dafür „nicht den geringsten Anknüpfungspunkt" geboten hätte. Ich stimme dieser Argumentation zu. Ich würde ihr auch noch einige Beobachtungen beifügen, die Rose erst später bringt: den Brautsegen für Rebekka in Gen 24,60 vgl. 22,17 („Deine Nachkommen sollen das Tor ihrer Feinde erobern") und den „Gottesschrecken", der Gen 35,5 E schützend mit Jakob durchs Land zieht. Ferner sollte man beachten, daß das einzige uns erhaltene und unter Umständen auf einen Patriarchen beziehbare inschriftliche Zeugnis uns ausgerechnet eine Nomadenfehde und eine ägyptische Militäraktion gegen die in Kriegshändel verwickelten Gruppen dokumentiert. Denn die kleinere Stele Sethos' I. aus Bet-Schean führt uns die Gruppe der Abraham-Nomaden (falls es sich um diese handelt) vor, wie sie eine kriegerische Auseinandersetzung mit einer Hapiru-Gruppe hat[31]. So spricht in der Tat einiges dafür, daß die jahwistische Nacherzählung der alten Vätergeschichten bewußt deren kriegerische Gehalte ausgelassen hat.

---

[30] Das idiolektal gebrauchte Wort „Entmilitarisierung" wandelt in den Schriften von Rose seine Bedeutung. Hier meint es die Entfernung aller Aussagen über Kampf und Krieg aus einem Textkorpus. In der späteren Schrift „Deuteronomist und Jahwist" (vgl. Anm. 11) kann es auch zur Charakterisierung theologisierter, jedoch im Text verbliebener Kriegserzählungen dienen. Es ist dann gleichbedeutend mit „Theologisierung".
[31] Vgl. *M. Liverani,* Un' ipotesi sul nome di Abramo: Henoch 1 (1979) 9–18.

2.2.2 Zum Argument aus redaktionellen Texten des „Jahwisten"

Ein zweiter Beweisgang Roses für seine These geht eher von redaktionellen und theologisch deutenden Texten der Vätererzählungen aus. Hier glaubt er, gewissermaßen ins Unkriegerische gewendete Sprachelemente der Heilig-Kriegs-Terminologie nachweisen zu können. Das hält er dann für eine bewußte Aktion des Redaktors, also des „Jahwisten". Doch scheint mir nicht bewiesen zu sein, daß die Ermutigungsformel „Fürchte dich nicht" nur in Kriegsorakeln vorkam. Die Formel „ich will dir das Land geben" hätte er nie mit der Übergabeformel des Kriegsorakels „ich will den und den in deine Hand geben" vergleichen dürfen. Die anderen „Sippen" bzw. „Völker" werden in den wirklich jahwistischen Texten gerade nicht als Feinde eingeführt. Auch für die Beistandszusicherung („ich werde mit dir sein") scheint mir alleiniges Vorkommen im Kontext des Krieges nicht gesichert zu sein. Schließlich baute man im alten Orient auch in anderen Fällen als nur nach einem gewonnenen Krieg einen Altar oder eine Stele. So erscheint mir dieser zweite Beweisgang Roses fragwürdig. Doch genügt der erste, um ernsthaft mit einer bewußten „Entmilitarisierung" der Vätertraditionen durch den „Jahwisten" zu rechnen.

2.2.3 Zu Roses Schlußfolgerungen

Aus ihr folgert Rose nun allerdings, eine derartige Tendenz passe nicht in die davidisch-salomonische Ära, geht auf die Suche nach passenderen Epochen und gelangt nach Erörterung verschiedener Möglichkeiten schließlich zu einem schmalen Zeitraum zwischen Jesaja und dem Deuteronomium. Wie wenig er selbst von dieser Argumentation überzeugt ist, zeigt sich daran, daß er inzwischen in seinem Buch „Deuteronomist und Jahwist" für den „Jahwisten" exilischen oder nachexilischen Ursprung vermutet. In der Tat fragt sich zunächst, ob man aus einem Befund in den Vätererzählungen wirklich auf den Zeitansatz des jahwistischen Gesamtwerks schließen darf. Vom Auszug aus Ägypten an kann der „Jahwist" ja durchaus mit dem Säbel rasseln. Daher liegen die oben schon gebrachten erzählstrategischen Erklärungen zur Deutung des Befunds an sich näher. Aufgrund der Entscheidung, ursprünglich unverbundene und durchaus nebeneinander stehende Erzählblöcke narrativ in ein zeitliches Nacheinander zu bringen, ergab sich die Notwendigkeit, daß innerhalb des Traditionsblocks „Vätergeschichten" von einer Landeroberung noch keine Rede sein konnte.

Doch selbst wenn man glaubt, allein von den Vätergeschichten aus nach deren Abfassungszeit fragen zu können (weil man vielleicht eher im Sinne einer Fragmenten- als einer Dokumentenhypothese denkt), ist der Schluß von einer „entmilitarisierten" Erzählung auf eine von Kriegswirren freie Abfassungszeit keineswegs notwendig. Gerade in harten Zeitläuften kann der Traum von einem goldenen Zeitalter hochkommen, in dem die Menschen sich alle friedlich vertrugen[32]. Und daß die friedlichen Vätererzählungen gerade auch unter diesem Gesichtspunkt sogar recht gut in die salomonische Situation passen könnten, hat H. W. Wolff in seinem Aufsatz über das Kerygma des Jahwisten[33] zumindest gezeigt, und eine Reihe sich anschließender Veröffentlichungen hat diesen Gesichtspunkt noch vertieft.

Man wird also aus Roses Darlegungen festhalten können, daß bei Annahme eines vom späten „jehovistischen Geschichtsbuch" zu unterscheidenden älteren jahwistischen Geschichtswerkes in diesem Werk die Vätererzählungen bewußt friedsam gefärbt wurden, unter Beseitigung kriegerischer Züge, die in der aufgenommenen Tradition offenbar enthalten waren. Als Motiv wird zunächst eine erzählstrategische Notwendigkeit deutlich: in der narrativ konstruierten „Väterzeit" war die Landeseroberung noch nicht fällig. Doch gerade bei Annahme davidisch-salomonischer Abfassungszeit könnte überdies noch ein paradigmatisches Anliegen vorhanden gewesen sein: den im davidischen Reich nun enger als vorher zusammenlebenden Israeliten und Nichtisraeliten sollte ein Vorbild des friedlichen Umgangs miteinander gegeben werden.

2.3 Zusammenfassung

Im „jehovistischen Geschichtsbuch" als Gesamtkomplex sind auch in den Vätererzählungen wieder etwas mehr kriegerische Züge vorhanden. So läßt sich abschließend für diese literarische Größe doch aufrechterhalten, daß die Kriegsthematik zwar nicht zentral war,

---

[32] Vgl. *Vorländer,* Entstehungszeit (vgl. Anm. 11) 297 f, mit Verweisen auf Holzinger und Mowinckel.

[33] EvTh 24 (1964) 73–98 = ders., Gesammelte Studien (vgl. Anm. 8) 345–373.

aber doch gewissermaßen „natürlich". Der Krieg ist das selbstverständliche Miterzählte und als solches weder beim Verfasser noch bei den erwarteten Lesern Problematisierte. Wenn Jahwe Israel wollte, dann mußte er auch Krieg, Eroberung und Vernichtung wollen.

Eine in der Schilderung des Meerwunders durchaus aufgeworfene Frage ist die, wer letztlich die Kriege führt, Israel oder sein Gott Jahwe. Aber daß Jahwe die Ägypter um Israels willen vernichtet, stellt kein Problem dar. Daß Jahwe sich auch gegen sein eigenes Volk wenden kann, wird ebenfalls erörtert, etwa in Num 13 f – aber auch das ist ja eine Konkretisierung eines verbreiteten Theologumenons, das schon in vorstaatlicher Zeit von Israel in seiner Geschichte verifiziert worden war[34].

Die deuteronomistischen Schriften werden die Gewichte umbauen. Sie werden vor allem einen ganz anderen Aufwand an Kriegstheorie treiben. Sie sind nun ins Auge zu fassen.

3 Das Deuteronomium und der Krieg

3.1 Methodischer Ansatz

Hier versuche ich, meine bisherigen Vorarbeiten zusammenzufassen und weiterzuführen[35]. Ich bin der deuteronomischen Kriegstheorie vor allem im Zusammenhang mit Wortuntersuchungen begegnet,

---

[34] Man denke z. B. an die in der Ladeerzählung behandelten Vorgänge, die in der Ladeerzählung in diesem Sinne gedeutet sind. Vgl. vor allem *A. F. Campbell,* The Ark Narrative (1 Sam 4–6; 2 Sam 6). A Form-Critical and Traditio-Historical Study (SBLDS 16) Missoula, Montana, 1975.

[35] *N. Lohfink,* Darstellungskunst und Theologie in Dtn 1,6 – 3,29: Bib 41 (1960) 101-134; Die deuteronomistische Darstellung des Übergangs der Führung Israels von Moses auf Josue: Schol 37 (1962) 32–44; *hāram* (vgl. Anm. 23); Kerygmata des Deuteronomistischen Geschichtswerks, in: J. Jeremias und L. Perlitt (Hg), Die Botschaft und die Boten = FS H. W. Wolff, Neukirchen-Vluyn 1981, 87–100; *jāraš,* in: ThWAT III 953–985. In den beiden Wörterbuchartikeln finden sich ausführliche Literaturlisten. Stark auf die Frage des Krieges konzentriert, aber wenig hilfreich ist neuerdings: *U. Köppel,* Das deuteronomistische Geschichtswerk und seine Quellen. Die Absicht der deuteronomistischen Geschichtsdarstellung aufgrund des Vergleichs zwischen Num 21,21–35 und Dtn 2,26 – 3,6 (EH XXIII, 122) Bern 1979. Nicht erreichbar war mir: *S. Siwiec,* La guerre de conquête de Canaan dans le Deutéronome (Diss. Studium Biblicum Franciscanum/Antonianum Jerusalem/Rom 1971).

die für das Theologische Wörterbuch zum Alten Testament bestimmt waren. Es handelte sich um die Wurzel ḥrm, bei der die Verbformen wohl denominativ von ḥeræm „Vernichtungsweihe" sind, und um die Wurzel jrš „in Besitz nehmen", die im Hifil wohl nicht, wie in der deutschen, von Luther bestimmten Tradition meist angenommen wird, „vertreiben", sondern entsprechend der Tradition der alten Übersetzungen und der angelsächsischen Exegese „vernichten" bedeutet. Von diesen beiden Wurzeln her läßt sich die Kriegstheorie des Deuteronomiums recht deutlich in den Blick nehmen. Sie weisen auch sofort auf ihr Typicum: die Grausamkeit, die umfassende Radikalität und die enge Verbindung mit der Inbesitznahme des Israel zugesprochenen Landes. Letzteres wird reflex statuiert im Kriegsgesetz des Deuteronomiums (Dtn 20,10–18). Denn dieses unterscheidet klar zwischen entfernter liegenden Städten und den Städten „dieser Völker, die Jahwe, dein Gott, dir als Erbbesitz gibt" (20,16). Nur in diesen Städten muß der ḥeræm vollzogen werden, die völlige Vernichtung von allem, was Atem hat – was in diesem Zusammenhang bedeutet: von allen Menschen[36].

3.2 „DtrL" als die relevante Schicht

Diese ganze Kriegstheorie scheint nun nicht etwas zu sein, das von Anfang an in der deuteronomisch-deuteronomistischen Tradition da war und sich allmählich entwickelte. Im vorjoschijanischen und joschijanischen Gesetz scheint sie noch nicht enthalten gewesen zu sein. Sie findet sich erst in deuteronomistischen Schichten des Gesetzes und in den ebenfalls deuteronomistischen Teilen des Buchs Dtn vor und hinter dem eigentlichen Gesetz. Dies gründet allerdings auf der Annahme, daß der Text des deuteronomischen Gesetzes vor der ältesten deuteronomistischen Schicht noch nicht als Moserede, die unmittelbar vor dem Jordanübergang zu einer gewaltsamen Landeseroberung gehalten worden wäre, stilisiert gewesen sein kann. Doch ist eine solche Stilisierung auch nicht erst durch ein „deuteronomistisches Geschichtswerk" im Sinne Martin Noths geschaffen worden, das von Dtn bis 2 Kön reichen würde und erst aus der Exils-

---

[36] Vgl. Jos 11,13 f, wo in vermutlich der gleichen Schicht die gleiche Formulierung steht, das Vieh aber ausdrücklich ausgeschlossen ist.

zeit stammen könnte. Vielmehr nehme ich an, dieses Geschichtswerk habe mehrere Vorarbeiten in sich integriert, die nur kleinere Zeitabschnitte darstellten und schon etwas älter waren. Die Vorstufe, die hier interessiert, ist eine Schilderung der Landnahme Israels und umfaßt die Hauptmasse des jetzigen Texts von Dtn 1 bis Jos 22. Ich nenne sie DtrL (= deuteronomistische Landnahmeerzählung)[37]. In ihr ist die eigentliche deuteronomistische Kriegstheorie entwickelt worden.

Die DtrL war um das dt Gesetz herum angelegt und enthielt es. Dieses selbst wurde im Rahmen der DtrL überarbeitet und erweitert. Auf dieser Stufe wurde es als Abschiedsrede Moses an Israel unmittelbar vor seinem Tod und vor der Jordanüberschreitung unter Josua stilisiert. So hat die DtrL zwei Themen: Die Landnahme und das Gesetz. Dies entspricht den beiden uns bekannten Hauptinteressen von König Joschija in seinen späten Jahren. Er wollte seinen Staat durch das die Urzeit Israels wieder herstellende Gesetz innerlich erneuern und wollte ihn im Hinblick auf die Wiederherstellung des alten Israel in der ihm zukommenden Größe nach allen Seiten ausdehnen, vor allem aber nach Norden. Daher rechne ich damit, daß die DtrL aus den späten Regierungsjahren Joschijas stammt, in seinem Auftrag erarbeitet worden ist und mehreres zugleich sein soll: Eine neue, allen durchschaubare und einleuchtende Synthese der wichtigsten Traditionen Israels über seine Gesellschaftsstruktur und seine territorialen Rechte, eine Art strategisches Planungspapier des Königs und eine Art Propagandaschrift, die für seine Absichten werben und seine Aktionen legitimieren sollte[38].

---

[37] Vgl. für Näheres *Lohfink,* Kerygmata (vgl. Anm. 35) 92–96.
[38] Zur Funktion der ganzen dt/dtr Literatur vgl. *N. Lohfink,* Unsere großen Wörter. Das Alte Testament zu Themen dieser Jahre, Freiburg i. Br. 1977, 24–43 (Pluralismus. Theologie als Antwort auf Plausibilitätskrisen in aufkommenden pluralistischen Situationen, erörtert am Beispiel des deuteronomischen Gesetzes). Ich habe für diese Überlegungen sehr viel dem Soziologen und Pastoraltheologen F. Mennekes zu verdanken. Mit ihm zusammen hielt ich 1972 in Toronto ein Ferienseminar über diese Thematik ab. Daran nahm auch *P.-E. Dion* teil, der inzwischen einen Artikel zur Frage veröffentlicht hat: Quelques aspects de l'interaction entre religion et politique dans le Deutéronome: ScEs 30 (1978) 39–55.

3.3 Die Vorstellung von DtrL über den heiligen Eroberungskrieg Israels beim Einzug in das verheißene Land

Im Zusammenhang dieser DtrL ist nun also auch die deuteronomistische Kriegstheorie formuliert worden. Es gab durchaus so etwas wie eine vorausliegende Grundvorstellung vom „heiligen Krieg"[39]. Sie prägte die auch damals vorhandenen Muster, in denen Kriege abliefen. Sie steckte in den alten Erzählungen des „jehovistischen Geschichtsbuchs" und anderer Traditionen, auch derer, die dann in der neuen Darstellung, vor allem im Bereich des Buches Jos, verarbeitet wurden. Vielleicht lagen sie auch schon in Form einer Sagensammlung vor. Aus all diesen Vorgaben hat nun die DtrL ein festes Schema vom Ablauf eines Jahwe-Landeroberungskriegs heraussystematisiert. Wenn in Einzelfällen, speziell im Buch Josua, die alten Vorlagen nicht ganz in das Schema hineinpaßten, wurden sie durch einige Ergänzungen der Normalvorstellung angenähert. So etwa bei der Erzählung von der Eroberung der Stadt Ai. Einige wichtige Elemente dieser systematisierten Vorstellung seien im folgenden besprochen[40].

3.3.1 Die Auslösung des Krieges
Ein Krieg hat mit einem Unterwerfungsangebot an den Gegner zu beginnen. So sagt es das Kriegsgesetz (Dtn 20,10f), so schildert es die Modellerzählung (Dtn 2,26). Israel darf nur in den Krieg eintreten, wenn das Angebot abgelehnt wurde. Allerdings ist die DtrL der Meinung, Jahwe habe bei der Landeroberung die Feinde Israels stets verstockt, so daß sie sich faktisch selbst stets dem Mechanismus des Kriegs auslieferten. So ausdrücklich im Summarium Jos 11,19f.

Der Krieg ist Jahwekrieg. Jahwe schickt seinen Schrecken gegen Israels Feinde. Aber in der DtrL ist Israel deshalb nicht einfach untätig. Israel muß zwar glauben und Mut haben. Trotzdem muß es auch in die Schlacht ziehen und kämpfen. Wenn der „Glaube" von

---

[39] „Heiliger Krieg", nicht notwendig „Jahwekrieg", weil vieles natürlich von alters her den Völkern des alten Orients gemeinsam war und weil das damalige Kriegführen und Reden vom Krieg zweifellos stark unter assyrischem Kultureinfluß stand.
[40] Den Hintergrund bildet dabei stets die klassische Darstellung der „Theorie vom heiligen Krieg" bei von Rad, Heiliger Krieg (vgl. Anm. 2) 6–14, wo das Material aus DtrL durchaus das Bild prägt. Daher kann im folgenden auch auf Vollständigkeit verzichtet werden.

Jes 7,9 Verzicht auf die normalen Wege der Machtpolitik bedeutet, dann der von Dtn 1,32 die Bereitschaft, zur gewaltsamen Eroberung des Landes auszuziehen.

3.3.2 Der ḥeræm

Der ḥeræm, die Vernichtungsweihe, hatte – anders als Gerhard von Rad meinte – ursprünglich keineswegs zu jedem heiligen Krieg, auch nicht zu jedem Jahwekrieg gehört. Die Deuteronomisten fanden in ihren Vorlagen und alten Quellen eine beschränkte Anzahl von ḥeræm-Erzählungen und ḥeræm-Nachrichten vor. Uns sind sie nur noch greifbar in Num 21, Jos 6f, 1 Sam 15 und Jos 10f. Aber darüber hinaus hatten sie offenbar eine alte Völkerliste zur Verfügung, die Namen von Völkern enthielt, die es jetzt nicht mehr gab. Ferner gab es eine alte Zusage Jahwes, er werde die Bewohner des Landes vertreiben. Sie ist uns greifbar in Ex 23, Ex 34 und Ri 2. Ja, Ex 23,23 sprach von Vernichtung, nicht nur von Vertreibung. Vielleicht verfügten die Deuteronomisten sogar über einen Text mit einem Gebot der Völkervertreibung oder Völkervernichtung: Dtn 20,17 enthält eine Rückverweisformel auf ein solches Gebot der Vernichtung. Ein solches läßt sich allerdings in nachweisbar älteren Texten, die wir noch besitzen, nicht verifizieren. Doch sind die Rückverweisformeln im Deuteronomium im allgemeinen nicht aus der Luft gegriffen, sondern echte literarische Verweise[41]. Mir scheint, daß die Deuteronomisten diese verschiedenen Vorgaben miteinander kombinierten und sie systematisierten. So kamen sie zur Annahme, Jahwe habe vor der Landeseroberung ein Gebot erlassen, die Bevölkerung des Landes vollständig zu vernichten. Es wäre das Gebot des ḥeræm gewesen.

Dieser ḥeræm war dann allerdings gerade nicht mehr das, was er ehedem, als er noch praktiziert wurde, gewesen war: Spezieller Beuteverzicht aufgrund eines besonderen Gelübdes oder eines besonderen Prophetenworts bei einzelnen, keineswegs bei allen Kriegszügen. Jetzt war die Basis des ḥeræm ein generelles Jahwegebot, das für den gesamten Landeroberungsvorgang galt. Das Objekt der Ver-

---

[41] Vgl. *Skweres*, Rückverweise (vgl. Anm. 11). Zu der Basis des Rückverweises in Dtn 20,17 vgl. seine Diskussion S. 43–47. Sie endet nach meiner Meinung mit einem *non liquet*.

nichtung war nicht mehr die Beute, sondern die Bevölkerung. Die Sachgüter und das Vieh sollten verschont und einfach übernommen werden. Dadurch verlor in der deuteronomistischen Sprache das Wort *ḥrm hifil* auch seinen spezifischen Sinn („der Vernichtung weihen und diese Vernichtungsweihe durchführen"). Es wurde zum Synonym der vielen anderen Wörter für Vernichtung, die die DtrL und auch die späteren dtr Schichten kennen.

3.3.3 Die Gesamtbevölkerung als Objekt der Vernichtung

Norman K. Gottwald hat beachtenswerte Gründe dafür beigebracht, daß in den historischen Anfängen Israels die *jošᵉbê haʾarœṣ*, auf die die Vertreibungsverheißung sich bezog, nicht die „Bewohner des Landes", sondern die „Beherrscher des Landes" waren. Denn *jošeb* + Ortsname konnte auch den Herrscher einer Stadt, der Plural davon die Patrizierschicht derselben bezeichnen[42]. So scheint ein begründeter Verdacht dafür zu bestehen, daß die bekannte dt/dtr Völkerliste ursprünglich ethnische Gruppen bezeichnete, die in den kanaanäischen Städten die Herrschaftselite bildeten[43]. Es mag also in der historischen Wirklichkeit vielleicht nur um die Vertreibung der Führungseliten in den kanaanäischen Städten und damit um den Sturz des herrschenden gesellschaftlichen und politischen Systems gegangen zu sein. Die Institution des *ḥærœm* hatte damit nichts zu tun. Der *ḥærœm* war ein manchmal in Kriegen der Gottheit gelobter Beuteverzicht, vornehmlich auf Sachgüter bezogen. Erst die deuteronomistische Traditionssystematisierung machte daraus eine von Gott gebotene Ausrottung der gesamten Bevölkerung.

---

[42] *Gottwald,* Tribes of Yahweh (vgl. Anm. 19) 507–534.

[43] Zur Bedeutung der Ethnie als quer zu anderen Systemen laufenden gesellschaftlichen Kategorie im alten Orient vgl. jetzt vor allem: *K. A. Kamp* und *N. Yoffee,* Ethnicity in Ancient Western Asia During the Early Second Millenium B. C.. Archaeological Assessments and Ethnoarchaeological Perspectives: BASOR 237 (1980) 85–104. Es ist durchaus vorstellbar, daß einzelne in der Völkerliste genannte Gruppen die Patrizierschicht in verschiedenen, politisch nicht zusammengehörigen Stadtstaaten bildeten und gleichzeitig ein ethnisches Identitätsbewußtsein hatten. Als Versuch, die einzelnen Völker der Liste geographisch einzuordnen, vgl. *N. Lohfink,* Die Landverheißung als Eid. Eine Studie zu Gn 15 (SBS 28) Stuttgart 1967, 67 f.

3.3.4 Die juristisch-theologische Konzeption der Inbesitznahme des Territoriums

Zum Krieg gehörte der Abschluß des Kriegs durch kultische Siegesfeier und Heimkehr. Diese Elemente treten in der DtrL völlig in den Hintergrund. An ihre Stelle tritt als Höhepunkt des ganzen Vorgangs die Inbesitznahme des eroberten Territoriums, natürlich zusammen mit allen auf ihm existierenden Gütern. Deshalb wird das Wort *jrš* „in Besitz nehmen" zu einem der häufigen deuteronomistischen Wörter. Natürlich hat das Wort auch in älteren Kriegserzählungen nicht gefehlt. Doch es war keineswegs ein notwendiges Element. Jetzt in der deuteronomistischen Landereroberungstheorie wird es unentbehrlich. Es wird außerdem in eine ausgebaute juristische Vorstellung hineingebunden.

In den üblichen Kriegstheorien des alten Orients und dementsprechend auch des alten Israel kämpfte der Gott eines Volkes im Krieg für sein Volk. War der Sieg errungen, gehörte ihm und seinem Volk das Erkämpfte. Damit war auch die Rechtsfrage geklärt, etwa bezüglich des eroberten Territoriums. Der Sieger hatte einfach dadurch schon das Recht auf seiner Seite, daß er den siegreichen Gott auf seiner Seite hatte[44]. Diese Legitimationsfigur für den Besitz eines bestimmten Territoriums finden wir zum Beispiel noch in der anscheinend so ganz deuteronomistisch klingenden, in Wirklichkeit aber zumindest typologisch vordeuteronomistischen Argumentation der Boten Jiftachs vor dem Ammoniterkönig in Ri 11,24: „Ist es nicht so: Wen Kemosch, dein Gott, vernichtet, in dessen Besitz trittst du ein, und alles, was Jahwe, unser Gott, bei unserem Ansturm vernichtet, in dessen Besitz treten wir ein?"[45] Das ist das Recht des Volksgottes. Die Deuteronomisten entwickeln demgegenüber

---

[44] Vgl. hierzu vor allem *G. Furlani,* Le guerre quali giudizi di dio presso i Babilonesi e Assiri, in: Miscellanea G. Galbiati III, Mailand 1951, 39–47.

[45] Am überzeugendsten scheint mir für Ri 11 immer noch die Analyse bei *W. Richter,* Die Überlieferungen um Jephtah Ri 10,17 – 12,6: Bib 47 (1966) 485–556. Dort S. 538: „Die Argumentation Ri 11,16–26 zeigt keine Einflüsse von Dt, wird ihm also zeitlich vorausliegen; sie folgt treu der in Num 21 bezeugten Geschichtsschau." Aber selbst eine übersubtile Schichtenaufteilung, wie sie zuletzt *M. Wüst,* Die Einschaltung in die Jiftachgeschichte. Ri 11,13–26: Bib 56 (1975) 464–479, vorgelegt hat, kommt im Endeffekt zumindest zu hohem typologischem Alter von Ri 11,24. Denn die späteste Schicht in 11,24 entnahm nach Wüst ihr Argument „dem zur Grundschicht gehörenden Vers 23" (477).

ein System, das man als das „Recht des Weltgottes" bezeichnen kann[46].

In der DtrL steht das „Inbesitznehmen" des eroberten Territoriums in klarer Beziehung zum Schwur Jahwes an die Väter, ihren Nachkommen das Land zu „geben". Doch nicht nur den Israeliten wird in der DtrL Land zur Inbesitznahme gegeben. Auch den Edomitern, Moabitern und Ammonitern hat (nicht jeweils ihr Gott, sondern) Jahwe nach Dtn 2, 5.9.19 ihr jeweiliges Land zum Besitz gegeben. Jahwe steht also über allen Völkern und gibt ihnen allen ihren Besitz. Diesen können sie – wenn nötig, durch Eroberung und Vernichtung der vorigen Bevölkerung – in Besitz nehmen.

Wir haben es hier mit einer Theologisierung einer Art „königsrechtlicher" Landkonzeption zu tun[47]. Wie ein Landesherr Lehen vergibt[48], vergibt Jahwe den verschiedenen Völkern ihre Territorien. Zum Vollzug dieses Aktes hat er sich im Sonderfall Israels vorlaufend durch einen Eid an die Stammväter des Volkes verpflichtet[49]. Jetzt „gibt" er Israel sein Territorium. Wie beim babylonischen Kaufgeschäft deutlich zwischen dem Akt der Übereignung und dem der Besitzergreifung unterschieden wird[50], so muß nun noch die Besitzergreifung des Territoriums durch Israel erfolgen. Für sie wird das Wort *jrš* verwendet, das selbst den Zusammenhang mit Eroberung evoziert. Der Eroberungskrieg Israels ist also, theologisch-juristisch gesehen, der korrespondierende Akt des Lehnsempfängers

---

[46] *Richter,* Jephtah (vgl. Anm. 45) 546, spricht (etwas mißverständlich) von einer „Zentralisierung" der Vorstellung von Ri 11, 24 durch das Deuteronomium. „Hier entscheidet Jahwe souverän, nicht mehr in Auseinandersetzung mit den Göttern anderer Völker" (547).

[47] Sie ist als eine dritte neben die beiden von *G. von Rad,* Verheißenes Land und Jahwes Land im Hexateuch: ZDPV 66 (1943) 191–204 = ders., Gesammelte Studien zum Alten Testament (TB 8) München ³1965, 87–100, herausgearbeiteten Konzeptionen zu stellen: die „geschichtliche" und die „kultische".

[48] Vgl. im AT: 1 Sam 8, 14; 22, 7; 27, 6. Über die für Landverleihungen besonders wichtigen *našû-nadānu*-Urkunden und die Ausstrahlung ihrer Terminologie vgl. zuletzt *J. C. Greenfield, našû-nadānu* and its Congeners, in: M. de Jong Ellis (Hg), Essays on the Ancient Near East in Memory of Jacob Joel Finkelstein (MCCA 19) Hamden, Connecticut, 1977, 87–91 (Lit.!).

[49] Die Verbindung aller drei Elemente (Väterschwur, „geben" und *jrš*) findet sich in der DtrL an folgenden Stellen: Dtn 1, 8; 10, 11 und Jos 21, 43 f – also genau in Rahmenposition.

[50] Grundlegende Untersuchung: *M. San Nicolò,* Die Schlußklauseln der altbabylonischen Kauf- und Tauschverträge (MBPF 4) München 1922.

zum verleihenden Akt des göttlichen Weltkönigs. Das Recht des Siegers ist in ein umfangendes Recht der göttlichen Weltverteilung zurückgebunden.

3.4.1 Die Rechtfertigung der territorialen Expansionspolitik Joschijas

Wir müssen die Frage stellen, welchen Zweck eine derartige „juristische Theologie" mit ihrer Verfeinerung der bisherigen Vorstellungen verfolgt haben mag. Geht man vom zeitlichen Ansatz unter Joschija und vom Zusammenhang mit seinen realen Interessen aus, dann läßt sich vielleicht folgendes sagen: Wenn man vom Recht des Volksgotts, der für sein Volk in den Krieg zieht, und vom damit verbundenen Recht des Siegers her denkt, dann war es völlig in Ordnung, daß die israelitischen Nordgebiete seit mehr als einem Jahrhundert assyrischer Besitz waren. Die Assyrer hatten sie erobert, so besaßen sie dieselben rechtens. Kein Joschija konnte Ansprüche darauf erheben. Natürlich konnte er sie zu erobern versuchen. Aber dann konnten sie auch, wenn Assur wieder erstarken sollte, ebenso schnell und mit wiederauflebendem altem Rechtstitel der Assyrer zurückerobert werden. Außerdem scheint es gar nicht der Fall zu sein, daß Joschija seine Grenzen in einem eigentlichen Eroberungskrieg nach Norden ausgedehnt hat. Jedenfalls fehlt uns jede Nachricht davon. Er hat eher einen herrschaftsleer gewordenen Raum langsam mit neuer Herrschaft überzogen, ein wenig nach der Rechtsvorstellung der Aneignung herrenlosen Guts. Aber diese Vorstellung war doch wohl zu schwach oder zu ungeeignet zur öffentlichen Legitimation seines Handelns. Zwar nicht für die Assyrer, wenn sie je wieder erstarken sollten, wohl aber zumindest für die eigene judäische Bevölkerung sowie für die Bevölkerung der annektierten Nordgebiete konnte dagegen gerade die in der DtrL entwickelte Rechtsvorstellung diese Aufgabe hervorragend leisten. Denn nach ihr waren die Assyrer, auch wenn sie die Gebiete des Nordens erobert hatten, keineswegs rechtens im Land. Das Land war von Jahwe, dem Herrn aller Lande, Israel zugeteilt worden, und Israel hatte es vor Zeiten auch in Besitz genommen. Joschija als der Inhaber und Repräsentant der alten Rechte des Volkes Israel war geradezu verpflichtet, das Land Israel wieder zu annektieren. Das Recht wäre sogar auf seiner Seite, wenn er die Wiederinbesitznahme durch einen neuen Eroberungskrieg durchführen müßte, ja wenn dieser die gewalttätigen Züge jenes *heræm*-Krieges aufwiese, die den ursprünglichen Eroberungszug unter Mose und Josua auszeichneten. Das Letztere dürfte eher Säbelgerassel als schon gezückte Waffe gewesen sein. Aber es faßte auch eigentlich nicht beabsichtigte Eventualitäten ins Auge, und auf jeden Fall konnte es hartes Durchgreifen in Einzelfällen, wie etwa in Betel (vgl. 2 Kön 23,15–20), legitimieren. So konnte im ganzen durch die DtrL der Bevölkerung Judas wie des Nordens verständlich gemacht werden, daß Joschija von Jerusalem mit seiner Politik keine privaten Abenteuer betrieb, sondern genau das tat, was aus dem göttlichen Bereich von ihm erwartet wurde.

3.4.2 Der Wiederaufbau der judäischen Plausibilitätsstrukturen

Für die Härte und Brutalität des in der DtrL gezeichneten ursprünglichen Landeroberungskriegs muß allerdings – über das bisher Gesagte hinaus, aber durchaus in engem Zusammenhang damit – wohl noch ein weiterer Grund vorhanden gewesen sein. Das Vernichtungsgebot Jahwes verbindet sich in der DtrL ja mit dem Namen von Völkern, die es in der joschijanischen Zeit gar nicht mehr gab. Allein das zeigt schon, daß hier nicht ein Modell für von Joschija real geplante Kriegszüge vorgestellt werden sollte. Es geht wohl eher um so etwas wie moralische Aufrüstung und Kräftigung der im Jahrhundert der assyrischen Oberherrschaft mut- und ziellos gewordenen Bevölkerung Judas. Die assyrische Propaganda arbeitete damals, wie wir wissen, bewußt und massiv mit dem Mittel der Einflößung von Angst und Furcht vor der militärischen Macht Assurs und seines Gottes. Die Eroberungserzählungen der DtrL sind dazu die Gegenpropaganda. Der noch schrecklichere Schrecken des Weltgottes, der auf Israels Seite steht, wird narrativ entfaltet. Niemand in Israel braucht sich zu fürchten, wenn es um das von Jahwe schon den Vätern zugeschworene Land geht. Da alles aber so formuliert ist, daß es als Anweisung nicht mehr in die Gegenwart hineinragt, braucht zugleich niemand Angst zu haben, daß er unter Umständen selbst zur Betätigung von solchem Gemetzel und Blutbad eingesetzt werden würde.

Die deuteronomistische Kriegstheologie, wie sie dann durch das Buch Dtn in den Pentateuch gelangte, hatte also ursprünglich offenbar einen sehr präzisen Handlungsbezug. Sie sollte dazu dienen, die Plausibilitätsstrukturen der in der Königszeit und dann noch einmal ganz neu unter dem assyrischen Herrschafts- und Kulturschock aus den geistigen Fugen geratenen Gesellschaft Judas wieder neu herzustellen. Dadurch sollte Joschija für sein staatsmännisches Tun von der Bevölkerung her, auf deren inneres Einverständnis er angewiesen war, Bewegungsraum geschaffen werden.

3.5 Die deuteronomistische Theorie des Eroberungskriegs und der innere Zusammenhang von Recht und Gewalt

Dabei ist eine sehr enge Verbindung zwischen Kategorien des Rechts und Kategorien der Gewalt hergestellt worden. Das Recht wird durch Gewalt durchgesetzt, und hinter allem steht die Gottheit. Mir scheint, hier entlarvt sich auf eine selten so deutliche Weise, in welchem Maß das Recht, auch das zwischen den Völkern, auf der Gewalt gründet und immer wieder neu Gewalt zu entbinden droht. Der in dieser Theologie ansichtig werdende Gott kann, ebenso wie ein irdischer Herrscher, das von ihm gewollte Recht nur durchsetzen, indem er Gewalt einsetzt und Leben vernichtet. Man müßte darüber noch sehr viel reflektieren. Vor allem scheint mir in diesem Zusammenhang wichtig zu sein, daß die deuteronomistische Bewegung, zumindest unter Joschija, ja den ersten und bis auf die makkabäische Bewegung einzigen größeren Versuch darstellt, den nicht-, ja antistaatlichen Gesellschaftsentwurf des frühen Israels gerade in der Form des Staates durchzuführen.

Historisch ist dies gescheitert. Die Priesterschrift bedeutet demgegenüber nun einen völlig anderen gesellschaftlichen Ansatz.

4 Die Priesterschrift und der Krieg

4.1 Der Bezug von P^g zu älteren Werken

Die Priesterliche Geschichtserzählung (P^g), von der allein ich zunächst handeln möchte, setzt in der eigenen Darstellung sowohl das „jehovistische Geschichtsbuch" als auch das exilische „deuteronomistische Geschichtswerk" voraus. Darüber hinaus erwartet sie bei ihren Lesern Bekanntschaft wenigstens mit dem „jehovistischen Geschichtsbuch". Denn sie läßt manchmal Personen auftreten, ohne sie einzuführen, und spielt auf Fakten an, die der Leser nur aus dem „jehovistischen Geschichtsbuch" kennen kann[51]. Dies sei ausdrücklich festgestellt. Denn erst dadurch wird das Fehlen des Krieges in der P^g wirklich relevant.

4.2 Das Fehlen des Krieges in P^g

In der Priesterlichen Geschichtserzählung gibt es den Krieg nicht.

4.2.1 Urgeschichte und Vätergeschichte

Das überrascht noch nicht in der Urgeschichte und in der Vätergeschichte, da dort auch im „jehovistischen Geschichtsbuch" das Thema „Krieg" erst einigemale angeschlagen wird. Immerhin gibt es dort dreimal breit das Thema des „Streites": in der Kainerzählung, in der Jakobsgeschichte und in der Josefsnovelle. In der P^g kommt Kain nicht vor. Die Jakobsgeschichte ist so abgeändert, daß es keine Auseinandersetzungen zwischen Jakob und Esau oder zwischen Jakob und Laban mehr gibt[52]. Die Josefsgeschichte ist so zusammengestrichen, daß vom Hauptthema der alten Novelle nichts mehr übrigbleibt.

4.2.2 Vernichtung der Ägypter im Schilfmeer

Die erste große Heiligkriegserzählung des „jehovistischen Geschichtsbuchs" ist die Vernichtung der Ägypter am Schilfmeer.

---

[51] Beispiele: Auftritt von Personen ohne Einführung: Mose in Ex 6,2 (was nachher – neben der stärkeren Herausarbeitung der Bedeutung Aarons – einer der Gründe für die Zufügung von Ex 6,13–30 gewesen sein dürfte); Anspielung auf in P^g selbst ausgesparte Angaben aus JE: Anspielung auf den Ort Kadesch-Barnea in Num 20,12 (P^g muß das Ereignis ja wohl noch vor dem in Num 20,14–21 erzählten Verhandlung mit Edom vor dem Aufbruch von Kadesch angesetzt haben; vermutlich wird P^g die später auch ausdrücklich gewordene Identifizierung von Meriba in Ex 17,7, der Vorlage der Wasserwundergeschichte, mit Kadesch ebenfalls schon gemacht haben; P^g selbst lokalisierte die Geschichte nicht ausdrücklich in Kadesch, weil Kadesch schon ins verheißene Land gehören sollte, vgl. Num 34,4 P^g; spätere Harmonisierung findet sich z. B. in Num 27,14; Dtn 32,51.

[52] Man lese die priesterliche Begründung der Reise Jakobs zu Laban in Gen 27,46; 28,1–5 und die friedliche Trennung Esaus von Jakob nach dessen Heimkehr in Gen 36,6–8.

Dazu, wie die P^g sie abgewandelt hat, gibt es jetzt eine sehr genaue Untersuchung von Jean-Louis Ska[53]. Zwar werden die Israeliten beim Auszug aus Ägypten als „Jahwes Heerscharen" bezeichnet, und für die Truppen des Pharao werden in Ex 14 nachdrücklich militärische Fachausdrücke benutzt (Streitmacht, Pferde, Streitwagen, Reiter). Trotzdem kommt gerade kein Krieg zustande. „Es gibt weder einen Kampf zwischen Israel und Ägypten noch einen Sieg Israels über Ägypten; es gibt nur eine Selbstoffenbarung Jahwes vor den Augen der Ägypter"[54]. Als Modell für das, was vor sich geht, dienen der P^g die „Gerichte" Jahwes über die Völker, die der Prophet Ezechiel ankündigt. Indem sie in diesen „Gerichten" untergehen, erkennen die Völker, wer Jahwe ist. Schon im „jehovistischen Geschichtsbuch" war die Heiligkriegserzählung in der Schilfmeergeschichte ganz auf Alleinwirksamkeit Jahwes im Kampf hin stilisiert. Doch sie blieb auch Kriegserzählung. Hier ist der Krieg jetzt sogar als Referenzrahmen der Aussage verlassen.

4.2.3 Lagerordnung

Die P^g eilt dann über die Mannaerzählung sofort zur breit ausgebauten Sinaiperikope. Dort findet sich gegen Ende, in Num 2, eine Lagerordnung der Israeliten. In der Tradition spielte das Lager vom Auszug aus Ägypten ab immer wieder eine Rolle, und von den Darstellungen der Philisterkämpfe bis ins deuteronomische Gesetz ist das Lager Israels fast stets ein Kriegslager. Auch hier hat die P^g gründlich umgebaut. Ich kann hier auf die überlieferungsgeschichtlich vergleichende Studie von Arnulf Kuschke verweisen. Unter allen Aspekten, die er behandelt, stellt er immer wieder fest, daß „das Kriegerische im Lager der P-Erzählung völlig fehlt"[55].

4.2.4 Kundschaftergeschichte

Die erste Erzählung des „jehovistischen Geschichtsbuchs", die die P^g nach dem Aufbruch vom Sinai breiter aufgreift, ist die Geschichte von der Aussendung der Kundschafter in Num 13 f. Hier hat Sean

[53] J.-L. Ska, La sortie d'Égypte (Ex 7–14) dans le récit sacerdotal (P^g) et la tradition prophétique: Bib 60 (1979) 191–215.
[54] Ebd. 203 Anm. 21 (meine Übersetzung).
[55] A. Kuschke, Die Lagervorstellung der priesterschriftlichen Erzählung. Eine überlieferungsgeschichtliche Studie: ZAW 63 (1951) 74–105; Zitat: 99.

E. McEvenue den zu fordernden Vergleich angestellt[56]. Aus der militärisch abgezweckten Auskundschaftung des südlichen Landesteils im „jehovistischen Geschichtsbuch" wird eine Art feierlicher Prozession von Delegierten durch das ganze verheißene Land Kanaan, je einer aus einem Stamm. Es geht nicht um Spionage im Hinblick auf einen geplanten Eroberungsfeldzug. Vielmehr soll das von Jahwe als Geschenk zugesagte Land inspiziert und beurteilt werden. Das ist der Sinn des hier von der P[g] eingeführten Leitwortes *tûr*. Genau an dieser Aufgabe versagen die Delegierten. Deshalb müssen sie und ihre ganze Generation in der Wüste sterben. Die P[g] hat eine Sündengeschichte geschaffen, in der es vor allem auf die paradigmatisch gemeinte Sünde ankommt. Diese hat nichts mit Krieg zu tun – dann wäre es Mutlosigkeit und Unglaube, wie in Dtn 1. Sie ist vielmehr *dibbat ha'aræṣ* „Verleumdung des Landes", also negative Beurteilung der von Jahwe angebotenen guten Heilsgabe.

4.2.5 Einsetzung Josuas

Der nächste Text in der P[g], wo Militärisches zur Sprache kommen könnte, ist Num 27,12–23[57]. Hier wird in einer Szene, die dem Tod Moses unmittelbar vorangeht, die Nachfolgefrage aufgerollt, und bei dieser Gelegenheit überhaupt einiges zu den Ämtern in Israel gesagt. Mose bittet Gott um einen Nachfolger für sich, und er erhält Josua. Das entspricht der Situation in Dtn 31, das zur DtrL gehört. Dort wird Josua feierlich als der Nachfolger Moses eingesetzt, und als seine Aufgaben werden Landeseroberung und Landesverteilung

---

[56] *S. E. McEvenue,* The Narrative Style of the Priestly Writer (AnBib 50) Rom 1971, 90–127. Zum Text als „Sündenerzählung" vgl. *N. Lohfink,* Die Ursünden in der priesterlichen Geschichtserzählung, in: G. Bornkamm und *K. Rahner,* Die Zeit Jesu. FS Heinrich Schlier, Freiburg i. Br. 1970, 38–57, hier: 52–54.

[57] Für den dazwischenliegenden Weg bis zu den „Steppen von Moab", dem Schauplatz von Moses letzten Handlungen vor seinem Tod, vgl. *J. Wellhausen,* Die Composition des Hexateuchs und der historischen Bücher des Alten Testaments, Berlin ³1899, 108: „Von Schwierigkeiten mit den Nachbarvölkern scheint dieser Bericht nichts zu wissen, er behandelt das Terrain wie tabula rasa. Die Israeliten ziehen von Kades direkt nach Osten durch Edom und lassen sich ungestört in den Arboth Moab nieder." – Für Num 27,12–53 hat *S. Mittmann,* Deuteronomium 1,1 – 6,3 literarkritisch und traditionsgeschichtlich untersucht (BZAW 139) Berlin 1975, 110 f, eine Analyse vorgelegt, die mir abwegig zu sein scheint: Typische sprachliche Prozeduren der P[g] werden ihrer inneren Spannungselemente dadurch beraubt, daß sie sofort in literarkritischer „Stratigraphie" aufgelöst werden.

bestimmt[58]. Er wird also mit dem Eroberungskrieg beauftragt, den dann die erste Hälfte des Buches Josua schildern wird. Die Anlehnung der P^g in Num 27 an die DtrL von Dtn 31 läßt sich bis ins Sprachliche aufweisen. In Dtn 31,2 begründet Mose die Einsetzung Josuas mit seinem eigenen Alter. Dabei sagt er: *lo' ûkăl 'ôd lașe't w^e labô'* „ich kann nicht mehr ausziehen und heimkehren". In Num 27,16f bittet Mose Jahwe um einen Mann für die Gemeinde, *'ᵃšær ĕșe' lipnêhæm wă'ᵃšær jabo' lipnêhæm wa'ᵃšær jôșî'em wa'ᵃšær j^ᵉbî'em* „der an ihrer Spitze auszieht und der an ihrer Spitze heimkehrt und der sie hinausführt und der sie zurückführt". Die Formel „hinausziehen und heimkehren" in Dtn 31,2 meinte im Zusammenhang der DtrL sicher Mose vor allem als den Feldherrn[59]. Unter Mose hatte Israel ja das Ostjordanland erobert. Und Josua sollte ihm als Feldherr für die Eroberung des Westjordanlandes nachfolgen. Die P^g beläßt die Szene am gleichen Ort und am gleichen Zeitpunkt: in den Steppen von Moab, jenseits des Jordan, bei Jericho (vgl. Num 22,1) und unmittelbar vor Moses Tod (vgl. Num 27,13). Nur hat Mose Israel bis an diesen Punkt geführt, ohne daß von einer kriegerischen Eroberung auch nur ein Wort gefallen wäre. Doch die Bitte, die Mose jetzt äußert, ist eindeutig die nach einem militärischen Anführer für Israel. Durch die Entfaltung der Formel vom „Hinausziehen und Heimkehren" klingt sie noch entschieden militärischer[60]. Doch entscheidend ist die Antwort, die Mose von Jahwe erhält. Er soll Josua als seinen Nachfolger einsetzen. Aber er soll dann Eleazar, dem Priester, untergeordnet sein. Eleazar soll für ihn die Urim-Befragung durchführen. Und dann gilt: *'ăl pîw ĕș^ᵉû w^ᵉ'ăl pîw jabo'û* „auf Eleazars Weisung sollen sie ausziehen und auf seine Weisung sollen sie heimkehren"[61], *hû' w^ᵉkăl b^ᵉnê jiśra'el 'ittô w^ᵉkăl ha'edah* „er und alle

---

[58] Vgl. *Lohfink*, Übergang (vgl. Anm. 35).

[59] Vgl. für Josua in der gleichen literarischen Schicht Jos 14,11, wo *lămmilhamah* den militärischen Sinn sicherstellt. Weiteres zu dem Doppelausdruck bei *J. G. Plöger*, Literarkritische, formgeschichtliche und stilkritische Untersuchungen zum Deuteronomium (BBB 26) Bonn 1967, 178–181; *H. D. Preuß, jașa'*, in: ThWAT III 795–822, hier: 799f (für Num 27,17.21: „kultisch uminterpretiert").

[60] Für *jș'lipnê* NN im Sinne des Voranziehens des königlichen Heerführers, wenn es in den Krieg geht, vgl. 1Sam 8,20.

[61] Sam und Vulg lesen die Verben im Singular. Die LXX stützt den Plural des MT. Dieser ist zweifellos die *lectio difficilior*. Da die Vulg normalerweise nicht mit Sam zusammengeht, dürfte sich die singularische *lectio facilior* zweimal unabhängig entwickelt

Israeliten zusammen mit ihm, also[62] die ganze Gemeinde" (Num
27,21). Hier wird nicht nur der Feldherr dem Priester untergeordnet,
sondern sein Feldherrntum selbst wird gewissermaßen aus der Sprache herausgespült. Zwar bleibt das Wortpaar „hinausziehen – heimkehren". Aber Josua zieht nicht mehr „an ihrer Spitze" aus und ein.
Ja, er wird sogar sofort pluralisch mit ihnen in einer Einheit zusammengefaßt, und dann wird diese Einheit erst in einer Apposition
auseinandergefaltet. Doch sofort wird die Einheit wieder zusammengeschlossen, und zwar durch das Wort *'edah* „Gemeinde". Von
diesem Wort gilt nach der gründlichen Untersuchung von Leonhard
Rost: „Es wird nie von einer kriegerischen Handlung der *'dh* berichtet. Vielmehr wird an der einzigen Stelle, an der sich die *'dh* mit
einem Kriegszug befaßt (Num 31), aus ihr ein *'m* ausgelesen, der
dann nach errungenem Sieg der *'dh* berichtet"[63]. Es dürfte deutlich
sein, daß die P[g] genau an dieser Stelle in höchst beziehungsreichem
Sprachspiel die Tradition von der gewaltsamen Landeseroberung
unter Josua hinweginterpretiert[64].

4.2.6 Einzug in Kanaan

Mose stirbt dann. Damit ist nach der von M. Noth, ja schon von
Wellhausen vorgetragenen Meinung, der heute die meisten Ausleger

---

haben. Die LXX bezeugt zwar die pluralische Lesung, hat aber durch eine Änderung
an einer anderen Stelle ebenfalls erreicht, daß das Bild von Josua, dem Feldherrn und
obersten Haupt Israels, bleiben konnte. Sie übersetzt: „Und vor Eleazar, dem Priester,
soll er stehen, und *sie* (Plural!) sollen *ihn* (wohl Eleazar; statt ‚für ihn' = ‚für Josua')
nach der Entscheidung der Urim befragen, und auf seine Weisung (das kann jetzt von
Josua verstanden werden!) sollen sie ausziehen und auf seine Weisung (dasselbe!) sollen sie heimkehren: er und die Söhne Israels gemeinsam und die ganze Gemeinde."
[62] Es dürfte sich hier um unterstreichend-zusammenfassendes Waw handeln, da *b*[e]*nê
jiśra'el* ja sonst Parallelwort zu *'edah* ist.
[63] *L. Rost,* Die Vorstufen von Kirche und Synagoge im Alten Testament. Eine wortge-
schichtliche Untersuchung (BWANT 76) Stuttgart 1938, 84. Num 31 gehört nicht zur
P[g], sondern ist jünger. Doch kann es auf jeden Fall als Zeugnis für priesterschriftliches
Sprachgefühl herangezogen werden.
[64] Zusätzlich sei auf folgendes aufmerksam gemacht: Mose redet in seiner Bitte um
einen Feldherrn-Nachfolger in 27,17 von der *'a dat JHWH*. Diese Wortverbindung ist
ein Hepaxlegomenon. Am ehesten versteht man es noch als eine bewußte priesterschriftlich Anverwandlung von *'am JHWH,* und zwar im Sinne von Jahwe-Heerbann.
Hier läßt die P[g] Mose gewissermaßen vor Gott versuchen, eine militärische Variante
des Gemeindebegriffs ins Leben zu rufen. Dann ist der zusammenfassende Ausdruck
w[e]*kål ha'edah* in 27,21 die göttliche Antwort darauf: Es bleibt bei der bisher in ihren
Merkmalen schon voll aufgezeigten „Gemeinde", und Militärisches kommt nicht
hinzu.

folgen, die P^g am Ende. Doch wenn man nach allem bisher Ausgeführten von vornherein daran zweifeln muß, daß P^g von Josua geführte Eroberungskriege enthalten haben könne, bildet die kleine Zahl der Textstücke des Buches Josua, die im Gewand priesterschriftlicher Sprache auftreten, kein so großes Problem mehr. Es wird leichter denkbar, daß eine priesterschriftliche Darstellung des Einzugs in Kanaan relativ kurz war. So könnte es sie doch gegeben haben, wenn auch ohne alle Kriegstrompeten. Und eigentlich erwartet man sie – zu vieles in der P^g war auf sie hin angelegt[65]. Da im Buch Josua die P^g auch mit Sicherheit nicht mehr, wie im Pentateuch, als Basis für die große redaktionelle Quellenzusammenarbeit gedient haben kann, ist es ferner leicht denkbar, daß von einem solchen Ende der P^g nur noch eine Serie von Bruchstücken, nicht mehr, wie bisher, im wesentlichen alles erhalten ist. Die Verse im P-Stil, die, übers Josuabuch verstreut, aus dem Endstück der P^g stammen könnten, sind: Jos 4,19; 5,10–12; 14,1 f; 18,1; 19,51. Daß sie wirklich so zu erklären sind, scheint mir vor allem aus 18,1 hervorzugehen. Dort werden nämlich zwei Themen, denen in der P^g eine zentrale Rolle zukommt, überhaupt erst an ein Ende gebracht. Einerseits wird das heilige Zelt im Lande an einem festen Ort aufgeschlagen, in Schilo. Andererseits wird festgestellt, daß das Land von den Israeliten in Besitz genommen war. Dafür wird aber nun nicht das Verb *jrš* verwendet, sondern das seltenere *kbš*. Dieses stand als eine Art Programmwort unmittelbar nach der Schöpfung der Menschen in Gen 1,28: „Seid fruchtbar, vermehrt euch, erfüllt die Erde und nehmt sie in Besitz *(w^ekibšuha)*". In Jos 18,1 lesen wir

---

[65] Liest man z. B. das Buch von *E. Cortese,* La terra di Canaan nella Storia Sacerdotale del Pentateucho (SupplRivBib 5) Brescia 1972, so begreift man einerseits, daß die hohe Autorität von M. Noth ihn davon abhielt, die literarkritischen Fragen, die er für Num aufgerollt hat, auch für Jos zu stellen, wird aber immer skeptischer gegenüber der Annahme, die P^g habe ihre Darstellung mit dem Tod Moses abgebrochen. Noths Logik ist an den entscheidenden Stellen nicht zwingend. Ihm fällt in Num 27,15–23 auf, daß P bei der Formulierung der künftigen Aufgabe Josuas von der Besetzung des Westjordanlandes „geradezu geflissentlich schweigt" und die „Aufgabe der Kriegsführung" nicht erwähnt. Daraus folgert er dann, das Thema Landnahme habe „außerhalb des Kreises der von ihm für sein Werk in das Auge gefaßten Stoffe" gelegen (*M. Noth,* Überlieferungsgeschichtliche Studien, Tübingen ²1957, 191). Logisch folgt an sich nur, daß keine kriegerische Landnahme ins Auge gefaßt war. Man könnte also auch die Möglichkeit diskutieren, daß die Landnahme ins Auge gefaßt war, nur nicht als eine kriegerische.

nun, nachdem das Wort in der gesamten P^g zwischendurch niemals gebraucht wurde, w^{e}ha'arœṣ nikb ^{c}šah lipnêhœm „und das Land war in Besitz gegeben vor ihnen". Alle anderen Ansagen von Gen 1, 28 waren im Gang der Erzählung aufgegriffen und erfüllt oder weitergeführt worden. Jede Erfüllung war auch durch Erfüllungsnotiz konstatiert worden. Nur die Besitzergreifung der Erde stand noch erzählerisch aus. Hier wird sie zwar nicht für die ganze Menschheit konstatiert, doch für das Volk Israel, auf das sich die Erzählung in ihrer zweiten Hälte ja eingeschränkt hatte. Am Beispiel Israel zeigt sich auch die Wahrheit dieses Elements des Gotteswortes bei der Schöpfung. Hier ist nun der letzte am Anfang ausgezogene Bogen an sein Ende gekommen. Allein diese Wahrnehmungen genügen, in Jos 18, 1 noch mit der Hand von P^g zu rechnen. Dann hat die P^g aber den Einzug Israels in das ihm verheißene Land Kanaan erzählt, wenn auch sicher in jener Knappheit, die diese Schrift so meisterhaft beherrscht, und unter bewußter Auslassung aller militärischen Aktionen. Die für die P^g wichtigste Notiz im Zusammenhang mit dem Einzug ins Land Kanaan, abermals das Ende eines narrativen Bogens, dürfte uns in Jos 5, 10–12 erhalten sein: Genau in Gilgal feierten die Israeliten das Pascha, wie unmittelbar vor dem Aufbruch vom Sinai in Num 9, 1–5 P^g. Am Tag darauf gab es kein Manna mehr, und sie begannen, sich von den Erträgen des Landes zu ernähren. Diese Notiz ist schon in Ex 16, 35 vorbereitet worden[66].

---

[66] Die letzte, ausführliche Behandlung von Jos 5, 10–12 bei *Rose,* Deuteronomist (vgl. Anm. 11) 25–53, ist trotz einer breiten bibliographischen Anmerkung, die den lange währenden Konsens der Zuteilung zu P belegt (S. 25, Anm. 18), so auf die Auseinandersetzung mit E. Otto und E. Zenger fixiert, daß die Gründe für den früheren Konsens gar nicht wirklich ins Auge gefaßt werden. Das einzige diskutable Argument gegen eine Zuteilung des gesamten Textes an P^g scheint mir die Zeitangabe ba'œrœb in Jos 5,10 (wie in Dtn 16,4.6 gegen bên ha'ärbäjim in den vergleichbaren P^g-Texten Ex 16,12; Num 9,3.5) zu sein. Auf der Ebene, auf der Rose, der auch P^g heranzieht, argumentiert, ist das Argument gegen die Möglichkeit von ba'œrœb in P allerdings nicht ganz schlüssig. Er hat übersehen, daß ba'œrœb auch in Ex 12,18; 16,(8).13; Lev 6,13; 23,32 vorkommt – das sind alles P zugeschriebene Texte und außer im Fall von Lev 6 stets aus Kapiteln, aus denen er die Belege dafür anführt, daß die typische P-Formulierung bên ha'ärbäjim laute. Eine der Gegeninstanzen ist sogar aus P^g: Ex 16,13. Es ist die Erfüllungsnotiz zu der Ankündigung in Ex 16,12, in der bên ha'ärbäjim steht. Daraus scheint mir hervorzugehen, daß man selbst P^g nicht auf den einen Ausdruck festlegen muß; an dieser Stelle hat die P^g offenbar bewußt variiert. So ist für Jos 5, 10 zumindest nicht ausschließbar, daß auch ba'œrœb schon in der P^g stand. Außerdem ist es durchaus denkbar, daß hier entweder bei der redaktionellen Einarbeitung der P-Texte

4.2.7 Schlußfolgerungen

Die P^g hat also den Krieg aus der von ihr erzählten, paradigmatisch gemeinten[67] Geschichte der Anfänge der Welt, der Menschheit und des Gottesvolkes völlig entfernt. Er ist nicht etwa als faktisch vorhanden geschildert und dann als böse verurteilt. Er existiert überhaupt nicht. Wo er entstehen möchte, bei den Ereignissen am Schilfmeer und bei der Einsetzung Josuas, werden seine sich sprachlich gerade erhebenden Ansätze von Gott selbst verwandelt in Andersartiges. Die Welt der P^g ist kriegslos.

4.3 Die Sanktion der Störung der Ordnung nach P^g

Doch ist nun zu klären, was das bedeutet. Wenn es in der P^g keine Kriege gibt, dann heißt das zum Beispiel nicht, es gebe keine Toten. Gott setzt in der Welt seine Ordnung durch. Dabei geht es oft für die Menschen um Leben und Tod. Nur – für all dies braucht Gott keine menschliche Armee als sein Werkzeug. Das kann er allein.

4.3.1 Zusammenhänge mit älterer Kriegstheologie

Wenn man die Vorstellung der Priesterschrift von Gottes Weise, die Weltgeschichte zum Weltgericht zu machen, vom Krieg her genetisch verstehen will, dann setzt man am besten bei jener Konzeption des Heiligen Krieges an, in der die menschliche Aktivität immer mehr zurückgedrängt wird und die göttliche Tätigkeit im Krieg langsam auf die Idee göttlicher Alleinwirksamkeit zusteuert. Die Schilfmeererzählung des „jehovistischen Geschichtsbuchs" ist hier schon sehr weit gediehen. Der klassische Vertreter der Konzeption ist der Prophet Jesaja. Wenn man seine Vorstellung vom Heiligen Krieg bis ins letzte Extrem stößt und am Ende sogar die Idee des Krieges selbst ausschaltet und dafür Worte wie „Gericht" oder „Strafe" einsetzt, dann gelangt man wohl zu dem, was die P^g meint. Es gibt vier

---

ins Josuabuch oder im Lauf der späteren Textüberlieferung die weniger weit entfernten deuteronomischen Festgesetze harmonisierenden Einfluß ausübten. Jedenfalls scheint mir der Ausdruck *ba'æræb* nicht stark genug zu sein, um die Theorie einer deuteronomistischen Hand oder einer nachpriesterlichen und/oder nachdeuteronomistischen Hand zu tragen.

[67] Hierzu: *Lohfink*, Priesterschrift (vgl. Anm. 13).

Erzählungen[68] von Sünde und Strafe in der P^g. In der Sintflut macht Gott allein der Gewalt, die die Schöpfung erfüllt, ein Ende. Am Schilfmeer bereitet Gott allein dem Pharao, der die Israeliten unterdrückt und ausgebeutet hat, sein Ende. In der Wüste bereitet Gott der Generation Israels, deren Delegierte das Land Kanaan verleumdet haben, ihr Ende. Schließlich bringt er auch Aaron und Mose, die Anführer Israels, die ihm nicht geglaubt und seinen Namen nicht geheiligt haben, an ihr Ende, bevor eine neue Generation das Land Kanaan betreten darf. Schuld findet also wahrlich ihre Strafe. Nur: Gott allein bewirkt sie. Er braucht dazu keine menschlichen Soldaten oder Gerichtshöfe.

4.3.2 Zusammenhänge mit der Schöpfungsaussage

Sein strafendes Auslöschen menschlicher Existenz verbindet sich unmittelbar mit seiner Eigenschaft als Schöpfer. Dies ist zumindest in den beiden ersten Schuld-Strafe-Erzählungen deutlich gemacht. Denn sowohl die Sintflut als auch die Vernichtung der Ägypter sind auf je verschiedene Weise Zurücknahme des vom Schöpfer hergestellten Bereichs des Trockenen und damit verschlingendes Vordringen des chaotischen Wassers: „Das Chaos holt sich zurück, was zu ihm gehört", die chaotisch gewordene Gesellschaft[69]. Die beiden anderen Schuld-Strafe-Erzählungen handeln in der Wüste. So kommt hier die Chaos-Wasser-Symbolik nicht zum Zug, und der Tod der Schuldigen wird unmittelbar von Gott herbeigeführt, in Num 14,37 durch eine *maggepah,* einen „Schlag" durch göttliche Berührung. Bei der aquatischen Chaos-Vorstellung von Gen 1, Gen 6–8 und Ex 14 steht zweifellos auch der Mythos vom Chaoskampf des Schöpfergottes mit dem Wassergott, in Ugarit etwa Baals mit Jammu, im fernen Hintergrund. Neben diesem Mythos gibt es aber den vom Kampf mit dem Gott des Todes, der Dürre, der Erde, der Unterwelt,

---

[68] In meiner Arbeit über die Ursünden in der P^g (*Lohfink,* Ursünden, vgl. Anm. 57) habe ich mit drei Erzählungen gerechnet und die Erzählung vom Auszug aus Ägypten und der Vernichtung der Ägypter davon ausgeschlossen (S. 43–46). Die Untersuchung von *J.-L. Ska,* Séparation des eaux et de la terre ferme dans le récit sacerdotal: NRT 113 (1981) 512–532, hat mich überzeugt, daß mit einer Vierzahl zu rechnen ist. Zu ihrer Systematik vgl. ebd. 526 Anm. 30: „purification de l'univers" (Gen 6–9), „d'Israël et les nations" (Ex 1–14), „d'Israël seul" (Num 13–14), „de l'élite d'Israël" (Num 20,1–13).
[69] Ebd. 525 (meine Übersetzung).

in Ugarit Baals mit Mutu[70]. Man kann sich zumindest fragen, ob die P[g] in Num 13–14 nicht mit diesem mythologischen Hintergrund des schöpferischen Kampfes mit dem Erd-Monster spielt. Die Kundschafter würden das ihnen zur Begutachtung gezeigte Land als das mit Tod und Unterwelt identische Erd-Monster bezeichnen: „Es ist eine Erde, die ihre Bewohner auffrißt" (Num 13,32)[71]. Das Volk, das diese Botschaft vernimmt, würde sich aus Angst vor dem todbringenden Monster noch lieber den Tod „in dieser Wüste" wünschen (Num 14,2). Und das würde sich in einer Art Märchen-Wortmagie[72] erfüllen: „Genau so, wie ihr es vor meinen Ohren formuliert habt, will ich es an euch verwirklichen: In dieser Wüste werden eure Leichen herumliegen" (Num 14,28f). Die wohl schon im „jehovistischen Geschichtsbuch" enthaltene Datan-Abiram-Geschichte enthielt die Vorstellung von dem durch Jahwes schöpferisches Tun[73] die aufrührerische Rotte lebendig verschluckenden Erd-Monster schon in ganz expliziter Gestalt (vgl. Num 16,28–34). Die P[g] hat diese Erzählung nicht aufgenommen. Aber es wäre typisch für sie, daß sie in einem anderen Erzählungszusammenhang doch Motive daraus hätte anklingen lassen. Hat sie es getan, dann doch in sehr verhaltener Form. Offenbar soll doch im ganzen das Wasser ihr Symbol des Chaotischen bleiben. So verbleibt sie in den beiden letzten Schuld-Strafe-Erzählungen doch eher im Abstrakten. Aber zweifellos ist es auch hier Jahwe als der Schöpfer, der die Sünder durch sein Wort wieder ins Nichtsein zurückschickt.

---

[70] Für den Zusammenhang der beiden Monstergestalten und für biblische Belege der Vorstellung vom Erdmonster (allerdings ohne Belege aus der P[g]) vgl. *M. K. Wakeman,* The Biblical Earth Monster in the Cosmogonic Combat Myth: JBL 88 (1969) 313–320; *dies.,* God's Battle with the Monster. A Study in Biblical Imagery, Leiden 1973.

[71] Zum möglichen Zusammenhang mit Ezechieltexten vgl. *Lohfink,* Ursünden (vgl. Anm. 57) 53; *McEvenue,* Narrative Style (vgl. Anm. 56) 135 f.

[72] Vgl. *McEvenue* ebd. 127–144.

[73] Vgl. 16,30. Allerdings ist diese Verbindung des Verbums *br'* mit einem Strafakt Jahwes einmalig, ebenso wie das in etymologischer Figur davorgesetzte Nomen *b°rï'ah.* — Ferner scheint die LXX einen anderen Text gelesen zu haben. So könnte es sein, daß hier eine spätere interpretierende Textabwandlung vorliegt.

4.4 Die Entfernung des Krieges und der Entwurf einer sakralen Gesellschaft

4.4.1 Das Problem der Aussageabsicht von P^g

Man kann sich natürlich die Frage stellen, ob das Verschwinden des Krieges aus dem Vorrat narrativer Handlungselemente mehr ist als eine Folge erhöhter Abstraktion. Ist mit der Auslieferung der Ägypter an die Wasser des Chaos und dem durch Gottes Wort bewirkten Tod rebellischer Menschen in der Wüste nicht eigentlich doch nur eine Art Interpretation (letztlich handelt hier Gott der Schöpfer) gegeben für jene Vorgänge in der menschlichen Geschichte, deren unmittelbare Handlungsträger dann doch die Menschen sind und die wir gemeinhin als Krieg und als Bestrafung von Verbrechern bezeichnen? Und insofern wäre der Krieg dann doch nicht eliminiert, sondern es würde nur auf eine andere Weise und unter einem anderen Blickwinkel von ihm gesprochen. Er würde dann vielleicht mehr vergöttlicht als das in allen anderen denkbaren Kriegstheologien geschähe.

Mit dieser Frage nach der eigentlichen Aussage der auf der Oberfläche der Darstellung zweifellos kriegsfreien Handlung der P^g komme ich zum ungleich schwierigeren Teil der Ausführungen. Soll in dieser Geschichtserzählung nur eine Tiefendimension unserer bekannten, von Kriegen durchsetzten Geschichte geschildert werden? Dann würde gesagt: Es gibt natürlich den Krieg, aber genau gesehen ist es nicht menschlicher Krieg, sondern göttlich-schöpferisches Gerichtshandeln. Oder soll eine andere, von Gott her denkbare und mitten in der uns sichtbaren irgendwie auch vorhandene reale Gesellschaft und deren Geschichte geschildert werden, deren Darstellung so sehr die Aufmerksamkeit auf sich zieht, daß die andere, kriegdurchsetzte Gesellschaft und Geschichte aus dem Blickfeld entschwindet? Man könnte sich unter Umständen auch eine Kombination beider Intentionen denken.

Ich glaube, einige Hinweise darauf zu sehen, daß die zweite Möglichkeit zutrifft. Die P^g denkt von einer Gesellschaft und damit von einer Weltkonstruktion her, die zumindest zwischen Menschen ohne den Einsatz von Gewalt funktioniert oder funktionieren könnte. Es ist eine vom Kult her friedlich gewordene und auch durch die Macht des Rituals im Frieden haltbare Welt.

4.4.2 Der „heilige Krieg" zwischen Mensch und Tier in P^g

Am besten nähert man sich dem Sachverhalt von der Beobachtung aus, daß der Krieg aus der P^g doch nicht vollständig eliminiert ist. Es gibt ihn zwar nicht mehr unter Menschen, wohl aber zwischen den Menschen und den Tieren.

Bei der Schöpfung wird den Menschen die Herrschaft über die Tiere zugeteilt (Gen 1,26.28). Nach Walter Groß macht dies sogar seine Gottebenbildlichkeit aus[74]. Diese Herrschaft soll gewaltfrei sein. Das geht daraus hervor, daß den Menschen ebenso wie den Tieren nur pflanzliche Nahrung zugewiesen wird (1,29 f)[75]. Herrschaft ist offenbar eher als sorgende Führung, nicht als vernichtende Ausbeutung gesehen[76]. Töten und Verspeisen von Tieren gehört nicht dazu.

Die Sintflut wird nicht wegen der Verderbtheit der Menschen allein über den Kosmos gebracht. Vielmehr war „alles Fleisch" verderbt, das heißt Mensch *und* Tier (6,12)[77]. Alle begingen ḥamas „Gewalttat" und füllten die Erde damit an (6,11.13). Es gab also wohl gewaltsame Tötung zwischen Mensch und Mensch, Tier und Tier, Mensch und Tier. Aus der Revision der ursprünglichen Weltordnung, die nach der Sintflut vorgenommen wird, scheint mir hervorzugehen, daß im Sinne der P^g jene Überflutung der Erde mit Gewalttätigkeit, die die Sintflut hervorrief, vor allem zwischen Mensch und Tier entsprungen sein muß.

Diese Revision besteht darin, daß jetzt der Gewalttat ein begrenzter Raum zugestanden wird: Die Menschen dürfen Tiere töten und

---

[74] *W. Groß,* Die Gottebenbildlichkeit des Menschen im Kontext der Priesterschrift: TQ 161 (1981) 244–264.

[75] Selbstverständlich schließt sich Gen 1,29 f an Ideen von ursprünglichem Vegetarismus an, die es in verschiedenen Kulturkreisen gab und die unter Umständen auch in anderem Sinnkontext als dem des Herrschaftsverhältnisses zwischen Mensch und Tier standen. Doch die Formulierung von P^g ist eigenständig und muß auf jeden Fall aus dem Zusammenhang verstanden werden, in dem sie in P^g steht. Vgl. *C. Westermann,* Genesis I (BK I,1) 223–225.

[76] Vgl. *Westermann* ebd. 227: „Dasein für den Untergebenen".

[77] Übersicht über die Deutungen von *kål baśar* in Gen 6,12: *A. R. Hulst,* Kol Basár in der priesterlichen Fluterzählung: OTS 12 (1958) 28–68. Nach ihm ist es zumindest nicht sicher, daß die Tiere mitgemeint sind. An den Menschen allein denken in jüngerer Zeit *Westermann* ebd. 560 und *J. Scharbert,* Fleisch, Geist und Seele im Pentateuch (SBS 19) Stuttgart ²1964, 53 f. Mir scheint, die Gesamtheit der hier mitspielenden Aussagen von P^g läßt sich nur in ein logisch einwandfreies System bringen, wenn die Tiere miteingeschlossen sind.

essen (Gen 9,2–6)[78]. Das ist die nachsintflutliche Gestalt der Herrschaft des Menschen über die Tiere. Und diese Aussage wird nun mit der traditionellen Terminologie des Heiligen Krieges zum Ausdruck gebracht! Denn die Worte Gottes, die die neue Ordnung stiften, sind gewissermaßen ein „Heilig-Kriegs-Orakel": „Furcht und Schrecken vor euch sei auf allen Landtieren, auf allen Vögeln des Himmels, auf allem Kriechenden des Ackerbodens und auf allen Fischen des Meeres. Sie sind euch in die Hand gegeben. Alles Bewegliche, das lebendig ist, sei eure Speise" (9,2 f)[79].

4.4.3 Die Tötung von Tieren als Möglichkeitsbedingung von Opferkult

An dieser uns so fremdartigen Erzählabfolge fällt uns sicher vor allem auf, wie sehr hier Menschen und Tiere in einer Art gemeinsamer „Gesellschaft" zusammengeschlossen sind. Die Gottebenbildlichkeit und Herrschaftsstellung des Menschen unterscheidet ihn zwar vom Tier, schließt ihn aber zugleich mit ihm zu einer Gemeinschaft zusammen, von deren Funktonieren Untergang und Bestand des Kosmos abhängt. Und dabei ist das Zentralproblem das der Gewalttätigkeit. Uns bringt das heute recht schnell auf Grundgedanken des

---

[78] *McEvenue,* Narrative Style (vgl. Anm. 56) 68–71, hat die These von Rudolf Smend und Heinrich Holzinger wiederaufgenommen, 9,4–6 gehörten nicht zum ursprünglichen Text von P[g]. Die Gegenüberlegung bei *Westermann,* Genesis (vgl. Anm. 75) 621, überzeugt mich nicht. Allenfalls sollte man unter Voraussetzung der These von Walter Groß, die Gottesebenbildlichkeit des Menschen bestehe in der Herrschaft über die Tiere (vgl. Anm. 74), 9,6 b bei der P[g] belassen. Das Problem, daß Gott von sich selbst in dritter Person spricht, besteht auch schon, wenn man keine Zusätze annimmt. In 9,6 b wird auf jeden Fall Gott ein freies Zitat von 1,27 in den Mund gelegt. Wenn 9,2 f die Modalitäten der Herrschaft des Menschen über das Tier neu ordnet, wäre 9,6 b der sachgemäße Abschluß. Für die von mir erörterte Frage bleibt die Frage der Zuteilung von 9,4–6a sekundär.

[79] Zur Verbindung des Wurzelpaares *jr'* + *ḥtt* mit dem Krieg vgl. Dtn 1,21; 31,8; Jos 8,1; 10,25; 1 Sam 17,11; 1 Chr 22,13; 28,20; 2 Chr 20,15.17; 32,7. Die engsten Formulierungsparallelen für das Aussagegerüst von 9,2 a.bα findet sich in zwei deuteronomistischen Gotteszusagen für das Gelingen des Eroberungskriegs: Dtn 2,25 und 11,25. *ntn b'jad* NN in 9,2 bβ ist der tragende Ausdruck des Heilsorakels im Krieg. So klingt 9,2 im ganzen wie ein Heilsorakel, das den Krieg der Menschen gegen die Tiere legitimiert und eröffnet. Den Zweck dieses Krieges expliziert dann 9,3: Die Tiere werden dem Menschen zur Nahrung bestimmt, in Abänderung der ursprünglichen Speiseordnung. Was sich dabei durchhält, ist die Herrschaft des Menschen über das Tier, seine Gottesebenbildlichkeit (9,6 b). Vgl. *McEvenue,* Narrative Style (vgl. Anm. 56) 68; *Westermann,* Genesis (vgl. Anm. 75) 619. *Groß,* Gottebenbildlichkeit (vgl. Anm. 74) 261, spricht von der „Schreckensherrschaft" des Menschen über das Tier.

ökologischen Denkens. Und das ist zweifellos berechtigt. Aber im Rahmen unserer Frage nach den eigentlichen Gründen für die Beseitigung des Kriegs aus der menschlichen Geschichte ergibt sich noch eine ganz andere Beobachtung.

In der Welt, aus der die P^g kommt, ißt man ja normalerweise nur Fleisch, das vorher in kultischem Ritual der Gottheit dargebracht wurde[80]. Umgekehrt ist das Ritual, von dem her die P^g denkt, ohne tierische Opfer nicht vorstellbar[81]. Aber könnten denn Tiere im Ritual getötet und von Menschen verzehrt werden, wenn noch die ursprüngliche vegetarische Nahrungszuweisung von Gen 1,29 mit ihrer Implikation der Gewaltlosigkeit zwischen Mensch und Tier in Geltung wäre? Das heißt: Der von Gott in Gen 9,2 im Rahmen eines Segens gestiftete Krieg des Menschen gegen das Tier ist die Möglichkeitsbedingung dafür, daß die Gemeinde Israel in der für sie typischen, vom Kult und damit von der Gegenwart Gottes her bestimmten Gestalt überhaupt von Gott angestrebt und geschaffen werden konnte. Es ist zuzugeben, daß im Text der P^g keine positiven Hinweise auf diesen Zusammenhang gegeben werden. Andererseits scheint es mir kaum denkbar, daß der Verfasser der P^g diesen Sachzusammenhang zwischen seiner Anfangsthematik und seiner Hauptthematik nicht gesehen und nicht positiv beabsichtigt hätte.

4.4.4 Die Tötung von Tieren und die Kriegsproblematik

Doch noch einen Schritt weiter: Er hätte dann die Möglichkeit für den Menschen, Tiere zu töten und zu verspeisen, immer noch darstellen können, ohne nun gerade durch die sprachliche Formulierung die Erinnerung an den heiligen Eroberungskrieg unter Josua zu

---

[80] Die deuteronomische Einführung der Profanschlachtung kann in diesem Zusammenhang vernachlässigt werden, denn die priesterschriftliche Gesetzgebung macht sie ja wieder rückgängig. Ebenfalls kann vernachlässigt werden, daß es nach der P^g nur im Gottesvolk, nicht in der ganzen Menschheit Kult gibt, und den erst vom Sinai an. Die Frage, ob die P^g den Erwählungsgedanken impliziert oder ob sie am Beispiel der Söhne Israels das darstellt, was eigentlich für alle menschlichen Gesellschaften gelten sollte, scheint mir noch nicht wirklich geklärt zu sein. Doch selbst abgesehen davon geht es der P^g eben gerade um jenes Volk, das aus seinem ihm von Gott geschenkten Kult lebt – und das genügt für unsere Überlegungen.

[81] Die Opfer erscheinen zwar in der P^g erst ganz am Rande. Aber sie sind völlig selbstverständlich, und recht bald wurde ja dann die breite Opfergesetzgebung in die P^g hineingeholt. Das ist sicher nicht von Ungefähr, sondern zeigt die starke Affinität zum Opferritual, die von Anfang an da war.

wecken, dessen deuteronomistische Darstellung er mit allen Mitteln seiner Kunst aus seiner eigenen Darstellung eliminiert hatte. Wenn er aber genau das tat, dann mag er vielleicht doch einen Zusammenhang zwischen der Eliminierung des Kriegs aus der von ihm geschilderten Welt und der Einführung des Kriegs in das Verhältnis von Mensch und Tier gesehen haben.

4.4.5 Das Fehlen des Kriegs und die Gegenwart Gottes

Und noch eine dritte Tatsache: Das, was den Krieg ersetzt, steht in der Darstellung der P^g stets im Zusammenhang mit der Gegenwart der Herrlichkeit Gottes. Am Schilfmeer schafft sich Jahwe durch die Vernichtung der Ägypter *kabôd* „Ehre/Herrlichkeit" (Ex 14,17), in der Mannaerzählung zeigt sich sein *kabôd* zum erstenmal, am Sinai schafft Jahwe seinem *kabôd* die Möglichkeit bleibender Gegenwart inmitten seiner Gemeinde, und von da an wird ihr alles gegeben, wohin der *kabôd* sie führt, und letztlich geht alle Vernichtung des Sündhaften von dem *kabôd* aus. Zweifellos gibt es keine Kriege mehr, weil Israel unter dem *kabôd* lebt. Doch zu dem, was die Gegenwart des *kabôd* beständig macht und sie ihrer tödlichen Gefährlichkeit entkleidet, gehört das blutige Opferritual.

4.4.6 Zusammenfassung: Der Entwurf einer sakralen Gesellschaft archaischen Typs

Jetzt können wir höchstens noch eine Frage stellen, da die P^g selbst keine Verbindungslinien auszieht. Ist es möglich, daß hier ein Zusammenhang zwischen einer von Krieg und Gewalttat befreiten Gesellschaft, dem dies bewirkenden Kult als ihrem Zentrum und der Gewalttätigkeit der Menschen gegen die Tiere gesehen wurde?

Mit dieser Frage sind wir in unmittelbare Nähe zu Theorieelementen von René Girard geraten, und zwar von solchen, die sich auf die archaische, vom Ritual her lebende Gesellschaft beziehen. Dort wird nach Girard der allgemeine Hang der Menschen zur Gewalttätigkeit präventiv gedämpft, indem im Rahmen des Rituals der Sündenbockmechanismus symbolisch durchgespielt wird. Entscheidend ist dabei auch die Tötung des Opfers, sei es eines Menschen oder als Ersatz eines Tieres. Zwischen den Teilnehmern am Ritual entsteht auf diesem sakralen Weg Abbau der Aggressivität, Versöhnung und Befriedung.

Selbstverständlich wird eine solche Theorie in der P^g nicht selbst entwickelt. Das Opferwesen bleibt ungedeutet, erkennbare Deuteansätze laufen in eine andere Richtung[82]. Doch gehört es zur Theorie Girards, daß der eigentliche gewaltmindernde Mechanismus verborgen bleiben muß, um wirksam zu werden. Die Frage an unsere Texte kann nur sein, ob in ihnen eine Gesamtkonstellation sichtbar wird, aus der man auf einen Gesellschaftsentwurf schließen kann, der untergründig von den archaischen Mechanismen her lebt. Das scheint mir höchst wahrscheinlich der Fall zu sein.

Dann hätte sich die P^g offen zwar nur in ihrer gesamtmenschheitlich, ja gesamtanimalisch orientierten Urgeschichte ausdrücklich mit dem Problem der Gewalttätigkeit befaßt, doch insgeheim, durch Eliminierung des Kriegs aus der entworfenen Welt und Konstruktion der beschriebenen Gesellschaft von der im Kult aktivierten Präsenz des Heiligen her, auch da, wo sie ihren Gipfelpunkt erreicht, ständig weiter davon gehandelt, ohne es ausdrücklich zu sagen. Der Verzicht auf Ausdrücklichkeit würde dabei zum Wesen der entworfenen Lösung gehören.

4.5 Die sakrale Gesellschaft von P^g als exilisch-nachexilisches Projekt

4.5.1 Die sakrale Gesellschaft als Regression

Dies bedeutet, gesellschaftsgeschichtlich gesehen, so etwas wie eine Regression. Die P^g setzt ja faktisch eine Welt voraus, in der zur Bändigung der Gewalttätigkeit schon ein Rechtssystem und auch eine den internationalen Umgang regulierende Kriegstheorie gehören. Ihre eigene Lösung – Friede unter den Menschen durch das Blut geopferter Tiere – weist in archaischere Kulturen zurück. Mensch und Tier bilden noch eine Einheit, und die Probleme der menschlichen Rivalität werden an den Rand zum Tierreich hin abgedrängt. Dort bleibt der Krieg, auch wenn er in der menschlichen Welt nicht mehr vorkommt.

---

[82] Als jüngste Interpretation des priesterschriftlichen Opferverständnisses vgl. *A. Schenker,* Versöhnung und Sühne. Wege gewaltfreier Konfliktlösung im Alten Testament. Mit einem Ausblick auf das Neue Testament (BB 15) Freiburg i. Br. 1981, 81–119. Dort ältere Literatur, vgl. vor allem die Anm. 132, 135 und 138. Schenker sieht im Opfer eine Ersatzleistung für die im Strafverfahren zwischen Gott und Mensch erlassene, eigentlich fällige Strafe. Eigentliches Analogon ist das zwischenmenschliche Vergleichsverfahren.

4.5.2 Alte Wurzeln

Diese Sicht hat zweifellos ihre Wurzeln in priesterlichen Traditionen, die von den archaischen Zeiten selbst herkommen mögen. Sie lebten weiter in der Sinndeutung dessen, was als Ritus immer an den Heiligtümern vollzogen wurde, oft vielleicht sogar allein noch im unverstanden weitergeübten Ritual selbst[83]. Daß dies alles in der ausgehenden Exilszeit oder sogar nach dem Exil plötzlich lebendig wurde, den engen Raum der heiligen Handlungen und des priesterlichen Berufswissens sprengte und zur inneren Leitidee einer mit den bedeutenden Geschichtsdarstellungen Israels radikal konkurrierenden neuen Geschichtserzählung wurde, muß einen ganz besonderen Anlaß gehabt haben.

4.5.3 Abschied vom Staat

Ich kann ihn nur erkennen im Verlust der Staatlichkeit, der Überzeugung, daß es niemals wieder zu einem Staat kommen sollte und zugleich dem festen Glauben daran, daß Gott das eigene Volk als seine Gesellschaft auch in Zukunft weiter in der von ihm geschaffenen Welt haben wolle. Diese innere Konstellation hat damals verschiedene Entwürfe der Zukunft Israels und seiner Gestalt in dieser Zukunft gezeigt. Ein Deuterojesaja gehört genau so dazu wie diejenigen Vorstellungen, die sich in der überarbeiteten Gestalt der Bücher Jeremia und Ezechiel ausdrücken. Die P^g hat vielleicht die eigengeprägteste Gestalt. Zunächst fällt sicher vor allem ihr ganz und gar uneschatologischer Charakter auf[84]. Doch noch wichtiger scheint mir das zu sein, was sich in unserer Untersuchung gezeigt hat: der archaisch-kultische Ansatz. Es wird offenbar damit gerechnet, daß Israel bald wieder in seinem Land leben könnte – und dann sollte es ganz als eine Gesellschaft um ein Heiligtum und um den dort geschehenden Kultvollzug herum existieren. Dann werden die Probleme der menschlichen Gewalttätigkeit auf eine völlig andere Weise gelöst werden als das in der damaligen Welt überall der Fall war.

---

[83] Als Vergleichsbild sei auf das hingewiesen, was *J.-M. de Tarragon,* Le culte à Ugarit d'après les textes de la pratique en cunéiformes alphabétiques (CahRB 19) Paris 1980, für Ugarit erarbeitet hat, wo viele archaisch-kultische Deutungsaspekte, die sich in den priesterschriftlichen Texten finden, gar nicht belegbar sind, etwa die Unterscheidung von Rein und Unrein.

[84] Hierzu vgl. *Lohfink,* Priesterschrift (vgl. Anm. 13).

4.5.4 Die Leistung des Projekts für die nachexilische Tempel-Gemeinde

Faktisch trug diese Konzeption wesentlich zur dritten großen gesellschaftlichen Gestalt Israels im Gang seiner Geschichte bei. Nach der egalitären, aber zugleich nach außen wehrhaften, ja aggressiven bäuerlichen Stammesgesellschaft war der Versuch gekommen, einen gerechten Staat zu schaffen, dessen König nach Art üblicher Könige im Namen Jahwes herrscht. Der letzte ideologische Ausbau dieser Gesellschaft war der deuteronomische Entwurf gewesen. Nach dem Zusammenbruch des Staats kam es nun zu der im Rahmen einer Großreichs-Weltgesellschaft als eine Art Enklave lebenden, stark sakralisierten Subgesellschaft um den Jerusalemer Tempel herum. Auf ihr Selbstverständnis hat die Konzeption der P^g zweifellos großen Einfluß gehabt. Trotzdem war das, was real entstand, nicht von ihr allein her geprägt. Nur in abgeschwächtem Sinn wird man von einem nachgeholten Experiment einer Gesellschaft archaischer Sakralität sprechen können. Äußeres Zeichen dafür ist schon, daß das Basisdokument dieser Gesellschaft nicht aus der P^g allein, auch nicht aus der um viele priesterschriftliche Texte vermehrten P^g bestand, sondern als „Pentateuch" aus mehreren vorhandenen Texten redaktionell zusammengebaut wurde – wenn die P^g dabei auch gewissermaßen die literarische Grundlage abgab. Mit dieser Einschränkung muß man aber dann doch sagen, daß durch die P^g eine Gesellschaftskonzeption wirksam wurde, die davon ausging, daß der Krieg aus der menschlichen Welt verbannt werden könnte. Das war ein Anspruch, den weder die Stämmegesellschaft der Frühzeit noch der Staat auch nur aus der Ferne an sich gestellt hätten.

5 Späte Bearbeitungsschichten und der Krieg

Wellhausen sprach gern von der „epigonischen Diaskeuase". In der Tat sind „jehovistisches Geschichtsbuch", „deuteronomistisches Geschichtswerk" und „priesterliche Geschichtserzählung" sowohl vor als auch bei und nach ihrer redaktionellen Zusammenarbeitung bearbeitet und erweitert worden, und vielleicht würden wir heute sogar das Wort „epigonisch" eher vermeiden, da es zu leicht einen abwertenden Klang annimmt. An Texte aus diesem Bereich soll im folgenden die Frage gestellt werden, wie sie sich zum Krieg und speziell zur Tradition von der kriegerischen Eroberung Kanaans stellen. Folgen sie der zeitlich letzten Quelle, also P^g, oder setzen sich wieder ältere Konzeptionen durch? Ich strebe keine Vollständigkeit an, sondern bringe mir wichtig erscheinende Beispiele.

5.1 Die Beibehaltung der Einstellung zum Krieg in der Phase der wechselseitigen Anpassung der noch getrennt existierenden Pentateuchquellen

Vor der Pentateuchredaktion liegt zweifellos eine Phase, in der die noch unabhängig voneinander vorliegenden Werke wechselseitig aneinander angepaßt wurden. Die Priesterschrift wurde dem deuteronomistischen, das Deuteronomium dem priesterschriftlichen Denken und Sprechen angenähert, und zwar durch teilweise recht umfangreiche Erweiterungen. Das betrifft oft zentrale Theologumena und Sprachmerkmale der beiden Werke. Doch wird dabei eigentümlicherweise zunächst der Unterschied in der Einstellung zum Krieg auf beiden Seiten aufrechterhalten.

5.1.1 H kennt keinen Eroberungskrieg

Die Deuteronomisierung der Priesterschrift geschah vor allem durch den Einbau des Heiligkeitsgesetzes in die Sinaiperikope[85]. Hierdurch wurde überhaupt erst ein in Form von Gesetzen formulierter Entwurf einer Sozialordnung in Analogie zum deuteronomischen Gesetz in den priesterschriftlichen Zusammenhang eingebracht, durch bedingten Segen und bedingten Fluch im Schlußkapitel Lev 26 wurde die priesterschriftliche Bundestheologie der deuteronomischen angepaßt[86], und den Gesetzen wurde eine der deuteronomischen vergleichbare Paränese eingefügt.

In den Rechtsregelungen des H wird der Krieg, anders als im dt Gesetz, nicht berührt. In Lev 26 wird zukünftiger Krieg eingeführt –

---

[85] Jüngste Monographie zu H: *A. Cholewiński,* Heiligkeitsgesetz und Deuteronomium. Eine vergleichende Studie (AnBib 66) Rom 1976 (Lit.). Der „Einbau" von H dürfte überhaupt erst seinen „Zusammenbau" bedeutet haben.

[86] Vgl. *N. Lohfink,* Die Abänderung der Theologie des priesterlichen Geschichtswerks im Segen des Heiligkeitsgesetzes. Zu Lev. 26,9.11–13, in: H. Gese und H. P. Rüger (Hg), Wort und Geschichte. FS K. Elliger (AOAT 18) Kevelaer 1973, 129–136.

das enthielt wohl die Vorlage, und es sollte ja auch in den Flüchen eine Art Vorausdarstellung der Geschichte bis zu Exil und Heimkehr gegeben werden[87]. Wichtig ist für unseren Zusammenhang vor allem die Paränese der entscheidenden Schicht in 20,22–24 (Kapitel über die todeswürdigen Verbrechen) und vorher schon in 18,24–30 (Kapitel über die Unzucht). Denn hier wird aus der vorausgesetzten Situation am Sinai Bezug auf Landverheißung und Landnahme genommen. Wird hier die priesterschriftliche Beseitigung des Eroberungskriegs unter Josua durchgehalten oder nicht?

Wie bei der DtrL hat nach Lev 20,24 Jahwe den Israeliten ihr Land gegeben, damit sie es in Besitz nehmen. Doch es wird vermieden zu sagen, Jahwe oder die Israeliten hätten die Bewohner des Landes vernichtet oder ausgerottet. Das Wortspiel zwischen *jrš qal* und *jrš hifil* hätte hier nahegelegen. Aber stattdessen wird formuliert, Jahwe haben die Landesbewohner beim Kommen der Israeliten „weggeschickt": *ʾᵃšœr ʾᵃnî mᵉšǎlleǎḥ mippᵉnêkæm* (20,23 vgl. 18,24). Allerhöchstens wird ein halbmythisches Bild gebraucht: Das Land hat seine Bewohner „ausgespien" (18,25.28 vgl. 20,22). Also trotz hoher Nähe zur deuteronomistischen Paränese noch die alte Scheu der Pᵍ vor einer militärischen Sicht der Landnahme Israels!

5.1.2 Der „Überarbeiter" von Dtn 7–9 bleibt beim Eroberungskrieg
Umgekehrt ist es bei den ausgleichenden Schichten im Buch Deuteronomium. Die größte Nähe zur Theologie der Pᵍ zeigt sich bei jener Hand, die Dtn 7 überarbeitet, Dtn 8 eingeschoben und die Erzählung von der Bundeserneuerung nach dem Bundesbruch am Horeb durch Dtn 9,1–8.22–24 in einen neuen Deutungszusammenhang gebracht hat[88]. Im Gegensatz zur üblichen deuteronomischen Anset-

---

[87] Sowohl bei den Texten, die man der agendarischen Vorlage, als auch bei denen, die man den uns interessierenden redaktionellen Schichten zuzuteilen pflegt, spielt das deutlich personifizierte „Schwert" eine Rolle. Von ihm ist siebenmal die Rede: 26,6.7.8.25.33.36.37, wovon der Vorlage zugerechnet werden: 7.33a (und vielleicht auch 6). Die nach meiner Meinung noch nicht wirklich geklärte Frage der Vorlage kann hier nicht aufgerollt werden (vgl. z. B. 26,33a mit Ez 5,12; 12,14). Könnte bei der Rede vom „Schwert" eine Tendenz wirksam sein, den Krieg zu fast mythischem Jahwewirken zu machen? In Dtn 28 kommt das „Schwert" nicht vor (in 28,22 ist nach Vulgata in *ûbǎhoræb* umzuvokalisieren; hinter der masoretischen Lesung steckt wohl Harmonisierungsbedürfnis zu Lev 26).

[88] *N. Lohfink,* Das Hauptgebot. Eine Untersuchung literarischer Einleitungsfragen zu Dtn 5–11 (AnBib 20) Rom 1963, 167–218; *ders.,* Kerygmata (vgl. Anm. 35) 99f.

zung der Bundeskategorie am Horeb und bei der Proklamation des deuteronomischen Gesetzes selbst wird hier ebenso wie in der P[g] der „Bund" schon bei Gottes eidlicher Zusage an die Väter gesehen, auf die Israel dann trotz der eigenen Sünde auf jeden Fall trauen kann, da sie ohne eine Bedingung gegeben wurde: vgl. Dtn 7,12; 8,18, ferner 7,8; 9,5[89].

Diese eher priesterschriftliche Bundes- und Gnadentheologie entwickelt der spätdeuteronomistische Überarbeiter aber nun weithin im Zusammenhang mit dem Thema der gewaltsamen Landeseroberung, von der die ihm vorliegenden Texte handeln. Schon in Dtn 7,17–24 scheint er einen alten Text[90] so ausgebaut zu haben, daß G. von Rad glaubte, trotz des „ausgesprochen späten und theoretisierenden" Charakters hier ein „Formular" für „Kriegsansprachen" vor sich zu haben, wie sie vor dem nach seiner Meinung zur Joschijazeit wiederbelebten Heerbann gehalten worden sein könnten[91]. Wahrscheinlich wollte der Überarbeiter aber hier nur den Grund legen für seine entscheidenden Ausführungen in Kapitel 9[92], die praktisch eine Vorausformulierung paulinischer Lehre von der Rechtfertigung des Sünders allein aus Gnade sind. Denn daß Israel ganz und gar in der Sünde steckt und keinerlei Rechtstitel vor seinem Gott hat, wird an seinem Verhalten in der Wüstenzeit aufgewiesen[93], der Grund für Jahwes dennoch gegebenes Heil ist neben der Sünde der alten Landesbewohner nur die Zusage an die Väter[94], doch das Heil selbst wird konkret geschildert als das jahwegewirkte Gelingen des

---

[89] Zur Nähe zu P[g] vgl. noch *N. Lohfink,* Die These vom „deuteronomischen" Dekaloganfang – ein fragwürdiges Ergebnis atomistischer Sprachstatistik, in: G. Braulik (Hg), Studien zum Pentateuch. FS W. Kornfeld, Wien 1977, 99–109, speziell 103 Anm. 15.

[90] Vgl. 7,20 mit Ex 23,28; 7,22 mit Ex 23,29f; 7,23 mit Ex 23,27; 7,24 mit Ex 23,31. Besonders markant sind die Zusammenhänge mit Ex 23,28 ṣir'ah und mit der Begründung der langsamen Eroberung in Ex 23,29f. Vgl. die letzte Behandlung des Abhängigkeitsproblems bei *G. Schmitt,* Du sollst keinen Frieden schließen mit den Bewohnern des Landes. Die Weisungen gegen die Kanaanäer in Israels Geschichte und Geschichtsschreibung (BWANT 91) Stuttgart 1970, 13–24. Neueste Untersuchung von Ex 23,20–33: Halbe, Privilegrecht (vgl. Anm. 25) 483–499.

[91] *G. von Rad,* Deuteronomium-Studien (FRLANT 58) Göttingen 1947, abgedruckt in: ders., Gesammelte Studien zum Alten Testament II (TB 48) München 1973, 109–153, 36–39 = 138–141.

[92] Bei *G. von Rad,* ebd. 37 = 139 unten, ist 8,1 in 9,1 zu verbessern.

[93] Dtn 9,7f.22–24.

[94] Dtn 9,5.

Eroberungskriegs, der bei der Verkündigung des Deuteronomiums gemäß der deuteronomistischen Geschichtsfiktion unmittelbar bevorsteht[95]. Dabei wird auf verschiedenste ältere Schichten zurückgegriffen: vgl. 9,1f mit 1,28 und 9,4 mit 6,19[96]. Das Wortspiel mit *jrš* wird voll durchvariiert: Die Wurzel hat in 9,1–6 sieben Belege!

5.2 Beim Zusammenbau des „jehowistischen Geschichtsbuchs" und der Priesterschrift setzt sich die deuteronomistische Vorstellung durch

So bleibt sowohl in der Priesterschrift als auch im Deuteronomium bei aller gegenseitigen Anpassung die jeweilige Auffassung von der Landnahme – kriegerisch oder ohne jeden Krieg – unangetastet. Das ändert sich in dem Augenblick, wo es zur Zusammenfügung bisher getrennt existierender Schriftwerke kommt. Falls es zunächst eine redaktionelle Vereinigung des „jehovistischen Geschichtsbuchs" mit der Priesterschrift, noch unter Aussparung des Deuteronomistischen Geschichtswerks, gab, muß trotzdem schon in diesem Augenblick die kriegsfreie Darstellung der Priesterschrift in Frage gestellt gewesen sein. Denn zumindest nach der bisher gängigen Auffassung enthielt das „jehovistische Geschichtsbuch" vor dem Tod Moses schon Aussagen über Eroberungskämpfe im Ostjordanland (in Num 21) und über die Ansiedelung von Gad und Ruben daselbst (in Num 32), und wenn man mit einem jehovistischen „Hexateuch" rechnet, muß man sogar Eroberungsnachrichten aus dem Westjordanland voraussetzen. Wurden die verschiedenen Sichten unverbunden nebeneinandergestellt, oder wurden verbindende Texte geschaffen, die eine Brücke zwischen den entgegengesetzten Darstellungen sein sollten? Letzteres scheint der Fall zu sein. Dabei setzte sich die Vorstellung von einer kriegerischen Eroberung durch[97].

---

[95] Dtn 9,1–3 vgl. 9,4.5.6. Zur Gnadentheologie dieses Textes vgl. jetzt *G. Braulik,* Gesetz als Evangelium. Rechtfertigung und Begnadigung nach der deuteronomischen Tora: ZThK 79 (1982) 127–160.

[96] Zur Zugehörigkeit von Dtn 6,19 zu DtrN (dazu vgl. unten Anm. 111) vgl. *Lohfink,* Kerygmata (vgl. Anm. 35) 98f. Bei dem Überarbeiter in Dtn 7–9 handelt es sich also um die Bearbeitung einer theologisch selbst schon recht markanten Bearbeitung des DtrG.

[97] Da die ganze Frage der Pentateuchredaktion und ihrer Phasen höchst hypothetisch bleibt, gilt dies natürlich auch von der Verbindung der im folgenden behandelten

5.2.1 Num 32–34 als Untersuchungsfeld

Dies sei an Texten aus Num 32–34 verdeutlicht. Nach dem Faden der P^g ist Israel schon in Num 22, 1 in den Steppen von Moab angekommen, in Num 27, 12–23 ist Mose schon aufgefordert worden, den Berg zu besteigen, auf dem er sterben soll, und er hat schon Josua als Nachfolger eingesetzt. Es stehen also nur noch die allerletzten Gottesworte an Mose aus, und dann sein Tod. Die göttliche Umschreibung des Landes Kanaan, die jetzt in Num 34, 1–12 steht, dürfte unmittelbar an Num 27, 23 angeschlossen haben. Zwischen der Einsetzung Josuas und dieser westjordanischen Landumschreibung wurden nun aus dem „jehovistischen Geschichtsbuch" die Notizen über die Ansiedelung von Gad und Ruben im Ostjordanland untergebracht. Sie bilden jetzt den Grundbestand von Num 32. Es ist mir hier nicht möglich, dieses Kapitel im Detail zu analysieren[98].

Texte mit R^{JEP}, um das klassische Siglum zu gebrauchen. Doch würde sich an den Ergebnissen der folgenden Darstellung kaum etwas ändern, wenn es sich schon um Texte aus einer späteren Redaktionsstufe oder gar um Texte jenseits der Pentateuchhauptredaktion handeln würde. Denn, wie sich zeigen wird, das DtrG war auf jeden Fall schon mit im Blick, auch wenn es noch nicht miteingebaut wurde. Daß ich gerade im Bereich von Num 32 und 33 mit Erweiterungen in einer Redaktionsstufe vor dem Einbau des Buchs Deuteronomium rechne, hängt damit zusammen, daß diese Erweiterungen in dem Augenblick, wo man das Deuteronomium schon als integrierenden Bestandteil des Pentateuch ansieht, eigentlich eher als sinnlos erscheinen, weil sie nur Texte des Dtn verdoppelnd vorwegnehmen. Als letzten Versuch zur Redaktionsgeschichte des letzten Teils von Num vgl. *M. Wüst,* Untersuchungen zu den siedlungsgeographischen Texten des Alten Testaments, I. Ostjordanland (BTAVO B, 9) Wiesbaden 1975, vor allem 213–221. Mich überzeugen aber nicht alle seine Begründungen.

[98] *M. Noth,* Das vierte Buch Mose. Numeri (ATD 7) Göttingen 1966, 204, meint grundsätzlich, der Bestand der älteren Pentateuchquellen sei hier „so eng mit späteren Bearbeitungen und Zusätzen verquickt, daß es nicht gelingt, eine saubere und überzeugende literarkritische Scheidung durchzuführen". In der Tat hat Wellhausen die Analyse, die er in der „Composition" (vgl. Anm. 57) 113–115 vorgelegt hat, auf einen Artikel von *A. Kuenen,* Bijdragen tot de critiek van Pentateuch en Jozua I–III: Theologisch Tijdschrift (1877) 465–496; 545–566 (hier: 478 ff; 559 ff), hin in den Nachträgen zur 3. Auflage (ebd. 352) schlicht widerrufen, ohne eine neue eigene Auffassung zu bekunden. Kuenen selbst hat in der späteren 2. Auflage seiner „Einleitung" für Num 32, 1–5.16–32 aber auch keine genauere Analyse gewagt und die kühne Annahme geäußert, hier habe der Redaktor, der JE und P vereinigte, vielleicht einen eigenen, beide Traditionen und ihre Sprache verbindenden Text geschaffen: vgl. *A. Kuenen,* Historisch-kritische Einleitung in die Bücher des Alten Testaments hinsichtlich ihrer Entstehung und Sammlung (deutsch von T. Weber) I, 1, Leipzig 1887, 97 f. Die jüngsten Analysen finden sich bei *Mittmann,* Deuteronomium 1, 1 – 6, 3 (vgl. Anm. 57) 95–104, und bei *Wüst,* Untersuchungen (vgl. Anm. 97) 91–118. Bei *Wüst* 94 finden sich Überblicke über die Annahmen anderer Autoren. Wüst macht auf eine Reihe von Schwächen der

Doch soll im folgenden auf eine Passage aus einer Bearbeitungsschicht hingewiesen werden, die in Verbindung mit priesterlichen Sprachelementen deuteronomistische Eroberungstheorie für das Westjordanland vorträgt. Daher wurde es wohl dann auch als notwendig empfunden, der vorgegebenen priesterlichen Landumschreibung von Num 34, 1–12 zunächst einmal noch einen klaren göttlichen Befehl zur Landeroberung durch Vernichtungskrieg voranzustellen, und dem dürfte Num 33, 50–56 seinen Ursprung verdanken[99].

Analyse Mittmanns schon aufmerksam. Ich würde, von Kleinerem abgesehen, vor allem noch hinzufügen, daß die Gründe für die Aufteilung von 32, 6–15 in zwei Schichten nicht überzeugend sind (leider ist Wüst hier Mittmann gefolgt); ferner, daß 32, 12–15 und 32, 20–23 nicht zur gleichen Schicht gehören können, da die Sündenfolgen einmal ganz Israel, einmal nur die sündigenden Stämme treffen sollen. Wüst rechnet mit einer etwas umfangreicheren Grundschicht als Mittmann, sicher zu Recht. Seine Annahmen über Bearbeitungsschichten und Ergänzungen scheinen mir jedoch zum Teil ebenfalls fragwürdig. So leuchten mir seine Gründe für die Annahme einer umfangreichen sekundären Ergänzung innerhalb von 32, 20 aβ–23 gar nicht ein. Die Aufteilung schafft eher Schwierigkeiten, und es gibt positive Gründe für den Zusammenhang. Das genüge zur Kritik der jüngsten Entwürfe. Ich behandle das von mir als Einheit aufgefaßte Stück 32, 6 b–15 in unserem Zusammenhang nicht. Es scheint mir erst der Pentateuchhauptredaktion anzugehören. Hinter ihm dürfte die Absicht stehen, aus ganz Num 32 eine Gegengeschichte zu Num 13 f zu machen. Wenn damals das Versagen einer Gruppe aus Israel zum Tod einer ganzen Generation Israels in der Wüste führte, so ergab sich jetzt, eine Generation später, eine analoge Gefahr des Versagens einer Gruppe, doch sie wurde abgewendet, und die Landnahme konnte vonstatten gehen.

[99] In der oben gemachten Zuteilung von Num 34, 1–12 zur P[g] folge ich *Cortese,* Terra die Canaan (vgl. Anm. 65) 41–51. Er widerlegt Noths Argumente für eine Abhängigkeit von und einen Zusammenhang mit Jos 13–19. Cortese will jedoch auch Num 33, 50–56 zur P[g] schlagen (ebd. 51–58). Das geht nicht. Wie *Wellhausen,* Composition (vgl. Anm. 57) 115 mit Recht schon feststellt, erscheint hier „ein fremdes Element in Q". Die Fakten sind im Detail schon gut bei *B. Baentsch,* Exodus-Leviticus-Numeri (HkAT I,2) Göttingen 1903, 683, zusammengestellt. Zu diesen eher sprachlichen Beobachtungen kommen noch redaktionsgeschichtliche. Innerhalb von 33, 50–56 wird man 33, 54 nicht als nochmals späteren Zusatz betrachten dürfen. Denn das gesamte Stück 33, 51 b–56 wird gerade durch die Beziehung von 33, 54 zu 34, 13 als Teil einer Rahmung von 34, 1–12 konstituiert. Ferner wäre die kaum zufällige Siebenzahl von *haʾaræṣ* in 33, 51 b–56 bei Eliminierung von 33, 54 nicht mehr vorhanden. Nun ist aber 33, 54 zweifellos sekundär gegenüber Num 26, 52–56 (ein Text, der selbst schon jünger als die P[g] und in sich wiederum mehrschichtig ist). Vgl. dazu *Noth,* Studien (vgl. Anm. 65) 203 Anm. 2; *Wüst,* Untersuchungen (vgl. Anm. 97) 198 f mit Anm. 627. Das zwingt für ganz Num 33, 50–56 zu einem erheblich späteren Ansatz als die P[g]. Das stimmt damit zusammen, daß hier ja im Gegensatz zur P[g] die Landnahme im höchsten Maße kriegerisch vorgestellt wird.

5.2.2 Num 32, 20–23

In Num 32 war der Gedanke einer gewaltsamen Landnahme vom
Osten her vom Textbestand des „jehovistischen Geschichtsbuchs"
her vorgegeben[100]. Die Erweiterung in Num 32, 20–23, über die allein ich im folgenden handeln möchte, bringt nun Vorstellungen und
Sprachelemente sowohl aus der deuteronomistischen als auch aus
der priesterschriftlichen Sphäre in den Zusammenhang hinein. Bevor Mose den Gaditern und Rubenitern gestattet, Städte und Pfer-
che im Ostjordangebiet zu errichten (32, 24), bindet er sie durch bedingten Segen (32, 20aβ–23) und bedingte Strafandrohung (32, 23)
zur Beteiligung an der Eroberung des Westjordanlandes. Dies ist
eine typisch deuteronomische Form des Verpflichtens. Die konkrete
Formulierung von 32, 20b.21a im ersten Vordersatz ist überhaupt
nur als eine Übernahme von Jos 5, 13 verständlich zu machen[101]. Es
folgt in 21b *jrš* Hifil mit Jahwe als Subjekt[102], ebenfalls ein typisch
deuteronomistischer Ausdruck. Doch statt dann die Besitzergreifung der westjordanischen Stämme mit dem üblichen deuteronomistischen Wortspiel durch *jrš* Qal anzuschließen[103], wird hierfür das

---

[100] Das gilt selbst von der äußerst schmalen „Grundschicht", mit der Mittmann rechnet: Num 32, 1.16.17a.34f.37f (alle Verse noch nach Entfernung von späteren Erweiterungen). Denn in 17a erklären die Gaditer und Rubeniter: „Wir rüsten uns und ziehen
bewaffnet vor den Israeliten her, bis wir sie an ihren Ort gebracht haben." Allerdings
lag das Interesse des Textes ganz auf der Ansiedelung der beiden Stämme im Ostjordanland, und ihre Hilfe für die westjordanischen Stämme stellte noch kein großes Problem dar.

[101] Die Formulierung „vor Jahwe zum Krieg ausziehen" ist ganz ungewöhnlich. Wenn
ich recht sehe, findet sich nur in Jos 4, 13 die Formulierung „den Jordan vor Jahwe zum
Krieg überschreiten". Dies meint dort, daß die Israeliten bzw. die ostjordanischen
Stämme (vgl. 4, 12) an der Lade, die mitten im trockenen Flußbett Aufstellung genommen hatte, vorüberzogen, um dann gegen Jericho zu kämpfen. In Num 32, 20 mußte
zunächst das Verb aus 32, 17 aufgegriffen werden, und daran schloß man den Rest der
Formulierung aus Jos 4, 13. Doch was dabei herauskam, war wohl so ungewöhnlich,
daß dann in 32, 21 noch einmal alles mit dem richtigen Verb und der Nennung des Jordan gebracht wurde, nur durch Auslassung von „zum Krieg" gekürzt. Durch das zwei-
malige „vor Jahwe" war damit zugleich eine Leitformel geschaffen, die die ganze Einheit zusammenhalten sollte (Wiederkehr in 32, 22a und b).

[102] Es wäre allerdings auch möglich, daß *kål ḥaluṣ* das Subjekt wäre. Dann läge schon
hier vor, was auf jeden Fall für Num 33, 50–56 festgestellt werden muß: die Übertragung der Vernichtungsaussage von Jahwe auf die Israeliten.

[103] An den dtr Parallelstellen Dtn 3, 20 und Jos 1, 15 steht *jrš* Qal. Zum Wortspiel vgl.
Dtn 9, 3.4.5; 11, 23; 18, 12; Jos 23, 5; Ri 11, 23.24.

ausgesprochen priesterschriftliche Verb *kbš* benutzt (32,22 a)[104]. Vor Augen steht sicher Jos 18,1 – denn nur im Hinblick auf die dort ebenfalls genannte Aufstellung des heiligen Zeltes in Schilo ist die Formulierung „wenn das Land unterworfen vor Jahwe liegt" voll verständlich[105]. Im Nachsatz 32,22 b wird dann der ostjordanische Landbesitz mit dem typisch priesterschriftlichen Wort *'aḥuzzah* bezeichnet[106]. Die Drohung in 32,23 aβ beginnt mit einer wohl wörtlichen Anlehnung an Dtn 9,16 und hebt damit die Situation in die der Ursünde Israels, der Herstellung des goldenen Kalbs[107]. Schließlich dürfte auch die Rede von den Sünden, die die Sünder gewissermaßen suchen und dann „finden", deuteronomistischem Sprechen nachempfunden sein[108]. Im ganzen also eine bewußt aus deuteronomistischen und priesterlichen Sprachelementen gemischte Passage. Der Unterschied zwischen den beiden Vorstellungs- und Sprachwelten wird aufgehoben. Die kriegerische Eroberung des Westjordanlandes durch Israel erhält Eintritt in den priesterschriftlichen Bereich.

---

[104] Es umrahmt die P^G: Gen 1,28; Jos 18,1 – vgl. oben 4.2.6. Das Nifal ist sonst nur noch in Num 32,29; 1 Chr 22,18 und – in anderem Zusammenhang – Neh 5,5 belegt.

[105] In Jos 18,1 liegt das Land unterworfen vor den Israeliten. So hat es Num 32,29, das zur gleichen oder zu einer jüngeren Bearbeitungsschicht gehört und keinem Leitwortzwang zur Benutzung des Ausdrucks „vor Jahwe" unterlag, auch übernommen. Von einer Landverlosung „vor Jahwe" ist die Rede in Jos 18,6.8.10; 19,51. Dabei ist stets an Schilo gedacht.

[106] Ein Ausdruck *'aḥuzzah lipnê JHWH* ist allerdings nicht belegbar. Hier sollte das Leitwort „vor Jahwe" wohl einfach das erste Bedingungsgefüge vollklingend abschließen. Doch wäre auch denkbar, daß zusammen mit dem weiter vorn stehenden „und ihr kehrt um" eine Art Kontrastanspielung auf Dtn 1,45 beabsichtigt ist, wo es nach einem von Jahwe nicht gewollten Kriegszug, der mit einer Niederlage endete, heißt: „Da *seid ihr umgekehrt* und habt *vor Jahwe* geweint, doch er hat auf eure Klagen nicht gehört und hatte kein Ohr mehr für euch."

[107] Dtn 9,16: *wᵉhinneh hᵃṭa'tæm UHWE 'ᵃlohêkæm;* Num 32,23: *hinneh hᵃṭa'tæm UHWH*. Ich rechne mit einer wörtlichen Anlehnung, obwohl die Vokalbe *ḥṭ'* häufig belegt ist. In der Priesterschrift und Ezechiel steht das Verb absolut, nicht mit *l* (einzige Ausnahme: Ez 14,13), dagegen wird es mit *lᵉ* gern in dtr Texten gebraucht. Dort steht es, was wohl die sachlich originäre Verwendung darstellt, in der 1. Person (Dtn 1,41; Jos 7,20; Ri 10,10; 1 Sam 7,6; 12,23; 2 Sam 12,13) oder, berichtend, in der 3. Person (Dtn 20,18; 1 Sam 2,25; 14,33; 1 Kön 8,33.35.46.50; 2 Kön 17,7). In der 2. Person findet es sich nur in der sachlich fernerliegenden Stelle 1 Sam 14,34 und dann eben in Dtn 9,16, wo wörtliche Übereinstimmung besteht. In den gleichen Zusammenhang der Sünde durch das goldene Kalb führt die Parallele Ex 32,33. Ihr Aussageakzent liegt darauf, daß nur die Schuldigen selbst bestraft werden sollen.

[108] Vergleichbare Texte sind hier: Dtn 4,30; 31,17 (zweimal).21; Ri 6,13; 2 Kön 7,9; Ps 119,143; Ijob 31,29; Est 8,6.

5.2.3 Num 33, 50–56

Dies geschieht noch deutlicher, indem in 33,50–56 der göttlichen Definition des Israel geschenkten Landes Kanaan ein ausdrücklicher Befehl zur kriegerischen Eroberung vorangestellt wird. Der Bau der Sätze ist nach priesterschriftlicher Manier. Daß es um die kriegerische Vernichtung der Landesbewohner geht, wird an der Wiederaufnahme dieses Themas im eher deuteronomistischer Traditon entstammenden bedingten Fluch erkennbar, der den Text in 33,55 f abschließt[109]. Wir begegnen in Einzelformulierungen dem Bewußtsein, daß man von der gewaltsamen Eroberung in der Sprache einer ganz bestimmten Tradition reden muß, der „Gilgaltradition"[110]. Sprach sie ursprünglich von der Vertreibung der Landesbewohner, so war daraus in der deuteronomistischen Theologie deren Vernichtung geworden. Einem exilischen Bearbeiter des Deuteronomistischen Geschichtswerks, den Rudolf Smend entdeckt und als den „deuteronomistischen Nomisten" bezeichnet hat (DtrN)[111], muß sie besonders am Herzen gelegen haben. Er hat offenbar den ihm schon vorgegebenen älteren Text Ri 2,1–5 in das Werk eingefügt und seinen eigenen Schlüsseltext, Jos 23,1–16, von dieser Tradition her formuliert. Diesen Text vor allem scheint nun Num 33,50–56 vor Augen zu haben. Denn 33,55 *lišnînim b‘ṣiddêkæm* „zu Stacheln in euren Seiten" dürfte die Abwandlung einer ziemlich einmaligen Formulierung von Jos 23,13 sein[112]. Wie in Dtn 7 verbindet sich mit dem Gebot der Vernichtung der Einwohner auch in Num 33,52 das Gebot der Vernichtung der Kultobjekte derselben. Die zu vernichtenden Objekte werden allerdings nicht mit den Begriffen

---

[109] An sich wäre ja auch denkbar, daß der Vordersatz von 33,51 b zunächst weiterläuft und erst in 33,54 der Nachsatz einsetzt. Die Entscheidung fällt von 33,55 f her, und die Weiterführung der Geschehenskette über die Vernichtung der Landesbewohner hinaus bis zur Landverteilung erklärt sich aus dem Interesse der Anbindung des Textes an 34,1–12, die durch den Zusammenhang von 33,54 mit 34,13 hergestellt wird – vgl. oben Anm. 99.

[110] So habe ich sie vor Jahren einmal in Anlehnung an Ri 2,1 genannt: *Lohfink,* Hauptgebot (vgl. Anm. 88) 178. Wichtigste spätere Untersuchungen: *Schmitt,* Keinen Frieden (vgl. Anm. 90); *Halbe,* Privilegrecht (vgl. Anm. 25). Vgl. oben S. 25 und 96.

[111] *R. Smend,* Das Gesetz und die Völker. Ein Beitrag zur deuteronomistischen Redaktionsgeschichte, in: H. W. Wolff (Hg), Probleme biblischer Theologie. FS Gerhard von Rad, München 1971, 494–509.

[112] Zum Zusammenhang der beiden Verse vgl. noch Num 33,55 *tôtîrû* mit Jos 23,12 (Vordersatz zu 13) *b‘jætær.* In Num 33,55 ist ebenso wie in Jos 23,13 von den Augen und den *ṣiddêkæm* („Seiten"?) die Rede, doch wechseln die Unheil zufügenden Instru-

aus Dtn 7,5 und 12,3 bezeichnet, sondern mit Ausdrücken, die im Heiligkeitsgesetz vorkommen[113]. So ist auch hier wiederum der Priesterschriftliches und Deuteronomistisches mischende Charakter des Stücks mit Händen greifbar. Der Sache nach wird jedoch in einen ehemals bewußt kriegslosen Kontext die deuteronomistische Theorie von der kriegerischen Eroberung des Landes Kanaan eingetragen.

Ja, diese erhält sogar eine neue Wendung. Als Verb wird ja in 33,52 *jrš* Hifil verwendet: *wᵉhôräštœm 'œt kål jošᵉbê ha'arœs mippᵉnêkœm* „dann vernichtet alle Bewohner des Landes vor euch her". Im folgenden Vers (33,53) wird es, wohl in genau gleichem Sinn, wenn auch in verkürzter Formel, noch einmal aufgegriffen[114]. Damit ist dieses Verb betont in eine Position gebracht, die es so in der deuteronomistischen Tradition nicht hatte. Zwar hatte es schon alte Nachrichten gegeben, in denen referierend oder gar bedauernd oder tadelnd berichtet wurde, die Israeliten hätten bei der Landeseroberung die Bewohner bestimmter Gebiete nicht „vernichten" können. Sie finden sich in Ri 1 und im Bereich von Jos 13–17. Es gab auch schon Formulierungen des Vernichtungsgebots mit anderen Verben. *jrš* Hifil dagegen war die typische Vokabel einer Verheißung gewesen: Jahwe werde der sein, der beim Einmarsch der Israeliten ins Westjordanland die Landesbewohner „vernichtet". Der DtrN hatte vor diese Verheißung eine Bedingung gesetzt. Nur wenn Israel das Gesetz beobachtet, werde Jahwe sie alle vernichten. Auch Num 33,50–56 redet bedingt. Aber im Vordersatz wird als Israels Leistung nicht etwa die Treue zum Gesetz gefordert, sondern die Vernichtung der Landesbewohner, die vorher gerade Jahwes Werk war. Wenn Is-

---

mente oder Gegenstände. Die *sᵉnînim* wandern von den Augen in Jos 23,13 zu den Seiten (?) in Num 33,55. Möglicherweise steht im Hintergrund dieser uns nicht mehr ganz entschlüsselbaren Vorstellungen das Wort *ṣiddîm* in Ri 2,3, das nicht mit hb. *ṣåd* „Seite", sondern ursprünglich mit akk. *ṣaddu* „Zeichen, Vorzeichen" zusammenhängen könnte (vgl. BHS z. St.), was aber dann vielleicht nicht mehr verstanden worden war.

[113] *maśkijjot* vgl. Lev 26,1; *måssekot* vgl. Lev 19,4 (allerdings auch in einem Gilgaltext: Ex 34,17, und häufiger im DtrG, wenn auch außer in 1 Kön 14,9 stets im Singular); *bamot* vgl. Lev 26,30 (natürlich auch häufig im DtrG); *ṣælæm* (33,52) ist ein Wort aus der P^g, wenn auch dort in einem anderen Zusammenhang; im hier gebrauchten Sinn steht es in 2 Kön 11,18, vor allem aber in Ez 7,20; 16,17.

[114] Zum textkritischen Problem in Num 33,53 vgl. *N. Lohfink,* Textkritisches zu jrš im Alten Testament, in: P. Casetti u. a. (Hg), Mélanges Dominique Barthélemy (OBO 38) Fribourg 1981, 273–288 (277).

rael das Blutbad nicht durchgeführt, wird es die Folgen zu spüren bekommen in der Not, die die weiterlebende Vorbevölkerung über Israel bringt. Nach dem, was hier traditionsgeschichtlich aufgegriffen wird, ist das erschreckend untheologisch. Die Verfasser müssen es selbst empfunden haben. Im abschließenden Vers 33, 56 versuchen sie, die vorher vergessene theologische Dimension noch nachzuliefern: „Wie ich mir vorgestellt habe, daß ich ihnen tun werde, so werde ich euch tun." Man muß Num 33, 50–56 nur mit dem auf den ersten Blick so ähnlichen Text Ri 2, 1–3 vergleichen, um den Unterschied der Sicht zu erkennen[115].

Die Passage ist schichtenmäßig zu selbständig, als daß man von einem breiteren Kontext her sagen könnte, ob hinter ihrer neuen Nuancierung der alten Vorstellung vom Eroberungskrieg am Anfang der Volksgeschichte ein realer zeitgenössischer Hintergrund mit einem speziellen Anliegen anzunehmen sei. Vielleicht handelt es sich doch nur um reine literarische Verbindungsarbeit, die ihren Vorlagen nicht mehr voll gewachsen war. Dagegen dürfte hinter dem im folgenden zu behandelnden Kapitel über den Midianiterkrieg wohl doch eine neue Situation der nachexilischen Gemeinde mit einem neuen Anliegen stehen.

5.3 Die nachexilische Aktualisierung der deuteronomistischen Kriegstheologie im Bereich der Pentateuchgesamtredaktion

5.3.1 Literargeschichtliche Zuordnung von Num 31

Selbst wenn W. F. Albright und O. Eißfeldt recht haben sollten, daß in Num 31 einige uralte und aufschlußreiche Nachrichten über ein Midianiterreich mit Protektoratsrechten über die Nachbarreiche im

---

[115] Es sei allerdings darauf hingewiesen, daß die Verschiebung im sprachlichen Umgang mit *jrš* Hifil schon bei der deuteronomistischen Hand einsetzt, die (in Auseinandersetzung mit dem DtrN) Dtn 7–9 überarbeitet hat und dort eine antinomistische Gnadentheologie einbrachte. Denn in Dtn 7, 17 wird Israel mit der Frage eingeführt, wie es denn möglich sei, daß es alle diese überlegenen Völkern vernichten (*jrš* Hifil) könne. Dann wird allerdings geantwortet, Jahwe werde das tun. In Dtn 9, 3–5 wird die Vernichtung der Völker des Landes dreimal mit Hilfe von *jrš* Hifil ausgesagt, und zweimal ist dabei Jahwe, einmal aber auch Israel das Subjekt der Aussage.

ausgehenden 2. Jahrtausend erhalten seien[116], gehört das Kapitel zu den „sehr späten Stücken des Pentateuch" und stellt vermutlich einen „Nachtrag zum Gesamtpentateuch" dar[117]. Der Anfang, 31,1, schließt das Kapitel der Sache nach an 25,17f, einen nachpriesterlichen Text, an, setzt aber zugleich schon den Text von 27,12–14 voraus. Der Anfang von Num 31 ist also für den jetzigen Ort im Buch verfaßt. Die Stelle hinter Num 25, wo der Midianiterkrieg zweifellos besser hingepaßt hätte, war offenbar nicht mehr frei, weil dort die „zweite Volkszählung", auch ein später Zusatz, schon fest verankert war. Die Erzählung wirkt sprachlich eher priesterschriftlich, doch lassen sich im einzelnen auch andersartige, darunter auch deuteronomistische Elemente nachweisen[118]. Sie ist an dem Vernichtungsfeldzug gegen die Midianiter eigentlich nur so weit interessiert, als dieser zur Aufhängevorrichtung für exemplarisch vorgeführte Regeln über die zu tötenden Personengruppen, das Verhalten bei der Heimkehr vom Feldzug, die Verteilung der Beute und die freiwilligen Sühneabgaben heimgekehrter Krieger dient. Insofern ist eine Ergänzungs-, wenn nicht in einzelnem sogar eine Korrekturabsicht gegenüber der späteren deuteronomischen Kriegsgesetzgebung zu vermuten[119]. Das setzt den Einbau des deuteronomischen Gesetzes in den Pentateuch schon voraus.

---

[116] *W. F. Albright,* Midianite Donkey Caravans, in: H. T. Frank und W. L. Reed (Hg), Translating & Understanding the Old Testament. FS H. G. May, Nashville, N.Y., 1970, 197–205; *O. Eißfeldt,* Protektorat der Midianiter über ihre Nachbarn im letzten Viertel des 2. Jahrtausends v. Chr., in: ders., KlSchr 5, Tübingen 1973, 94–105 (erweiterte Fassung des gleichbetitelten Aufsatzes in JBL 87, 1968, 383–393). Auf der gleichen Linie vgl. *W. J. Dumbrell,* Midian – A Land or a League?: VT 25 (1975) 323–337.

[117] Zitate aus *Noth,* Numeri (vgl. Anm. 98) 198. Nur *G. von Rad,* Die Priesterschrift im Hexateuch. Literarisch untersucht und theologisch gewertet (BWANT 65) Stuttgart 1934, 132–134, ordnet ein Stück des Kapitels (31,1–12) der ursprünglichen Priesterschrift zu. Widerlegung bei *Noth,* Studien (vgl. Anm. 65) 200f.

[118] Belege bei *Baentsch,* Ex-Num (vgl. Anm. 99) 651.

[119] Inhaltlich gilt zum Beispiel Folgendes: Die israelitische Truppe hielt sich an das Gesetz Dtn 20,12–15 (für Kriege gegen Städte außerhalb des verheißenen Landes) und tötete keine Frauen und Kinder. Mose regelt nun in Num 31,14–18, daß nur die Mädchen, die noch keinen Geschlechtsverkehr hatten, am Leben bleiben dürfen. Doch ist die Frage der grundsätzlichen Korrekturabsicht insofern auch wieder in der Schwebe, als diese Regelung mit einer besonderen Sünde der midianitischen Frauen begründet (31,16) und der ganze Krieg als ein Rachekrieg bezeichnet wird (31,2). Es bleibt offen, ob dies in allen späteren Kriegen gegen Feinde außerhalb des Landes Kanaan gelten soll.

5.3.2 Num 31 und die kultisch-militanten Interessen des Jerusalemer Tempelstaats

Die Geschichte ist so konstruiert, daß sie auch für Kriege vom nachexilischen Jerusalem aus noch vorbildhaft sein kann. Einerseits liegt sie noch vor dem Einsetzen der Thematik der Eroberung des Westjordanlands. Damit ist Josua aus ihr ferngehalten und man kann den in ihr geschilderten Krieg nicht als ein für allemal beendeten Landnahmekrieg betrachten. Kriege dieser Art sind auch später noch denkbar. Mose hat andererseits schon seinen letzten Tag angekündigt bekommen und nimmt Kriege nicht mehr, wie etwa bei dem Rückblick in Dtn 1–3, selber in die Hand. So kann Eleasar, der Nachfolger Aarons, stärker in den Vordergrund treten, ja sogar statt Mose einen Teil der Gesetzesverkündigung übernehmen (31,21–24). Darüberhinaus erhält der Sohn des Hohenpriesters Eleasar, der Priester Pinhas, die Leitung des Feldzugs[120]. Hier wird doch wohl

---

[120] Das wird nicht ganz offen mitgeteilt. Doch was kann 31,6 (Mose sendet die Tausenderkontingente der 12 Stämme und dazu Pinhas zum Kriegszug aus) kombiniert mit 31,14, vor allem aber 31,48 (die Befehlshaber des Heeres bzw. die Befehlshaber, die den Tausendschaften der Truppen zugeordnet waren, dann in Apposition expliziert als die Hauptleute der Tausendschaften und die Hauptleute der Hundertschaften) anderes meinen, als daß Pinhas an der Spitze steht. Nach Num 31,13 gehen Mose, Eleasar und *kôl n^{e}śî'ê ha'edah* der heimkehrenden Truppe entgegen. So scheint es mir kaum möglich, in 31,14, vor allem aber in 31,48 den Appositionscharakter von *śarê ha'^{a}lapîm w^{e}śarê hamme'ôt* zu bestreiten. Die älteren Kommentare beeilen sich bei der Auslegung von 31,6, zu versichern, daß Pinhas nicht das Kommando übernommen habe. Aber warum denn nicht? Sie geben keine Gründe an. Vielleicht ist hier auch ein Blick auf die Kriegsrolle von Qumran instruktiv, obwohl man von dorther für Num 31 natürlich nichts beweisen kann. Selbstverständlich vergießen die Priester dort selbst kein Blut. Aber sie sind die emsig Tätigen. Ein vielleicht von anderen Qumranschriften her als der davidische Messias identifizierbarer *nśj(') kl h'dh* kommt zwar vor, aber doch so wenig, daß *Y. Yadin* in seiner wirklich gründlichen Analyse der Kriegsrolle (The Scroll of the War of the Sons of Light against the Sons of Darkness, London 1962) es offenbar weder gewagt hat, sich eingehender zu seiner Funktion zu äußern, noch überhaupt ein Kapitel über die Kommandohierarchie zu schreiben. Es ist keineswegs sicher, daß das „große Feldzeichen, welches an der Spitze des ganzen Heeres ist" (1 QM III, 12) das Kommandosignal des *nśj(') kl h'dh* ist. Denn auf den Feldzeichen der Stämme steht der Name des jeweiligen *nśj hš(bt)* geschrieben (ebd. III, 14), ebenso vermutlich auch auf den Feldzeichen der vier Lager die der entsprechenden Lager (hier ist in der Handschrift eine Lakune aufzufüllen, und die Kommentatoren sind sich über die genaue Auffüllung nicht einig). Auf dem „großen Feldzeichen, welches an der Spitze des ganzen Heeres ist", steht dagegen nur „Volk Gottes" und dann die Namen Israel, Aaron und die der zwölf Stämme (ebd. III, 12 f). Der Name des *nśj(') kl h'dh* steht nicht darauf. Seine Gestalt taucht erst ganz am Ende der Darstellung der Feldzeichen auf, und zwar im Zusammenhang mit einem nicht hierarchisch durchbehandelten Gegenstand, des-

schon die Struktur des nachexilischen Tempelstaats angedeutet, in der die Familie des Hohenpriesters die verschiedenen Leitungsfunktionen durch verschiedene Mitglieder wahrnahm, darunter durchaus auch die polizeilich-militärischen.

Das Interesse des Kapitels scheint mir vor allem auf zwei Dinge zu gehen. Einerseits wird ein Stück der Grausamkeit des Vernichtungskrieges, der in der deuteronomistischen Darstellung bewußt auf die Landeseroberungssituation begrenzt worden war, nun auch für spätere, nicht an diese Situation gebundene Kriege, möglich gemacht. Dies geschieht vor allem durch 31,15–18. Die dort für die erhöhte Grausamkeit gegenüber der feindlichen Zivilbevölkerung angegebene Begründung, daß die Frauen der Feinde die Israeliten dazu verführt hätten, von Jahwe abzufallen, war ja auch in nachexilischer Zeit nicht unmöglich[121]. Ob es tatsächlich Kriegshandlungen gab, in denen nach dem Modell des Midianiterkrieges verfahren wurde, ist eine andere Frage, die wir aus Mangel an Quellen nicht beantworten können. Doch zumindest die theoretische Möglichkeit dazu wurde durch Num 31 geschaffen. Andererseits richtet sich das Interesse von Num 31 deutlich auf kultisch-rituelle Aspekte der Kriegführung, wie etwa die Tabuperioden und Reinigungsriten für heimgekehrte Soldaten (31,19–24) und die Beuteanteile, die an das sakrale Personal und den Tempel gehen (Leitthema ab 31,25). Auch dies spiegelt die nachexilische Situation. Im ganzen wird man sagen müssen, daß in Num 31 nicht nur das kultische Interesse der Priesterschrift und die radikale Kriegsideologie der deuteronomistischen Literatur, die ursprünglich in Gegensatz zueinander standen,

---

sen Lesung leider auch umstritten ist. Meist liest man *mgn* „Schild", aber es wird auch *ns* „Panier", *mṭ* = *mṭh* „Stab, Szepter", *klj* „Gerät, Waffe, Kleidung" vorgeschlagen (ebd. V, 1). Darauf steht dann sein Name und die Namen von Israel, Levi, Aaron, von den zwölf Stämmen und von den Sarim der zwölf Stämme (ebd. V, 1 f). Alles spricht dafür, daß hier ein literarisch sekundäres Element vorliegt, dem sonst in der Kriegsrolle nichts entspricht. Vgl. die ausführliche Argumentation in diesem Sinn bei *P. R. Davies,* IQM, the War Scroll from Qumran. Its Structure and History (BibOr 32) Rom 1977, 35 f. Doch selbst wenn es sich nicht um einen literarischen Nachtrag handeln sollte, so wird die Gestalt des *nśj(ʾ) kl hʾdh* zumindest aus dem Hauptsystem der militärischen Hierarchie herausgehalten, und zwar in Form einer Nach-, nicht einer Vorausstellung. In Num 31 kommt selbst eine damit vergleichbare Figur nicht vor.

[121] Vgl. Esr 9f; Neh 10,31; 13,23–29. Esra konstruiert die Sünde allerdings als Verletzung des Verbots des Konnubiums mit den Ureinwohnern des Landes: vgl. etwa Esr 9,1 mit Dtn 7,1–4.

zu einer Einheit zusammengeschmolzen wurden, sondern daß der ursprünglich eher als Vergangenheitsschilderung und identitätsfördernder Mythos gedachte deuteronomistische Vernichtungskrieg gegen die alten Landesbewohner nun plötzlich zu einer auch in der Zukunft denkbaren Handlungsweise wurde.

6 Der Pentateuch als ganzer und der Krieg

Die soeben behandelten Texte aus Spätschichten des Pentateuch haben schon bis zur Schlußredaktion desselben geführt, ja in Num 31 vielleicht schon über sie hinaus. Abschließend ist auch diese Schlußredaktion selbst noch einmal ins Auge zu fassen.

6.1 Die Herstellung des Pentateuchs als Relativierung der kriegslosen Gesellschaftstheorie von P[g]

Die Herstellung des Pentateuch bedeutet auf jeden Fall, daß die Priesterschrift sich nicht als die ausschließliche Theorie des um den Tempel von Jerusalem herum konstruierten Gebildes, dem man nur in einem eingeschränkten Sinn die Qualifikation eines „Tempelstaates" geben kann, durchsetzte. Die im „jehovistischen Geschichtsbuch" und im Deuteronomium niedergelegten, wesentlich militanteren Konzeptionen der Vergangenheit kamen ebenfalls in den kanonischen Text und warfen ihr Licht auch über die priesterschriftlichen Teile.

6.2 Die Ausschließung des Josuabuchs aus dem Tora-Kanon geschah nicht wegen der dort erzählten Kriegshandlungen

Nun könnte man allerdings die Frage stellen, ob es in diesem Zusammenhang nicht relevant sei, daß das Buch Josua, die Aufgipfelung kriegerischen Erzählens aus deuteronomistischer Feder, abgekappt wurde. Wollte man vielleicht im kanonischen Basistext der neuen Wirklichkeit doch diesen blutrünstigen Anfang der Volksgeschichte nicht sehen? Oder haben zumindest die persischen Kontrollinstanzen dieser kleinen Nebenprovinz mit privilegiertem Sa-

kralstatus eine derartige militärische Selbstinterpretation nicht zuge-
stehen wollen?

Auf solche Gedanken mag man kommen, doch angesichts der im
vorangehenden Abschnitt untersuchten Spätschichten mit ihrer Anverwandlung der Priesterschrift an die deuteronomistischen Vorstellungen muß man sie sich auch wieder bald aus dem Kopf schlagen.
Daß in ihm so harte und siegreiche Kriege erzählt werden, kann
nicht der Grund dafür gewesen sein, daß das Buch Josua nicht in
den grundlegenden Kanon hineinkam.

Vermutlich hatten die Schlußredaktoren des Pentateuch doch einfach den Auftrag, aus alten Dokumenten die Gesetze zusammenzu-
stellen, auf Grund deren die Juden in Jerusalem und in den jüdi-
schen Gemeinden im Perserreich fürderhin leben sollten. Sie entle-
digten sich dieses Auftrags in höchst konservativer Weise, indem sie
möglichst viel von den alten Schriften, in denen sich die Gesetze be-
fanden, in seinem Bestand erhielten. Dies war literarisch möglich,
weil die Gesetzgebung schon vorgängig zu ihnen fast ganz mit der
Gestalt Moses verbunden war. So konnten sie ein Werk schaffen,
das – vom Vorbau der Genesis abgesehen – einfach den Lebensbo-
gen Moses nachzeichnete. Wenn er starb, dann waren auch alle rele-
vanten Gesetze Israels ausgesprochen. Das Buch Josua war nicht
mehr nötig. Die Frage kriegerischer oder nichtkriegerischer Landnahme, die Frage von mehr oder weniger Krieg in Israels Frühzeiten
spielte in diesem Zusammenhang keine Rolle.

6.3 Die Kriegstheologie der Spätschichten und nachpentateuchische Entwicklungen

Wie man zum Krieg stand, wird eher aus den Texten deutlich, die in
jener Redaktionsphase noch neu geschaffen wurden. Sie aber zeigen, daß es durchaus nicht von ungefähr war, wenn die Chronik, obwohl sie eine Eroberung des Landes durch Israel ablehnt, sonst den
von religiösen Riten verzierten und von religiösem Pathos getragenen Krieg durchaus kennt, wenn später der Makkabäeraufstand von
einer Priesterfamilie entfesselt und getragen wurde und wenn in der
Gemeinde von Qumran schließlich die Schrift vom Krieg der Söhne
des Lichts gegen die Söhne der Finsternis entstehen konnte. Dies ist
allerdings die Beschreibung eines für das Eschaton erwarteten Krie-

ges. Und das bedeutete zugleich die Gewaltlosigkeit für die Zwischenzeit bis dahin[122].

Auch diese gewaltlos lebende Gemeinde der Zwischenzeit hat ihre Basis im Pentateuch. Nur findet sich diese nicht in den Texten, von denen hier zu handeln war, sondern in den Gesetzen selbst, die im Pentateuch die Sozialordnung des Gottesvolkes entwerfen, vor allem in Lev 19[123].

Hier, und nicht an der durch ein blutiges Opfersystem erkauften und dann auch wieder in der Geschichte des Pentateuchs selbst verdrängten und übermalten kriegslosen Welt der priesterlichen Geschichtserzählung wird auch der gewaltfreie Gesellschaftsentwurf der Bergpredigt Jesu ansetzen.

---

[122] Vgl. 1 QS X, 16–19: „Ich weiß, daß in seiner Hand das Gericht über alles Lebendige liegt und Wahrheit alle seine Werke sind. Und wenn sich Not auftut, will ich ihn rühmen, und über seine Hilfe will ich gleichfalls jubeln. Nicht will ich jemandem seine böse Tat vergelten, mit Gutem will ich jeden verfolgen. Denn bei Gott ist das Gericht über alles Lebendige, und er vergilt dem Mann seine Tat. Ich will nicht (wie später die Zeloten) eifern im Geist der Gottlosigkeit, und nach (in revolutionärer Aktion) gewaltsam angeeignetem Besitz soll meine Seele nicht trachten. Und Streit mit den Männern der Grube (zur Zeit der Zeloten wären das die Römer) will ich nicht aufnehmen bis zum Tag der Rache (d. h. der eschatologischen Schlacht, die Gottes endgültiges Gericht darstellt)." Übersetzung nach *E. Lohse,* Die Texte aus Qumran. Hebräisch und deutsch, München 1964, 39; verdeutlichende Bemerkungen in Klammern von mir.

[123] Zum Beispiel dürfte in dem Satz „nicht will ich jemandem seine böse Tat vergelten" im Zitat der vorigen Anmerkung trotz der anderen Terminologie der Text von Lev 19,18 aα im Hintergrund stehen. Die andere Terminologie ist durch die beabsichtigte Gegensatzparallele zum Vergeltungshandeln Gottes bestimmt, wofür eine biblisch gut begründete Terminologie verwendet wird.

III

Klagelieder in Israel und Babylonien – verschiedene Deutungen der Gewalt

Von Lothar Ruppert, Bochum

1 Vorbemerkungen

Bei der Behandlung des Generalthemas einer Tagung über „Problematik der Gewalt und Gewaltlosigkeit im Alten Testament" konnten die individuellen Klagelieder des Psalters nicht ausgeklammert werden. Ist in ihnen doch gleichsam auf Schritt und Tritt von Gewalt die Rede: von Gewalt, die der Beter, der Jahweverehrer von anderen Menschen erfährt, wie von Gewalt, die er seinen Bedrängern, den „Feinden" in Form eines vernichtenden Gottesgerichts anwünscht. Während *R. Girard* in seinen beiden einschlägigen Hauptwerken[1] auf die Gewaltproblematik in den Psalmen noch nicht ausdrücklich zu sprechen kommt, tut dies *R. Schwager*[2] in seiner von der Theorie Girards inspirierten Interpretation der um Gewalt kreisenden alttestamentlichen Aussagen, und zwar in einem eigenen Abschnitt: „Die Rotte der Gewalttäter". Freilich würde es den Rahmen dieses Referates sprengen, im einzelnen zu überprüfen, ob sich in den Aktionen der Feinde und beziehungsweise oder in den Wertungen, Reaktionen der bedrängten Beter, entsprechend der Theorie Girards, Mimesis und Sündenbockmechanismus nachweisen lassen. Die hier zu bewältigende Aufgabe ist bescheidener: Es sollen formalinhaltlich miteinander verwandte (individuelle) Klagelieder aus dem antiken Mesopotamien und aus Israel unter den Aspekten „Feinde" und

---

[1] La violence et le sacré, Paris 1972, und: Des choses cachées depuis la fondation du monde, Paris 1978.
[2] Brauchen wir einen Sündenbock? Gewalt und Erlösung in den biblischen Schriften, München 1978, 100–117.

„Gewalt" verglichen werden. Dadurch könnte deutlicher in den Blick kommen, wieweit Israel beziehungsweise der Fromme in Israel die Problematik der Gewalt erkannt und eventuell bewältigt hat.

Der bisher offenen Frage, ob akkadische Klagelieder den Psalmisten – sei es durch kanaanäische Vermittlung, sei es durch direkten Kontakt (Babylonisches Exil!) – bekannt geworden sind, oder ob die Ähnlichkeit in Form und Inhalt durch den gleichen (semitischen) Kuturraum bedingt ist, kommt dabei nur geringe Bedeutung zu[3]. Sie kann offen bleiben. Freilich dürfen aus dem Vergleich dann nur behutsame Folgerungen gezogen werden.

2 Einführung in den Stand der Forschung

2.1 Babylonisch-assyrische Gebete und alttestamentliche Psalmen im literatur- und religionsgeschichtlichen Vergleich

Die formale, aber auch teilweise inhaltliche Verwandtschaft alttestamentlicher und akkadischer Gebete ist schon lange bekannt. Ich verweise etwa auf einschlägige Publikationen zweier Alttestamentler: *F. Stummer*[4] und *G. Castellino*[5]. Die alttestamentlichen Klagelieder des Einzelnen haben vornehmlich in privaten Bittgebeten Babyloniens (und Assurs) ihr Gegenstück. Mit ihnen hat sich ein älterer Fachmann der Psalmengattungsforschung, *J. Begrich,* bereits 1928 in einem Aufsatz befaßt[6]. Insbesondere erinnern babylonisch-assyrische Gebete, die an den „persönlichen Gott" gerichtet sind (in erster Linie von der Serie *dingir.šà.dib.ba*[7]) an individuelle Klagelieder des Psalters, in denen Jahwe als der „persönliche Gott" des Beters erscheint; man denke vor allem an Ps 22! Mit dieser Parallelität hat

---

[3] Für direkte Abhängigkeit der Psalmen: *F. Stummer,* Sumerisch-akkadische Parallelen zum Aufbau alttestamentlicher Psalmen (SGKA 11/1–2) Paderborn 1922, 177–180, weit zurückhaltender dagegen: *A. Falkenstein – W. v. Soden,* Sumerische und akkadische Hymnen und Gebete, Zürich – Stuttgart 1953, 55f.

[4] Parallelen (s. o. Anm. 3).

[5] Le Lamentazioni individuali et gli Inni in Babilonia e in Israele, raffrontati riguardo alla forma e al contenuto, Torino 1940.

[6] Die Vertrauensäußerungen im israelitischen Klagelied des Einzelnen und in seinem babylonischen Gegenstück, wieder abgedruckt, in: *ders.,* Gesammelte Studien zum Alten Testament (TB 21) München 1964, 168–216.

[7] Vgl. *W. G. Lambert,* Dingir.šà.dib.ba-Incantations: JNES 33 (1974) 267–322.

sich in einer struktur- und religionsvergleichenden Untersuchung in jüngerer Zeit *H. Vorländer*[8] auseinandergesetzt. Die babylonisch-assyrischen und die alttestamentlichen Gebete hat auf breitester Basis *E. S. Gerstenberger*[9] verglichen in seiner 1970 angenommenen, jedoch erst 1980 in überarbeiteter Form publizierten theologischen Habilitationsschrift. Im Hinblick auf das Generalthema dieser Tagung „Gewalt und Gewaltlosigkeit im Alten Testament" scheint mir ein Vergleich der akkadischen Gebetsbeschwörungen mit den individuellen Klageliedern Israels am aufschlußreichsten zu sein, begegnen uns doch, wenn ich die Literatur recht überblicke, nur in jener Gebetsgattung menschliche Feinde des Beters, vor allem, wenn man die assyrische Beschwörungssammlung Maqlû[10], die eigener Art ist, hier mitberücksichtigt; erst in ihr begegnen Feindbezeichnungen in massierter Form (Maqlû I, 73–86; II, 38–49). – Auch akkadische Gebete bezeugen die von *C. Westermann*[11] für die alttestamentlichen Klagelieder aufgewiesenen Elemente der Anklage Gottes, der Ich-Klage und der Feind-Klage, doch nicht in dieser Form beziehungsweise Zusammenstellung. Zwar enthalten die für unsere Belange in Frage kommenden sogenannten „Gebetsbeschwörungen" alle drei Glieder, doch betrifft die Anklage Gottes den *persönlichen* Gott, nicht aber den in der „Gebetsbeschwörung" angesprochenen Gott. In den an den persönlichen Gott gerichteten Gebeten wiederum (etwa in der Gebetsserie *dingir.šà.dib.ba*) fehlt das Element der Feind-Klage gänzlich, und die Anklage Gottes tritt hier hinter der Ich-Klage (Westermann), der breiten Schilderung der Not, die ihrerseits so gut wie ausschließlich mit eigener Sünde oder Sündhaftigkeit im tiefsten begründet wird, deutlich zurück. Diese formalen Unterschiede sollten bei einem Vergleich israelitischer und assyrisch-babylonischer Gebete durchaus beachtet werden, trotz, ja gerade wegen der unleugbaren Verwandtschaft der Gebete beider Religionen.

---

[8] Mein Gott. Die Vorstellungen vom persönlichen Gott im Alten Orient und im Alten Testament (AOAT 23) Kevelaer – Neukirchen/Vluyn 1975.

[9] Der bittende Mensch. Bittritual und Klagelied des Einzelnen im Alten Testament (WMANT 51) Neukirchen-Vluyn 1980.

[10] Vgl. *G. Meier,* Die assyrische Beschwörungssammlung Maqlû (AfO.B 2) Berlin 1937 (Nachdruck: Osnabrück 1967).

[11] Struktur und Geschichte der Klage im Alten Testament, in: *ders.,* Forschung am Alten Testament (TB 24) München 1964, 266–305.

Die beiden zuletzt genannten vergleichenden Untersuchungen scheinen mir diese und ähnliche Differenzen nicht genügend berücksichtigt zu haben. So identifiziert *H. Vorländer*[12] ungeprüft nach babylonischem Vorbild die Feinde des klagenden Psalmisten mit Zauberern und Dämonen, und *E. S. Gerstenberger*[13] meint nach dem Beispiel der babylonisch-assyrischen Gebetsbeschwörungen auch für die individuellen Klagelieder des Psalters im Hinblick auf den Verlauf des Ritus einen Ritualexperten postulieren zu müssen.

2.2 Form und „Ort" der Gebetsbeschwörungen

Bevor wir uns dem Hauptproblem, dem Wesen, der Funktion und der Bedeutung der Feinde in den „Gebetsbeschwörungen" zuwenden, soll vornehmlich in Anlehnung an die vorzügliche Untersuchung *W. Mayers*[14] die hier in Frage kommenden akkadischen Arten von „Gebetsbeschwörungen" und ihr ritueller Ort noch kurz charakterisiert werden. *W. Mayer*[15] teilt die rituellen Bittgebete des Einzelnen in zwei Obergruppen ein, von denen uns hier lediglich die Gruppe A interessiert. In dieser Gruppe unterscheidet er drei Gebetsarten: An erster Stelle sind die *Schu-ila-Gebete,* das heißt *„Handerhebungsgebete"* zu nennen. Šu-ila ist sumerisch und bedeutet „Handerhebung". „Diesen Gebeten geht es", so *Mayer*[16], „um einen guten Allgemeinzustand des Menschen, um die Befreiung von Lebensbedrohendem und Erlangung von Lebensförderndem". Die nächste Art stellen die uns weniger interessierenden *Namburbi-Gebete* dar, die dazu dienen, „die Bedrohung durch ein von Vorzeichen (Omina) angekündigtes Übel abzuwehren"[17]. Schließlich rechnet Mayer (ebd.) zu den „Gebetsbeschwörungen" noch „Gebete, die zur Befreiung von Unheilsmächten, nämlich Krankheit, Dämonen, Zauberei, Feinden (Zauberern) dienen". Von der bei Mayer separat gestellten Anzahl kleinerer Gruppen verschiedenen Anlasses und ver-

---

[12] Mein Gott (s. o. Anm. 8) 250–265, besonders 265.
[13] Der bittende Mensch (s. o. Anm. 9) 117 f, 134–139, 164, 168 f.
[14] Untersuchungen zur Formensprache der babylonischen „Gebetsbeschwörungen" (StP.SM 5) Rome 1976.
[15] AaO. 13–16.
[16] AaO. 13.
[17] AaO. 14.

schiedenen Zweckes sind für die hier anstehende Thematik möglicherweise nur die sogenannten *šigû-Gebete*[18] von Belang, insofern sie sich mit bestimmten individuellen Klageliedern des Psalters, den sogenannten Bußpsalmen formal und inhaltlich berühren, ohne daß jedoch Feindbedrängnis im Mittelpunkt der Not steht. Das babylonische Wort *šigû* bedeutet „Wehklage, Bußgebet"[19].

Freilich ist die auf *B. Landsberger* zurückgehende wissenschaftliche Gattungsbezeichnung „Gebetsbeschwörung"[20] nicht sehr glücklich gewählt, da sich der Laie darunter weniger Gebete als eine Aneinanderreihung von magischen Beschwörungsformeln vorstellt[21]. Doch das wäre in der Tat ein Mißverständnis, handelt es sich doch bei den fraglichen Texten trotz ihrer magischen Verwendung primär um wirkliche Gebete, wenn diese auch, allerdings nicht immer von Anfang an, Teil eines magischen Rituals waren und wohl auch von den Betern beziehungsweise Benutzern als magisch wirksame Mittel aufgefaßt worden sind. Kurz, unter „Gebetsbeschwörungen" hat man mit *W. Mayer*[22] „rituelle Bittgebete des Einzelnen" zu verstehen, und zwar „vorformulierte Texte, Gebetsformulare, die für den Gebrauch bereitstehen".

Was die *Struktur"* der Gebetsbeschwörungen angeht, so sei auf die Pilotuntersuchung von *W. G. Kunstmann*[23] sowie auf die schon erwähnte Untersuchung von *Mayer* verwiesen.

Lediglich die *Aufbauelemente* einer „Gebetsbeschwörung" seien kurz mitgeteilt[24]: *F. Stummer* und *J. Begrich* unterscheiden folgende Elemente: 1) Anrede: Namen nebst Ehrenprädikaten, 2) Herrlichkeitsschilderung, 3) Selbsteinführung des Beters, 4) Klage (Darlegung der Not), 5) Bitte, 6) Schlußformel: Versprechen, Gelübde. Die Assyriologen *B. Landsberger, W. G. Kunstmann* und *W. v. Soden* modifizieren die Elemente 1), 2), 3) und 6) wie folgt: 1) Anrufung des Gottes mit Ehrentiteln, 2) Lob des Gottes, 3) Überleitung(sfor-

---

[18] *Mayer,* „Gebetsbeschwörungen" 15. Vgl. auch: *Falkenstein – v. Soden,* Hymnen (s. o. Anm. 3) 44f; sowie: *W. v. Soden,* Gebet II (babylonisch-assyrisch), in: RLA III, 160–170, 167f.

[19] Vgl. *Mayer,* aaO. 112, Anm. 90.

[20] *W. v. Soden,* RLA III, 168.

[21] Vgl. hierzu und zum Folgenden: *Mayer,* aaO. 9–13.

[22] AaO. 10f.

[23] Die babylonische Gebetsbeschwörung (LSSt.NF 2) Leipzig 1932.

[24] Folgende Auflistung nach *Mayer,* „Gebetsbeschwörungen" (s. o. Anm. 14) 35.

mel), 6) Dank- bzw. Segensformel. Schon hier werden Ähnlichkeiten und Unterschiede gegenüber den individuellen Klageliedern Israels deutlich: Während sich die Elemente 4) bis 6) (Klage, Bitte, Versprechen/Gelübde) auch in den Psalmen in dieser Reihenfolge finden, fehlt der hymnische Lobpreis Gottes in der Regel und die namentliche Selbsteinführung des Beters ganz.

Um die eigentlichen „Gebetsbeschwörungen" richtig zu verstehen, muß man um ihren *rituellen Ort* wissen, zumal sich unsere babylonischen Gebete in diesem Punkte am stärksten von ihrem alttestamentlichen Gegenstück unterscheiden. Während wir in diesem Punkte bei den alttestamentlichen individuellen Klageliedern trotz der (meist schwer deutbaren) Psalmenüberschriften weitgehend im dunkeln tappen, sind wir über die Art und die Umstände des Vollzugs der „Gebetsbeschwörungen" dank ihrer Verankerung im Ritual bestens informiert. Bildeten unsere Gebetstexte doch einen Teil von Beschwörungsritualen, die ihrerseits wiederum in Typen spezieller und allgemeiner Art geschieden wurden. So gehörten, wie schon bemerkt, etwa gewisse Beschwörungen zu einem Ritual, das der Abwehr *drohenden Unglücks,* von dessen Bevorstehen man durch Omina erfahren hatte, dienen sollte. Es sind dies Gebetsbeschwörungen vom Typ *nam.bur.bi* (d.h. „seine Lösung" bzw. „sein Lösungsritual")[25]. Die *Handerhebungsgebete" (Schu-ila)* waren indes in mehr *allgemeinen Bittritualen* beheimatet[26]; sehr oft waren es Kranke, die sich der letztgenannten Gebets-„Gattung" bedienten. Wer sich (etwa als Kranker) zu einer Gebetsbeschwörung entschlossen hatte, konnte das Gebet keineswegs ohne weiteres frei oder nach einem Formular sprechen, er mußte sich vielmehr an den zuständigen Ritualexperten wenden, der über die richtige Anwendung und Durchführung des Rituals zu wachen und die fälligen Zeremonien vorzunehmen hatte. Der eigentlichen Gebetsbeschwörung gehen in den Ritualsammlungen eine meist allgemein gehaltene Zweckbe-

---

[25] *Gerstenberger,* Der bittende Mensch (s.o. Anm. 9) 80.
[26] Vgl. hierzu und zum Folgenden die Edition der betreffenden Gebete einschließlich des Rituals von *E. Ebeling:* Die Akkadische Gebetsserie „Handerhebung" von neuem gesammelt und herausgegeben (VIOF 20) Berlin 1953 (= Ebeling), außerdem: *Gerstenberger,* aaO. 67–93. – Mit den babylonisch-assyrischen Beschwörungsritualen verwandt sind die hurritischen, die ebenfalls bei Verhexung angewandt wurden, vgl. *V. Haas – H. J. Thiel,* Die Beschwörungsrituale der Allaituraḫ(ḫ)i und verwandte Texte. Hurritologische Studien II (AOAT 31) Kevelaer – Neukirchen/Vluyn 1978.

stimmung der Beschwörung und eine Ritualanweisung im Hinblick auf die notwendigen Reinigungen des Kultortes (oft das Dach des Wohnhauses oder auch der Hof) und die Zurüstung des meist einfachen Opfers voraus, das der Klient oder Patient darzubringen hatte. Eigenartigerweise wird der Ritualfachmann (*āšipu* und andere babylonische Termini) in der Ritualanweisung in der zweiten Person angeredet. Es handelt sich hier offenbar um ehemals mündliche, nun verschriftete Priesterlehre![27] Der Ritualexperte hatte den mit dem akkadischen Substantiv *šiptu* „Beschwörung" eingangs kenntlich gemachten Gebetstext seinem Patienten beziehungsweise Klienten vorzusprechen und diesen den Text bis zu dreimal rezitieren zu lassen. Eventuell hatte er seinen Patienten zu Beginn der Gebetsbeschwörung an der Hand zu fassen (vgl. Ebeling 76/77, 16). In anderen Ritualen (der *šurpu*-Serie[28]) konnte der Beschwörungsfachmann die Beschwörung auch an Stelle seines Klienten gleichsam fürbittend für diesen vortragen. Dem Gebetstext folgt in den Ritualen gewöhnlich eine offizielle Unterschrift, die diesen als „Beschwörung(en) durch Handerhebung zu dem entsprechenden Gott" (etwa Marduk) ausweist. Danach finden sich mitunter noch Anweisungen für den Ritualfachmann für Abschlußriten, gegebenenfalls noch eine zusätzliche Beschwörung für den Kultexperten selbst, die verhindern soll, daß der durch die Gebetsbeschwörung vom Patienten gelöste Zauber nun etwa den Ritualfachmann selbst befällt[29]. Dieser magische Kontext, den man von den „Gebetsbeschwörungen" her an sich so nicht vermutet, mußte auch deshalb in aller Kürze angesprochen werden, weil von ihm doch einiges Licht auf die Gebete selbst fällt sowie auf das Verständnis der vom Beter erfahrenen oder wenigstens befürchteten Bedrohung, von der er durch die „Gebetsbeschwörung" befreit oder doch verschont werden möchte.

---

[27] Vgl. hierzu *Gerstenberger,* aaO. 78.

[28] Vgl. die Edition von *E. Reiner,* Šurpu. A Collection of Sumerian and Akkadian Incantations (AfO.B 11) Graz 1958. – Die Texte Šurpu II, III und wohl auch IV, 1–88 rezitiert der Beschwörungspriester (Kultexperte), ansonsten agiert der *leitende* Priester. Einige Beschwörungen, welche die magischen Handlungen des Verbrennens der die Verschuldung(en) vertretenden Gegenstände interpretieren, spricht der Patient selbst (V/VI, 60–143.187–199). Beschwörung und Ritual sollen von *Krankheit* und Krankheitsdämonen befreien, und zwar durch Lösung der der Krankheit zugrunde liegenden *Schuld (!).*

[29] Vgl. hierzu *Ebeling* 82/83, 96 ff.

3.1 Die Not

Worin besteht nun die Not oder die Bedrohung des Beters, die er vor der Gottheit ausbreitet? Sie kann erhoben werden aus der Klage, der Bitte, wie aus der in der Überschrift der „Gebetsbeschwörung" angegebenen Zweckbestimmung. Die Klage ist oft so allgemein gehalten, daß sie für körperliches Leid wie seelischen Kummer paßt. So lesen wir in einer „Gebetsbeschwörung" durch Handerhebung zu Ištar:

Ich schwanke wie (bei) eine(r) Wasserflut, die böser Wind stark macht,
es fliegt, es flattert mein Herz, wie ein Vogel des Himmels,
ich wimmere wie eine Taube Tag und Nacht,
ich glühe, ich weine qualvoll, mit Weh und Ach ist mein Inneres krank gemacht …[30]

Noch eindeutiger ist körperliche Krankheit die primäre Not in einem „Handerhebungsgebet" an Marduk:

Unglück (Tabu), gewal[tiges, ist mir begegnet],
hat mich niedergeworfen wie [ein Netz],
der alû-Dämon, ‚Kopfkrankheit', Kummer, Fieber, Tr[übnis (?)],
ungute Krankheit, Fluch, Bann haben [mich] nieder[geworfen],
meine Leibesgestalt ist (in) Fieber (versetzt), ich bin bekleidet [damit wie mit einem Tuche][31].

Mit der beklagten „Kopfkrankheit" ist möglicherweise „Verstandesverwirrung" gemeint, die in der Zweckbestimmung der Gebetsbeschwörung (Überschrift) unter anderem ausdrücklich genannt ist[32].

3.2 Die Erklärung der Not

Wie wir eben hörten, führt der Beter seine Krankheit unter anderem auf einen Dämon[33], und zwar den *alû*-Dämon[34], zurück. An dieser

---

[30] *Ebeling* 133, 62–66.   [31] *Ebeling* 79, 49–53.
[32] *Ebeling* 75, 1.
[33] Zu dieser Thematik ist immer noch lesenswert: *O. Weber,* Dämonenbeschwörung bei den Babyloniern und Assyrern (AO VII, 4) Leipzig 1906. – Vgl. auch die einschlägigen Abbildungen von Dämonen versinnbildenden Tiergestalten bei: *O. Keel,* Die Welt der altorientalischen Bildsymbolik und das Alte Testament, Zürich u. a. 1972, 68–74.
[34] *Ebeling* 79, 51. – Zu diesem Dämon vgl. *Weber,* aaO. 11 f.

Stelle ist kurz ein Wort zur Rolle und (psychologischen!) Herkunft der Dämonen zu sagen, da sie in den Gebetsbeschwörungen ständig auftauchen und wir bei dem Thema „Feinde des Beters in den Psalmen" auf sie zurückkommen müssen. Die Welt der Dämonen im Bereich der sumerisch-babylonischen Religion ist höchst mannigfaltig. In einer „Gebetsbeschwörung" an Nusku findet sich eine ganze Litanei von Dämonen, die vor der Lichtgottheit ins Verborgene weichen oder von ihr verscheucht werden sollen: der (böse) Schedu, der „Späher" *(hajjātu)*, der Netzdämon *(alluhappu)*, der „Verderber" *(habbillu)*, der Gallu, der „Lauerer" *(rābisu)*, der „böse Gott" *(ilu lemnu)*, der Utukku, der „Sturmdämon" *(lilû)*, die „Sturmdämonin" *(lilītu)*, der „Versorger zum Bösen" *(saghulhazû)*, der „Böse" *(lemnu)*, der Schulak (ein Unterweltsdämon), „der nachts einhergeht"[35]. Das Ganze erinnert an einen Alptraum, in dem sich Bilder des Krieges, der Jagd, Bilder von wilden Tieren aber auch von Naturgewalten zu Dämonen verdichtet haben. Mit *O. Keel*[36] wird man *hier* wohl zu Recht von *Projektionen* sprechen dürfen: „Durch das kaum kontrollierte Assoziieren und Projizieren kann die Welt für den Unglücklichen voll von gefährlichen Mächten und Wesen aller Art werden. Selten kann sich die Phantasie auf eine einzige Möglichkeit konzentrieren". Es fragt sich allerdings, ob das gesamte Feindproblem im Psalter auf dem Wege der Projektion gelöst werden kann. Der babylonische Beter ist jedenfalls davon überzeugt, daß sein Unglück, seine Krankheit auf einen Dämon (etwa wie in dem oben angezogenen Gebet zu Marduk auf den *alû*-Dämon) oder auch mehrere Dämonen zurückgehen. Er nennt bisweilen mehrere Namen von Dämonen, um keinen eventuell verantwortlichen zu vergessen, sondern vor der angerufenen Gottheit alle möglichen namentlich zu denunzieren, damit diese gleichsam offiziell informiert ist und ihn von seinem Quälgeist oder seinen Quälgeistern befreien kann.

Der erwähnte *alû*-Dämon hat nicht rein zufällig vom Beter Besitz

[35] Vgl. *Mayer*, „Gebetsbeschwörungen" (s. o. Anm. 14) 485,42–45; Übersetzung bei *Falkenstein – v. Soden*, Hymnen (s. o. Anm. 3) 351. – Zum Dämon *saghulhazû* (so Mayer!), sumerisch SAG. ḪUL.ḪA.ZA (s. u. zu Anm. 70), vgl. RLA II, 111: „der Berechner des Debet-Kontos".
[36] Feinde und Gottesleugner. Studien zum Image der Widersacher in den Individualpsalmen (SBM 7) Stuttgart 1969, 67. – Vgl. auch *Vorländer*, Mein Gott (s. o. Anm. 8) 254–256.

ergriffen; im gleichen Gebet heißt es nämlich: „Meine Kraft ist mir genommen, ‚durch böse Taten der Menschen' *(ina ipši limnuti ša amêlûti)*[37] bin ich umgeben und geschlagen." Diese „bösen Taten der Menschen" können nur mit dem schon erwähnten Fluch und Bann[38] identifiziert werden. Wie aber konnte es jenen gelingen, ihn mit Fluch und Bann zu schlagen? Und was hat der *alû*-Dämon als unmittelbare Ursache der Krankheit damit zu tun? Die Antwort liegt auf der Hand: Sie vermochten es nach Meinung des Beters beziehungsweise des Rituals durch Zauberei oder Hexerei: Entweder zauberten und hexten sie selbst, oder sie bedienten sich dazu eines Zauberers, eines Hexers. Es ist an sympathetische Magie gedacht:

Sie haben genommen meine Bilder, ge[legt ins Grab (?)],
den Staub meiner Füße haben sie umkrallt (?),
meine Maße sind genommen[39].

Entsprechend lautet die Bitte:

Mein Gott (und meine) Göttin, die Menschen mögen Frieden (mit mir) schließen!
Auf deinen Befehl möge mir nicht nahen ‚Jegliches Böse', Machenschaft des Zauberers und der Zauberin,
mögen mir nicht nahen Zauberei, Geifer, Schmutzerei(en), böse Machenschaften der Menschen ...[40]

Auch in dem „Handerhebungsgebet" an Ištar bittet der Beter um Vertreibung der „bösen Machenschaften" an seinem Leibe[41]. Die Primärfeinde, die Letztverursacher der Not beziehungsweise Krankheit, besser: diejenigen, die dafür gehalten werden, sind praktisch ausschließlich *Zauberer*. So ist denn stereotyp vom Zauberer *(kaššāpu)* und von der Zauberin *(kaššāptu)* die Rede, gelegentlich von Hexer *(epišu)* und Hexerin *(muštepištu* bzw. *epištu),* seltener von Betörer/Betörerin *(saḫiru/saḫirtu)* und von Spukmacher/Spukmacherin *(raḫû/raḫitu).* Jedenfalls eröffnen diese mit dem Pronominalsuffix der 1. Person Singular versehenen, genannten Bezeichnungen magisch aktiver Feinde die beiden umfangreichsten mir bekannten Feindauflistungen in der assyrischen Beschwörungsserie Maqlû (I, 73–86; II, 38–49)[42]; beide Listen sind praktisch identisch. Danach

---

[37] *Ebeling* 78/79, 56. [38] Vgl. *Ebeling* 79, 52.
[39] *Ebeling* 79, 54 f. [40] *Ebeling* 79/81, 61–63.
[41] *Ebeling* 133, 55.
[42] Vgl. die Edition von *Meier* (s. o. Anm. 10) z. St.

werden noch litaneiartig aufgezählt: mein Widersacher/meine Widersacherin *(bêl ikki-ia/bêlit ikki-ia)*, mein Feind/meine Feindin *(bêl ṣiri-ia/bêlit ṣiri-ia)*, mein Verfolger/meine Verfolgerin *(bêl ridi-ia/bêlit ridi-ia)*, mein Kläger/meine Klägerin *(bêl dini-ia/bêlit dini-ia)*, mein Verleumder/meine Verleumderin *(bêl amâti-ia/bêlit amâti-ia)*, mein Ränkeschmied/meine Ränkeschmiedin *(bêl dabâbi-ia/bêlit dabâbi-ia)*, mein Plänemacher/meine Plänemacherin *(bêl egirri-ia/bêlit egirri-ia)*, schließlich: mein Böser/meine Böse *(bêl limutti-ia/bêlit limutti-ia)*. Man könnte zwar meinen, die zuletzt genannte Gruppe von Feinden meine solche, die dem Beter des Beschwörungsrituals „normale" Nachstellungen oder Schwierigkeiten etwa auf dem Rechtsweg (vgl. Kläger/Klägerin) bereitet hätten. Doch zeigt der folgende Kontext, daß auch hier Feinde mit magischen Aktivitäten gemeint sind; Ankläger vor Gericht würde der Betroffene zudem kennen oder kennenlernen, doch bei dem Beter von Maqlû I, 73–121 ist dies keineswegs der Fall:

Richter [Nus]ku, du kennst sie, ich kenne sie nicht
[die Zauberei, Hexerei, S]puk, böse Machenschaften,
Behexung, Auflehnung, böses [Wort], Liebe, Haß,
Rechtsverdrehung, Mord, Lähmung des Mundes ...
Herzveränderung, Glühen des Gesichts, Wahnsinn,
alles (?), was [exist]iert, (was) sie zugewandt haben, sich zuwenden ließen,
dieses sind sie, dieses sind ihre Figuren:
[da sie nicht] (selbst) dastehen, hebe ich ihre Figuren empor[43].

Die feindlichen Aktivitäten der eingangs genannten Personengruppen bestanden nach Auffassung des Rituals durchweg in sympathetischer Magie. So heißt es denn I, 96 ff von ihnen:

Die meine Figuren gefertigt, meine Gestalt nachgebildet haben,
die [mein Antlitz] ergriffen, meinen Hals zuschnürten,
meine Brust stießen, meinen Rücken krümmten[44].

Auch der zweite aus Maqlû herangezogene Beschwörungstext identifiziert die zuvor aufgelisteten Feinde samt und sonders mit Zauberern, die sympathetische Magie angewandt haben:

---

[43] Maqlû I, 87–94, Übersetzung nach *Meier* z. St.
[44] *Meier* z. St.

Einer Leiche haben sie mich übergeben,
als Ärgernis mich zur Schau gestellt[45].

Sodann werden die verschiedensten Krankheitsdämonen aufgelistet, welche von den Feinden dem Beter angehext worden sein sollen oder sein können (II, 52–68). – Nun könnte man einwenden: Die Beschwörungen der assyrischen Beschwörungsserie Maqlû seien ein Sonderfall. Hier werde weniger gebetet als weiße Magie gegenüber solchen angewandt, die (angeblich) schwarze Magie gegen den betroffenen Beter praktiziert haben. Die „normalen" Gebetsbeschwörungen, die ja wirklich Gebete seien, müßten von jenen Beschwörungen abgehoben werden. Dieser Einwand ist sicher nicht ganz von der Hand zu weisen. Doch auch die „normalen" Gebetsbeschwörungen finden sich im Ritualzusammenhang in einem magischen Kontext. Und noch etwas Überraschendes ist zu registrieren: In den „Gebetsbeschwörungen" spielen (anders als man denken sollte) „normale" Feinde ebenfalls so gut wie keine Rolle, dafür ist umso mehr von magischen Widersachern die Rede. Ja, man trifft kaum eine der differenzierten Feindbezeichnungen aus Maqlû! In einer Gebetsbeschwörung an Hadad lesen wir die Bitte: „Vernichte meine Feinde' (*a-a-bi-a* = hebr.: *'oj°bāj), vertreibe, [die mir] bö[se sind]!"[46]. Doch auch hier sind Zauberer gemeint: „Nicht mögen an mich herantreten Zauber, Geifer, Schmutz, böse Machenschaften!"[47]

Weitere Bezeichnungen menschlicher Feinde begegnen im Rahmen der von *E. Ebeling* edierten Gebetsserie „Handerhebung" nur noch in dem bereits herangezogenen Gebet zu Ištar: Dort ist von *bêlê dabâbi-ia* die Rede[48] (vgl. Maqlû I, 84; II, 47), was von Ebeling mit „meine Feinde", von *W. v. Soden*[49] mit „meine Widersacher" wiedergegeben wird. Streng genommen müßte man übersetzen: „meine ‚Männer der (bösen) Rede'" (vgl. AHw I, 119). Im gleichen Kontext finden sich *ridu-ú-a* („meine Verfolger"[50]) und *ḫadu-ú-a* („meine Feinde" bzw. – so *W. v. Soden*[51] – „meine Neider"). Sogar

[45] Maqlû II, 50–51. Übersetzung nach *Meier* z. St.
[46] *Ebeling* 103, 14.
[47] *Ebeling* 103, 15.
[48] *Ebeling* 132, 56, vgl. Maqlû I, 84; II, 47 (Edition *Meier* z. St.).
[49] Hymnen (s. o. Anm. 3) 331.
[50] *Ebeling* 132, 58, vgl. Maqlû I, 81; II, 44.   [51] Hymnen 331.

„der Schwächling" *(lilû)* und „der Armselige" *(akû)* können sich feindlich gegen den Beter betätigen[52]. Schließlich werden im gleichen Gebet die Gegner als solche qualifiziert „die trotzig gegen mich sind" *(iqduti-ia)* und „die mir grollen" *(šabsuti-ia)*[53]. All das läßt eher auf sekundäre Feindschaft schließen, die durch die Notlage des Beters provoziert wurde. Auch die Aussage, daß die Gegner „in Falschheiten und Unwahrheiten Böses" gegen den Beter „sinnen"[54] und „freudig über ihn berichten"[55], scheint in die gleiche Richtung zu weisen.

Damit sind die einschlägigen Feindbezeichnungen in der von *E. Ebeling* edierten Gebetsserie „Handerhebung" auch schon erschöpft. Sie beschränken sich unter Absehung von Zauberer/Zauberei und ähnlichem auf ganze zwei Gebete (an Adad und vor allem an Ištar), wovon letzteres vom Inhalt her völlig atypisch ist. *H. Vorländer*[56] notiert hier zwar noch das Substantiv *ḫabbilu*[57] in der Bedeutung „Übeltäter", doch ist damit nach Ausweis des Kontextes eindeutig ein bestimmter Dämon[58], mithin kein menschlicher Feind gemeint.

Nur scheinbar ändert sich das Bild, wenn man in eine weitere Edition von *E. Ebeling*[59] einen Blick wirft. Hier treten Zauberer und Zauberin wie auch (Krankheits-)Dämonen deutlich hinter dem Feind beziehungsweise dem bösen Blick zurück, gegen die sich die Beschwörung (Ritual samt Gebet) richtet. Neben den allgemeinen Feindbezeichnungen wie *bêl limuttim* (Feind)[60] und *bêl dabâbi-ia* (mein Feind)[61], *ajjâbu* (Feind)[62], die schon an anderer Stelle erwähnt

---

[52] *Ebeling* 132/133,59.
[53] *Ebeling* 134/135,97 f.   [54] *Ebeling* 133,57.
[55] Ebd. Z. 58 – An zwei Stellen (*Ebeling* 80,73.83) ist die Lesung des Keilschrifttextes bzw. seine Interpretation umstritten: So interpretiert *Ebeling* (aaO. 81,73.83) *limnûti(meš)-ia* als „meine Feinde", *v. Soden* (Hymnen 305 f) dagegen als „das Übel von mir" bzw. „das Böse von mir".
[56] Mein Gott (s. o. Anm. 8) 252, vgl. 115.
[57] *Ebeling* 38,42.   [58] *v. Soden,* aaO. 351: „Verderber".
[59] Beschwörungen gegen den Feind und den bösen Blick aus dem Zweistromlande, in: ArOr XVII/1, Praha 1949, 172–211, von *Vorländer* und *Gerstenberger* (s. o. Anm. 8 und 9) anscheinend übersehen.
[60] AaO. 186,1, vgl. 190,1 *(bêl limutti-šu).*
[61] AaO. 191,2.7; 196,1–3; 197,22; vgl. aaO. 192,12.23 *(bêl dabâbi-ka:* dein Feind), aaO. 191,35; 203,10 *(bêl dabâbi-šu:* sein Feind).
[62] Im Singular: *a-a-bi(!)a* (mein Feind): aaO. 196,6, vgl. Z. 15.16.21.

wurden, stößt man noch auf weitere Charakterisierungen des Feindes und seiner Aktivitäten: seine Einstellung oder sein Wesen ist „feindlich" *(nakru)*[63]. Zweckbestimmungen zweier Gebete (Nr. 2 und 3 der Edition) erinnern an bestimmte Feindpsalmen. Es ist die Rede von einer „[böse(n)] Zunge der Zwie[tracht (?)]", die den Beter „verfolgt", daß man ihn „verklagt, seine Worte verändert, Verleumdungen gegen ihn ausspricht", daß „wer mit ihm spricht, Wahrheit nicht spricht"[64]. In gleichem Atemzug ist aber auch von „Zauberei, Geifer, Schmutzerei, böse(n) Machenschaften" die Rede, die „ihn unmerklich umgeben"[65]. Daß letztlich Zauber des Feindes oder der Feinde dahinter stehen, wird aus der Fortsetzung[66] vollends deutlich: (wenn)

Gott, König, Herrn, Magnaten, Patrouille, Wachtposten und das „Tor des Palastes"
man mit ihm zusammengebracht hat, so daß sie mit ihm zürnen, – um (dies alles) zu lösen
und den „Knoten des Bösen", den man ihm geknotet hat, zu entknoten …

Also Zauber hat letztlich die Lebensumstände des Beters zum Schlimmen verändert. Auf Abwehrzauber weist auch die Überschrift von Text Nr. 3 hin[67]:

Damit einem Menschen sein Feind nicht zum Mo[rde] naht (?) und er über ihm steht (ihm überlegen ist) […]
damit das Wort, das er spricht, gehört wird [bei] [Gott, König, Herrn, Magnat] Patrouille
und Posten, und das Tor des Palastes beschwichtigt wird durch seine Rede …

Text Nr. 4 bietet lange, schreckliche Flüche[68] in der Art von Ps 109,6–19 gegen den Feind des Beters, die in Bitten[69] an die angerufene, namentlich nicht genannte Göttin übergehen, den Feind mit Gefängnis und allen möglichen Gebrechen zu schlagen. Es bleibt offen, ob der Beter einen *bestimmten* Feind im Auge hat oder lediglich seine Krankheit (vgl. Z. 20) auf die Hexerei eines ihm *unbekannten* Feindes zurückführt. Letzteres ist wahrscheinlicher.

---

[63] AaO. 197,23, vgl. aaO. 191,26 (zweimal als Substantiv).
[64] AaO. 188,1–3. [65] Ebd. Z. 3f. [66] Ebd. Z. 4–6.
[67] AaO. 192,1–5.
[68] AaO. 196/198,1–10.14.18f.22f.25–30.
[69] Ebd. Z. 11–13.15–17.20f.24.

Schon eher könnte man bei einer Gebetsbeschwörung an [Adad, Uru-]gal und Ištar[70] an einen dem Beter persönlich bekannten Feind denken; doch erheben sich sofort wieder Zweifel, da dieser angebliche Feind (vgl.: „zu NN, dem Sohne des NN, meinem Feinde, der mit [mir] feind ist, auf dessen [deren] Wort sie jetzt zu Bösem mir zur Seite [gehen], sich gegen mich erheben, massig wie [eine Flut], wie eine Überschwemmung auftreten: Z. 22–26) zuvor mit einem Totengeist *(eṭimmu)* und einem *saghulḫaza* identifiziert wird, der den Beter „erfaßt hat", ihn „verfolgt" (Z. 19 f). Der Feind ist danach allenfalls ein Zauberer oder ein mit magischen Kräften begabter Mensch. Da der Feind als in einer anderen Stadt wohnhaft vorgestellt wird (Z. 27.30) und die angerufenen Gottheiten ihn daran hindern sollen, den Weg in die Stadt des Beters einzuschlagen (Z. 30 f), muß man vermuten, daß der Beter noch nicht einmal unter NN einen bestimmten Namen einzusetzen brauchte; die Götter mußten nur gebeten werden, ihrerseits gegen den ihnen bekannten Soundso einzuschreiten, ihm das Handwerk zu legen. – Eine weitere (sumerische!) Beschwörung des Textes Nr. 4 richtet sich an Adad[71], von dem es heißt (Z. 15–17)[72]:

Der des Bösen Brust wendet, die Götterwaffe [haltend (??)],
der den „Rechtsverdreher" … im Zaum hält, …
[der] unflätige Rede [unterdrückt (??)], …

Es dürfte hier wohl ein Dämon gemeint sein.

Die Beschwörung des Textes Nr. 5[73] interpretiert einen Abwehrzauber, der sich gegen magische Praktiken feindlich eingestellter Menschen richtet. Es ist die Rede vom „Fluch des Mundes vieler Menschen" (Z. 8), der auf dem Beter liegt. Das Ritual hat zum Ziel (Z. 9–12):

damit er (der Fluch) (ihm) nicht naht,
die Machenschaften seines Feindes an ihn nicht herankommen,
ein böser Finger gegen (hinter) ihm nicht ausgestreckt wird,
damit mit dem bösen Gotte [er versöhnt wird (?)], …[74]

Richtet sich diese Beschwörung gegen den „bösen Finger", so wenden sich die restlichen drei Beschwörungen (Nr. 6–9) gegen den „bö-

---

[70] Text Nr. 4 (Vorderseite 2. Kolumne) bei *Ebeling,* aaO. 196 f.
[71] AaO. 197 f bzw. 200.
[72] Ebd. 200.   [73] AaO. 202 f.   [74] Ebd. 203.

sen Blick". Hier wird der magische Charakter der empfundenen feindlichen Bedrohung offenkundig.

Auch hier ist als Ergebnis festzuhalten: Wenngleich in dieser Sammlung Unglück oder Bedrohung des Beters nicht direkt auf Zauberer und Zauberin zurückgeführt werden, sondern auf einen Feind beziehungsweise auf Feinde, so ergibt sich aus den Texten doch eindeutig, daß der Feind nicht offen, etwa als Ankläger, gegen den Beter agiert, sondern aus dem Verborgenen oder gar aus der Ferne, indem er mit Hilfe magischer Praktiken Wohlbefinden und (oder) Lebensverhältnisse des Beters mindert beziehungsweise sogar in seiner Tätigkeit wie ein Dämon oder durch einen Dämon auf den Betroffenen einwirkt.

Ein Blick in weitere Editionen, wie in diejenige von *A. Scholl-meyer*[75] und in die von *W. Mayer* bearbeiteten Gebete, erbringt unter diesem Gesichtspunkt nichts Neues.

Somit stellen „normale" Feinde des Beters, solche, die sich *nicht* (im Verborgenen) ihm gegenüber magisch betätigen, in den akkadischen Gebeten eher die Ausnahme dar. Der Umstand, daß in der zuletzt angezogenen (früheren) Edition von *E. Ebeling,* vor allem aber in der assyrischen Beschwörungssammlung Maqlû (I, 79–86; II, 42–49) teilweise massiert „normale" Feindbezeichnungen auftauchen, ist kein Gegenbeweis, da der Kontext ausschließlich auf magische Praktiken verweist und in Maqlû (I, 74–78; II, 38–41) unmittelbar die Feindgruppe der Zauberer folgt. An anderer Stelle (IX, 68) kann der Klient seine Zauberin sogar „meine Mörderin" *(nir-ti-ia)* nennen.

Daraus folgt: Der Beter im alten Mesopotamien sieht sich, soweit menschliche Feinde in Betracht kommen, praktisch ausschließlich von Zauberern oder solchen Menschen in seinem Wohlbefinden, ja Leben bedroht oder doch gemindert, die sich magischer Praktiken gegen ihn bedient haben oder bedienen.

---

[75] Sumerisch-babylonische Hymnen und Gebete an Šamaš (SGKA.E 1) Paderborn 1912. – Dies bestätigt auch eine Durchsicht von: *M.-J. Seux,* Hymnes et prières aux dieux de Babylonie et d'Assyrie (LAPO 8) Paris 1976: Über die schon von Ebeling edierten Handerhebungsgebete hinaus sind bei *Seux* noch zu vergleichen: Prières du conjurateur (aaO. 215–237) und: Prières conjuratoires spéciales (aaO. 349–464). – Auf eine Berücksichtigung der bei *Mayer*(s. o. Anm. 14) 84 Anm. 28 notierten akkadischen Texte (mit Klagekatalogen) mußte aus Zeitgründen verzichtet werden.

Neben seinem Unglück, seiner Not, beklagt der Beter hin und wieder Entfremdung, Abwendung von Göttern und Menschen, zum Beispiel:

Es geschahen mir Krankheit „Kopfkrankheit", Verderben und Vernichtung. Es geschahen mir Ängste, Abwendung des Antlitzes und Zornerfülltheit, Grimm, Zorn, Groll der Götter und Menschen[76].

Offenbar hat die Abwendung der Götter, vorab des persönlichen Gottes, eher als Ermöglichung der Not, die erwähnte Abwendung der Menschen dagegen eher als Folge der Not zu gelten.

Diese Entfremdung kann, wie das gleiche Gebet bezeugt, auch die eigene Verwandtschaft einschließen. So klagt der Leidende: „Zerstreut ist meine Sippe *(illati)*..."[77] und bittet entsprechend: „Meine zerstreute Sippe versammele sich"[78]. – Nur scheinbar in diesen Zusammenhang gehört es, daß der Beter seine Krankheit als üble Folge eines Bannes verstehen kann, der sich durch eigene oder fremde Schuld (infolge eines möglichen Eidmißbrauchs durch Angehörige) auf ihn gelegt haben kann; aufgezählt werden: Vater, Mutter, Sprößling aus dem Haus des Vaters (also Bruder/Schwester), Hausgenossen, Gesinde, Familie, Sippe des Beters[79]. Es handelt sich hier also um eine vermutete Kollektivstrafe wegen der Angehörigen, nicht aber um feindseliges Verhalten von ihnen.

Doch Zauberer und Zauberin wie Dämonen haben, wie es scheint, erst dann Macht über einen Menschen, wenn sich zuvor sein persönlicher Gott und seine persönliche Göttin von diesem zornig abgewandt, ihn ihres Schutzes beraubt haben[80]. So klagt der Beter in einem Gebet zum Mondgott Sin:

Seit mein Gott auf mich zornig ist
(und) meine Göttin sich von mir entfernt hat,
muß ich (es) seit langem geduldig aushalten:
die Götter haben mir ‚Minderungen der Kraft' auferlegt;
Abgang, Verlust, Schwund und Minderung haben mich sehr getroffen;
mein Herz ist betrübt geworden, dem Tode bin ich nahegekommen[81].

---

[76] Gebet an Ištar: *Ebeling* 135,69–71, vgl. ebd. 133,56–61 und 79,56.
[77] *Ebeling* 134/135,78.   [78] Ebd. Z. 89.
[79] Vgl. Edition Schollmeyer (s. o. Anm. 75) Nr. 18 (Z. 25–35).
[80] Vgl. *Vorländer,* Mein Gott (s. o. Anm. 8) 85 f. Nach einigen Belegen glaubte man wohl auch, Zauberer könnten den persönlichen Gott vom Menschen entfremden (vgl. *Vorländer,* aaO. 107 f).
[81] *Mayer,* „Gebetsbeschwörungen" (s. o. Anm. 14) 501,56–60.

Und vor Marduk klagt der Beter: „Zorn Gottes und der Menschen liegt auf mir"[82] und fleht: „Mein Gott (und meine) Göttin, die Menschen mögen Frieden mit mir schließen"[83]. Die angerufene höhere Gottheit kann ihrerseits Wohlbefinden und Glück des Beters nur durch Versöhnen der zürnenden Schutzgottheiten wiederherstellen. So heißt es denn in jener Gebetsbeschwörung an Ištar:

Befiehl, auf deinen Befehl versöhne sich der zürnende Gott,
die Göttin, die in Groll geraten ist, kehre um![84]

Freilich schließt der Beter bisweilen auch nicht ganz aus, daß selbst der höhere Gott, an den er sich wendet, über ihn zornig sein könnte:

Vergiß, ja vergiß mich nicht, Sin, werde wieder freundlich zu mir!
Meinen Gott und meine Göttin, die zornig, verärgert und grollend sind,
(und) deine große Gottheit stimme wieder freundlich zu mir ...[85]

Wie kommt der Beter auf diesen Gedanken? Vielleicht verehrt er die höhere Gottheit besonders und schließt aus seiner Notsituation, daß sie ihre Macht gegenüber den zürnenden Schutzgottheiten zu seinen Gunsten nicht einsetzt, weil sie ihm ebenfalls zürnt.

4 Ergebnis

Zusammenfassend können wir im Hinblick auf das anstehende Generalthema feststellen: Die *Not, Krankheit* und *Bedrängnis* des babylonischen Beters erscheint *als Folgewirkung einer feindlichen Koalition von Göttern, Menschen und Dämonen.* Davon glaubt der Betroffene, die ihm feindlichen Götter (seine Schutzgottheiten und gegebenenfalls den von ihm besonders verehrten höheren Gott) wie auch – wenigstens bisweilen – die über ihn gekommenen (Krankheits-)Dämonen namentlich zu kennen. *Seine menschlichen Feinde* dagegen, die letztlich seine Not- und Bedrängnissituation verursacht haben, *kennt er nicht*. Er ist nur davon überzeugt, daß es sich um einen oder mehrere Zauberer (Zauberer/Zauberin), Hexer/„Macher" handeln muß, sei es daß diese von allein oder auf Veranlassung anderer unbekannter persönlicher Feinde gegen ihn tätig geworden sind. Sonstige Feindschaft oder Entfremdung von Mitmen-

---

[82] *Ebeling* 79,57.   [83] Ebd. Z. 61.   [84] *Ebeling* 135,85 f.
[85] *Mayer,* „Gebetsbeschwörungen" (s. o. Anm. 14) 501,66–68.

schen, die gelegentlich schon mal erwähnt wird, ist dagegen von geringer Bedeutung und als solche sekundär; sie verschwindet, sobald die primäre Notsituation aufhört, gleichsam von selbst.

Der babylonische Mensch führte also seine Notsituation auf ihm feindlich oder doch wenigstens nicht mehr freundlich gesonnene numinose Mächte zurück. Sie (die Gottheiten) schaffen, wie er glaubt, den Freiraum, in dem die unbekannten menschlichen Feinde (Zauberer oder deren Auftraggeber) ihre verderbliche Tätigkeit gegen ihn entfalten können, beziehungsweise bieten sich (so die Dämonen) den unbekannten menschlichen Feinden als verderbliche Angreifer an.

Angesichts der komplexen Ursachen seiner *Not* glaubt der Beter, diese *auf zweifache Weise wenden zu können,* a) durch *„Gebetsbeschwörung“,* b) durch *weiße Magie.* Die „Gebetsbeschwörung“ richtet er an die höhere Gottheit, um deren mächtige Hilfe zu gewinnen, die er nicht zuletzt durch überschwenglichen Lobpreis der Herrlichkeit und Macht der betreffenden Gottheit gleichsam zu provozieren versucht. *J. Begrich*[86] spricht hier, freilich wohl etwas überzogen, von „captatio benevolentiae“ und von „Schmeichelei“. Parallel dazu wendet er offizielle weiße Magie an, nicht etwa, weil er der Macht der angerufenen Gottheit mißtraute, sondern aus der Überzeugung heraus, daß Zauber nur durch Gegenzauber überwunden werden kann[87]. Während man die Dämonen als unmittelbare Bringer des

---

[86] Vertrauensäußerungen (s. o. Anm. 6) 184.

[87] Möglicherweise sollte die Gebetsbeschwörung auch das Zauberritual ergänzen, das als „Gegenzauber“ insofern unvollständig sein mußte, als man ja die genaue Art des vermuteten feindlichen Zaubers nicht kennen konnte (Hinweis von A. Angerstorfer in der Diskussion). Als Beispiel eines solchen Analogiezaubers möge ein Abschnitt aus Maqlû (II, 89–98) in der Übersetzung von *Meier* z. St. dienen:
Großer Gira, strahlender Gott!
Jetzt habe ich vor deiner großen Gottheit
zwei Figuren meines Zauberers und meiner Zauberin
    aus Kupfer angefertigt mit deiner Hand.
Vor dir habe ich sie gekreuzt, (sie) dir übergeben.
Sie mögen sterben, ich aber leben!
Sie mögen abbiegen, ich aber geradeaus gehen!
Sie mögen ein Ende nehmen, ich aber zunehmen!
Sie mögen schwach werden, ich aber stark!
Gewaltiger Gira, erhabener unter den Göttern,
der da faßt den Bösen und den Feind,
    fasse sie, während ich nicht zugrundegehe!

Unglücks, der Krankheit auf Projektion zurückführen kann, dürfte diese Erklärungsmöglichkeit bei der Identifizierung der Primärfeinde als Zauberer und Zauberin schwerer fallen, da in Babylonien offenbar schwarze Magie ebenso praktiziert wurde wie die weiße Abwehrmagie. Die Möglichkeit, daß sich ein persönlicher Feind des Beters der schwarzen Magie gegen diesen bediente, ist nicht grundsätzlich auszuschließen. Das heißt, der Zauberer konnte im konkreten Falle real sein, wenngleich dem Zauber als solchem Wirkmächtigkeit nur im allgemeinen Volksglauben eignete.

5 Die Gewaltproblematik in den Individualpsalmen

Wie stellt sich nun im Psalter, in den individuellen Klageliedern und Dankliedern (bzw. so *H.-J. Kraus*[88] neuerdings: Gebetsliedern) *die Problematik der Gewalt* dar, die der Beter *erleidet,* vor Jahwe *beklagt, um deren Abwendung er bittet?* Welcher *Art* ist die Not oder Bedrängnis des Beters? *Wodurch* wurde sie *ermöglicht, verursacht,* woher *kommt* sie?

Naturgemäß kann hier die leidige, immer wieder behandelte Frage nach der Natur der *Feinde* des Beters nicht ganz ausgeklammert werden. Doch kann dieses Referat schon wegen der Kürze der Zeit nur gedrängt darauf eingehen. Ansonsten verweise ich auf die ausführliche Diskussion dieser Problematik im 1. Kapitel des 1. Teilbandes meiner Habilitationsschrift[89]. Auch die ganze Palette der Not beziehungsweise Bedrängnis des Beters kann hier nicht ausgebreitet werden. Derartiges findet man im 2. Teilband meiner Habilitationsschrift[90]. Ich möchte mich auf die Untersuchung solcher Psalmen oder Psalmstellen beschränken, die für das alttestamentliche Verständnis der Gewalt besonders aufschlußreich sind.

---

[88] Psalmen (BK XV/1.2) Neukirchen-Vluyn ⁵1978, 40.49–60.
[89] *L. Ruppert,* Der leidende Gerechte. Eine motivgeschichtliche Untersuchung zum Alten Testament und zwischentestamentlichen Judentum (fzb 5) Würzburg 1972, 4–16; vgl. auch *J. Ridderbos,* De Psalmen I (COT) Kampen 1955, 382–408; *Keel,* Feinde und Gottesleugner (s. o. Anm. 36) 11–35, die älteren Deutungen (von der Zeit des NT und der Patristik angefangen) bei: *G. Marschall,* Die „Gottlosen" des ersten Psalmenbuches, Diss. Breslau 1929 (= Buchveröffentlichung: Münster i. W. 1929) 10–30.

5.1 Der Charakter der Not bzw. der Bedrängnis des Beters

5.1.1 Ein gedrängter Überblick

In *keineswegs der Mehrzahl* der individuellen Klagelieder und individuellen Danklieder ist die *primäre Not* des Beters eine *schwere,* bildlich gesprochen, eine bis an den Rand der Scheol führende *Krankheit*[91]. Seltener als in den babylonischen Gebeten versteht der israelitische Beter diese Krankheit als Strafe Gottes für bewußte oder unbewußte Sünden[92]. Mitunter führt er sie auf den *Zorn Gottes* zurück[93], was in den babylonischen Gebeten gelegentlich freilich ebenfalls zu registrieren ist. Dagegen findet sich *kein einziger eindeutiger Hinweis* darauf, daß die Psalmbeter ihre Krankheit bzw. körperlich-seelischen Leiden mit *Krankheitsdämonen*[94] oder gar mit Zauberern und Hexern[95] in Verbindung bringen, wie dies in den Ge-

---

[90] *L. Ruppert,* Der leidende Gerechte und seine Feinde. Eine Wortfelduntersuchung, Würzburg 1973.

[91] Nach *K. Seybold,* Das Gebet des Kranken im Alten Testament (BWANT 99) Stuttgart u.a. 1973, 76 wären nur 3 Gebete des Psalters (Ps 38; 41; 88) „mit Sicherheit als Krankheits- und Heilungspsalmen zu bestimmen", „mit relativer Sicherheit bzw. mit an Sicherheit grenzender Wahrscheinlichkeit": Ps 30; 39; 69; 102; 103 und Jes 38,9–20, „mit einer gewissen Wahrscheinlichkeit hinzuzählen": Ps 6; 13; 31; 32; 35; 51 (71); 73; 91. Insofern ist es äußerst problematisch, in den Feinden des Beters wenigstens teilweise Dämonen zu sehen (gegen: *E. S. Gerstenberger,* in: ders. – W. Schrage, Leiden [Kohlhammer Taschenbücher. Biblische Konfrontationen 1004] Stuttgart u.a. 1977, 53–59).

[92] Vgl. Ps 32,4f; 38,4.19; 39,12; 41,5; 51 (passim); 69,6; 103,2.10.12.

[93] Vgl. Ps 6,2; 38,2; 88,8.17; 102,11, vor allem auch die Ijob-Dichtung.

[94] Lediglich in dem nach *Seybold* (s.o. Anm. 91) als „eine Art ,Schutzpsalm'" (164), nicht eigentlich als Gebet eines Kranken zu betrachtenden Psalm 91 (vgl. V.3.5f.10) werden gleichsam dämonisch verstandene Mächte des Verderbens erwähnt, sozusagen dämonisierte Krankheiten. Zu diesem Psalm allgemein: *P. Hugger,* Jahwe meine Zuflucht. Gestalt und Theologie des 91. Psalms (MüSt 13) Münsterschwarzach 1971.

[95] Einzig Ps 109,17–19 *könnte* auf eine Krankheit hindeuten, welche die Feinde dem Beter wirkmächtig anwünschen. Der in V. 17f erwähnte Fluch wäre allerdings entweder dem Beter von seinen Feinden als schwarze Magie angedichtet oder als Selbstverfluchung im Rahmen eines Reinigungseides zu verstehen (vgl. *Kraus,* Psalmen⁵ 923). Diese Interpretation (mit dem Beter als *Objekt* der Flüche!) basiert allerdings auf der Voraussetzung, daß das Verständnis der Fluchlitanei Ps 109,6–19 als *Zitat* feindlicher Verwünschungen gegen den sich unschuldig angeklagt wissenden Beter richtig ist, so vor allem *H. Schmidt,* nach einer von ihm bereits 1912 geäußerten Vermutung, in: *ders.,* Das Gebet der Angeklagten im Alten Testament (BZAW 49) Gießen 1928, 41–44. Unabhängig von Schmidt hat *F. Stummer,* Parallelen (s.o. Anm. 3) 86–88, die fraglichen Verse als Flüche der Feinde interpretiert. Weitere Literaturverweise bei *Schmidt,* Gebet 41 Anm. 1.

beten des Zweistromlandes fast durchweg der Fall ist. Sollte sich dieser erste Eindruck bestätigen, dann hätte der Jahweglaube eine erstaunliche *Entdämonisierung der Krankheit und des Leids* zustande gebracht.

Sind uns in den babylonischen Gebeten an *Primärfeinden* durchweg nur im Geheimen wirkende, den Betern persönlich unbekannte Zauberer und Beherrscher beziehungsweise Veranlasser magisch wirksamer Praktiken begegnet, die schwere Krankheit, Not, ja den Tod des Beters bewirken, besser bewirken sollen, so treten die *Feinde des Psalmenbeters* anscheinend *in der Öffentlichkeit* auf, wenigstens in der Regel (Ausnahme etwa: Ps 59, 7 f.15 f). Jedenfalls gibt der Psalmenbeter auch nicht andeutungsweise zu erkennen, daß die Feinde ihm persönlich unbekannt sind. Außerdem spielt die *sekundäre Feindschaft* in den einschlägigen Psalmen[96] *eine viel größere Rolle* als in den babylonischen Gebeten: Die Feinde, in der Regel Nachbarn, Freunde, ja bisweilen sogar Verwandte, disqualifizieren den leidenden Beter als von Jahwe gestraft und verlassen, um sich deshalb von ihm abzuwenden[97]. Im Rahmen der babylonischen Gebetsserie „Handerhebung" war uns ein ähnliches Phänomen praktisch nur in der ziemlich eigenständigen, umfänglichen „Gebetsbeschwörung" an Ištar begegnet.

Der Grund für die letztgenannte Abweichung liegt meines Erachtens darin: Für den babylonischen Beter war es aufgrund seiner schweren Erkrankung ohnehin evident, daß der persönliche Gott ihn im Zorn verlassen hat, sei es aufgrund eigener Schuld oder nicht. Eventuelle Feinde hätten ihm damit nichts Neues gesagt. Er hätte ihnen derartiges kaum übel nehmen können. Schließlich hatte die Gebetsbeschwörung an die höhergestellte Gottheit (etwa an Marduk, Schamasch oder Sin) den Zweck, auf dem Wege der Einflußnahme des höheren Gottes den persönlichen Gott zur erneuten Zuwendung zum Beter zu veranlassen. – *Der alttestamentliche Beter hingegen will oder kann nicht glauben, daß sein persönlicher Gott, Jahwe,* über den er keinen höheren Gott weiß, *ihn tatsächlich und endgültig verlassen haben könnte,* zumal dann, *wenn er sich* – wie sehr oft in diesen Gebeten (!) – *keiner schweren persönlichen Schuld bewußt ist.* Gerade

---

[96] Vgl. etwa die Psalmen 30; 31; 35; 38; 41; 69 und 88.
[97] Vgl. Ps 31, 12; 35, 11–16; 38, 12; 39, 2; 41, 7.10; 69, 9.13; 88, 9.19, dazu die Ijob-Dichtung.

dies aber setzen die (sekundären) Feinde bei der Beurteilung seiner Krankheit voraus. Dies macht die (sekundäre) Feindschaft aus Anlaß der Krankheit für den alttestamentlichen Beter – im Unterschied zu seinem babylonischen Leidensgenossen – so gravierend und verletzend.

5.1.2 Die Feinde des Psalmenbeters und ihre Problematik

Unser erster Eindruck der Entdämonisierung der Feinde in den privaten Gebeten des Psalters ist nun an signifikanten Termini und Texten zu überprüfen. Steht ihm nicht die Hypothese von *S. Mowinckel*[98] entgegen, der ausgehend von der in unseren Psalmen verschiedentlich belegten Feindbezeichnung *po'ªlê 'awœn* die Feinde des Psalmenbeters samt und sonders als Zauberer erklärte. Mowinckels Hypothese, die wiederholt und endgültig widerlegt zu sein schien[99], wurde in jüngerer Zeit von *H. Vorländer* in seiner schon erwähnten Monographie „Mein Gott", jedoch wieder erneuert, und zwar vor allem im Hinblick auf den Befund in den altorientalischen Privatgebeten an den persönlichen Gott. Sind mit den Feinden nun tatsächlich, so *Vorländer*[100], „ursprünglich Zauberer und Dämonen gemeint"? Wie kommt Vorländer zu seiner Hypothese? Im wesentlichen auf folgendem Wege: Die *po'ªlê 'awœn* versteht er (wie Mowinckel) *generell als Zauberer*[101], die Bilder vom angreifenden und belagernden Heer[102], von der Jagd[103], von angreifenden wilden Tieren[104] interpretiert er unter Hinweis auf mesopotamische Parallelen auf Zauberer beziehungsweise Dämonen, in den verschiedentlichen Hinweisen auf Zunge, Lippen, böse Worte der Feinde[105] sieht er An-

---

[98] Åwän und die individuellen Klagepsalmen (Psalmenstudien I) Kristiania 1921 (photomechanischer Nachdruck: Amsterdam 1961) 76–133.

[99] So etwa von *H. Gunkel – J. Begrich*, Einleitung in die Psalmen (HK Erg. Bd.) Göttingen (1933) ²1966, 200–205, vor allem aber von *N. H. Ridderbos*, De „Werkers der Ongerechtigheid" in de individueele Psalmen. Een beoordeeling van Mowinckels opvatting, Kampen 1939. – Freilich hat Mowinckel später selbst die Einseitigkeit seiner Theorie eingeräumt (*ders.*, The Psalms in Israels Worship II, Oxford 1962, 250 [Note XXVIII]).

[100] Mein Gott (s. o. Anm. 8) 265. – Von neueren Autoren vertritt die Zauberer-Hypothese, wenngleich nicht generalisierend, u. a.: *J. Wm. Wevers*, A Study in the Form Criticism of Individual Complaint Psalms: VT 6 (1956) 80–96, 88 ff; vgl. auch *Ch. Hauret*, Les ennemies sorciers (s. u. Anm. 131).

[101] AaO. 251.   [102] AaO. 252 f, vgl. 249.

[103] AaO. 254, vgl. 249.   [104] AaO. 255 f, vgl. 250.

[105] AaO. 256–258.

spielungen auf magische Praktiken der Zauberer. Die von ihm beigebrachten Belege aus dem Bereich der babylonisch-assyrischen Gebets- und Beschwörungstexte scheinen auf den ersten Blick erdrückend zu sein. Doch muß man, bei allem zugestandenen dämonischen Kolorit der Feinde, in diesen tatsächlich und wenn ja, sogar ausschließlich Zauberer und Dämonen sehen? Das eben ist die Frage!

Die *Hauptschwierigkeit* wurde schon angedeutet: In den *babylonischen Gebeten* sind *die Dämonen in der Regel*, ja praktisch ausschließlich *Krankheitsdämonen*, die unabhängig oder aufgrund magischer Praktiken der Zauberer von ihrem Opfer Besitz ergreifen. Der *Psalmenbeter* aber *leidet* in der Mehrzahl der Fälle *offenbar* gar *nicht an einer Krankheit*. Wie können aber dann die Feinde Dämonen oder Zauberer sein? Außerdem sind in den babylonischen Gebeten, wie wir hörten, spezifische, nicht auf Zauberei verweisende Feindbezeichnungen höchst selten, während es in den Individualgebeten des Psalters geradezu von derlei Termini wimmelt, von *Feindbezeichnungen*, die auf *Rechtsgegner, Ankläger* (etwa vor Gericht) und ähnliches hinweisen[106]. Weiterhin finden sich die von *H. Vorländer*[107] aufgelisteten mesopotamischen Feindbezeichnungen (es sind deren 9) fast ausschließlich in der assyrischen Beschwörungsserie *Maqlû*, und zwar in eindeutig magischem Zusammenhang, wie er in den einschlägigen Psalmen in keiner Weise festzustellen ist.

Doch schauen wir uns bestimmte, *signifikante Psalmen* beziehungsweise Psalmstellen einmal genauer an, um die Zauberer-Interpretation auf ihre Solidität hin zu überprüfen.

Hierzu bietet sich etwa *Ps 7* an, den *H. Schmidt*[108] als *Gebet der Angeklagten* und *W. Beyerlin*[109] ähnlich als einen *Psalm im Zusammenhang mit der Institution eines kultischen Gottesgerichts* verstanden hat, ein Gebet, in dem sich übrigens nicht die Spur einer Krank-

---

[106] Vgl. *Ruppert*, Feinde (s. o. Anm. 90) 28–31.

[107] Mein Gott 251 f.

[108] Gebet (s. o. Anm. 95) 16–19. – Schmidt rechnet zu dieser Gruppe die Psalmen 7; 17; 26; 27; 31, 1–9; 57; 109; 142; er möchte ihnen (aaO. 29) die Psalmen 11; 13; 54; 55, 1–19; 56; 59; 94, 16–23; 140 „als gleichartig an die Seite stellen".

[109] Die Rettung der Bedrängten in den Feindpsalmen der Einzelnen auf institutionelle Zusammenhänge untersucht (FRLANT 99) Göttingen 1970, 95–101. – Beyerlin rechnet zur Psalmengruppe mit Institutionsbezug die Psalmen 3; 4; 5; 7; 11; 17; 23; 26; 27; 57; 63 (aaO. 75–138).

heitsnot findet, wohl aber Anspielungen auf tödliche Bedrohung durch eine nicht näher spezifizierte feindliche Anklage; denn nur von daher ist der feierliche Reinigungseid des Beters vor Jahwe (V. 4–6) zu verstehen. Zudem bittet er Jahwe unter Benutzung einer formelhaft klingenden Wendung um seine Rechtfertigung: „Schaff mir Recht, Jahwe, nach meiner Gerechtigkeit, und nach meiner Unschuld auf mir!" (V. 9 a β b, vgl. Ps 18, 21.25)[110]. Wie löst nun *Vorländer* die seiner Interpretation entgegenstehenden Schwierigkeiten dieses Psalms? Seine Methode ist bezeichnend: Den Reinigungseid (V. 4–6) übersieht er einfach. Die Rechtfertigungsbitte eliminiert er auf literarkritischem Wege[111]. Nun erweckt der Abschnitt V. 7–10 in der Tat den Eindruck eines Einschubs, der den Individualpsalm in einen Gemeindepsalm verwandelt hat. Da ist abweichend vom sonstigen Psalm die Rede von Feinden des Beters (im Pl!:V. 7), von Frevlern (Pl!:V. 10), den *Völkern* (V. 9 a α zu V. 7 gehörig!, V. 8), ja von einem *Völkergericht* (ebd.). All dies unterbricht den Zusammenhang zwischen V. 6 und V. 11, wo es um den bedrängten Beter und seinen Gott geht. Doch darf man zusammen mit diesem Abschnitt auch die in ihm befindliche, eben zitierte Bitte (V. 9 a β b) einfach eliminieren? Keineswegs, denn sie schließt bestens an den Reinigungseid von V. 4–6 an und bereitet die Vertrauensaussagen in V. 11–12 vor. – Was kann *Vorländer* nun positiv in Ps 7 für seine Feindinterpretation anführen? Er verweist darauf, daß der Verfolger das Leben des Beters auslöschen will (V. 3), daß er sein Schwert schärft, seinen Bogen spannt, glühende Pfeile macht (V. 13 f), eine Grube gräbt (V. 16). „Alle diese Bilder", so *Vorländer*[112], „passen am besten auf einen Zauberer, der nach dem Leben des Beters trachtet". In der dazugehörigen Anmerkung verweist er ebenda auf Umschreibungen des Treibens der Zauberer in Jagdbildern in der assyrischen Beschwörungsserie Maqlû. Doch kann man unseren Psalm nur von hochmagischen assyrischen Beschwörungstexten her verstehen? Können Schwert, Bogen, Pfeile, Grube nicht ebenso gut Bilder für lebensbedrohende Verleumdungen, falsche Anklagen sein? Und verweist das Bild von der Grube, in die der Übeltäter schließlich selbst hineinfällt, nicht eher auf weisheitlichen als auf magischen Kontext (vgl. Spr 26, 27)? Überhaupt hat man den Eindruck, daß

---

[110] Vgl. *Ruppert*, Der leidende Gerechte (s. o. Anm. 89) 22–27.
[111] *Vorländer*, Mein Gott 267.   [112] Ebd.

Vorländer (in ähnlicher Weise übrigens auch *E. Gerstenberger*) die babylonisch-assyrischen Gebete und Beschwörungstexte fast wie einen Kommentar zu den einschlägigen Psalmen liest. Gewiß können diese altorientalischen Parallelen die Bedeutung der entsprechenden Psalmenaussagen erhellen, ebenso gut freilich auch verdunkeln. Schließlich unterscheiden sich die individuellen Gebetslieder des Psalters, wie wir bisher schon sahen, in entscheidenden Punkten von den mesopotamischen Parallelen.

Auch bei anderen einschlägigen Psalmen erweist sich Vorländers Interpretation der Feinde als ähnlich schwach. So kann er etwa bei Ps 142 kein einziges Argument für sein magisches Feindverständnis beibringen[113]. Die Umstände, daß sich die meisten der einschlägigen Feindpsalmen an Jahwe als den persönlichen Gott des Beters richten und in ihnen oft Tier- beziehungsweise Jagdmetaphern in der Beschreibung der feindlichen Tätigkeit auftauchen wie ähnlich in den babylonischen Gebeten, zwingen keineswegs dazu, die Feinde des Psalmenbeters generell mit Zauberern und gar Dämonen zu identifizieren, auch nicht die unbezweifelbare Tatsache, daß der Volksglaube in Israel zeitweilig durchaus mit der Existenz von Dämonen rechnete[114].

Die pauschale Identifizierung der Feinde des Psalmbeters mit Zauberern und Dämonen hat sich somit als unhaltbar erwiesen. Doch umgibt die Feinde des Einzelnen im Psalter bisweilen ein Flair des Dämonischen und Zauberischen, ein Problem, dem wir noch näher nachgehen müssen.

5.2 Das dämonisch-magische Spurenelement in der Anfeindung bzw. Bedrängnis der Psalmenbeter

Die *po'ᵃlê 'awæn* sind keine gewöhnlichen „Übeltäter", sondern, um eine glückliche Formulierung von *H.-J. Kraus*[115] zu gebrauchen,

---

[113] Mein Gott 292.

[114] Vgl. hierzu *H. Duhm,* Die bösen Geister im Alten Testament, Tübingen – Leipzig 1904; dazu auch *H. Kaupel,* Die Dämonen im Alten Testament, Augsburg 1930, der freilich den alttestamentlichen Befund mitunter zu apologetisch auswertet.

[115] Psalmen⁵ (s. o. Anm. 88) 117, vgl. 116 f, zur Thematik der Feinde des Einzelnen in den Psalmen allgemein *H.-J. Kraus,* Theologie der Psalmen (BK XV/3) Neukirchen–Vluyn 1979, 161–167 (zu den *po'ᵃlê 'awæn* speziell ebd. 163 f, 166, 169 f). Zu dieser Feindgruppe vgl. schließlich die einschlägigen Artikel von *R. Knierim,* in: THAT I (1971) 81–84, und von *K.-H. Bernhardt,* in: ThWAT I (1973) 151–159.

„Täter des Unheimlichen". Ps 59 etwa kann ihren Charakter gut illustrieren. In V.3 werden sie mit „Blutmenschen" *('anšê damîm)*[116] parallelisiert. Sie stellen dem Beter nicht nur mit „Lüge" *(kāḥāš)*, sondern auch mit „Fluch" *('alā)*[117] nach (V.13), d.h. sie wünschen dem Beter, wie sie meinen und dieser glaubt, wirkkräftig die Vernichtung an (vgl. V.4). Wie ist dieser „Fluch" zu verstehen? Handelt es sich um eine Verwünschung schlechthin oder etwa um einen „bedingten Fluch", unter den die Feinde als Ankläger den Beter als Angeklagten stellen und der sich erfüllen soll, wenn der Angeklagte schuldig ist?[118] Doch wird für Ps 59 als Hintergrund auch nicht andeutungsweise ein sakrales Rechtsfindungsverfahren am Jahweheiligtum (vgl. 1 Kön 8,31 = 2 Chr 6,22) erkennbar, das bei anderen individuellen Klageliedern (vgl. Ps 7; 17 u.a.) noch durchschimmert. Eine solche Situation wird hier weit transzendiert, selbst wenn man mit gutem Grund annimmt, daß die Ausweitung des erbetenen richtenden Gottesbescheides auf alle Völker und „treulosen Frevler" *(bogᵉdê 'awæn)* in V.6–9 (gleichfalls in V.15f) einen späteren Einschub darstellt, der die Feinde als Empörer und lichtscheue Bluthunde charakterisiert. Warum? Zunächst, den *poʿᵃlê 'awæn* ist ihr Gruppencharakter eigentümlich; die Wortverbindung begegnet ausschließlich im Plural![119] Sie sind eine grundsätzlich zum Bösen verschworene Gemeinschaft (vgl. Ps 64,3). Außerdem haßt sie Jahwe (Ps 5,6), und sie rufen ihrerseits Jahwe nicht an, ja „verschlingen" gleichsam das Volk des Beters, wohl die Frommen (Ps 14,4 = 53,3), sie betätigen sich als Versucher (Ps 141,4). Vor allem aber, und dies

---

[116] Vgl. *N. A. van Uchelen, 'anšê damîm* in the Psalms, in: OTS 15, Leiden 1969, 205–212. Die Bedeutung des Ausdrucks ist nach dem Kontext durchweg bildhaft zu verstehen, etwa: „blutdurstige Menschen" (aaO. 212: „bloodthirsty men").

[117] Vgl. hierzu: *S. Mowinckel,* Segen und Fluch in Israels Kult und Psalmdichtung (Psalmenstudien V) Kristiania 1924 (photomechanischer Nachdruck: Amsterdam 1961) 61–135, vor allem: 82–96; *J. Pedersen,* Israel. Its Life and Culture, 2 Bde. (Teile I–IV), London – Copenhagen 1926 (Reprint: 1964): I/II 378–410 (Maintenance and Justice), 411–452 (Sin and Curse); *S. H. Blank,* The Curse, Blasphemy, the Spell and the Oath, in: HUCA XXIII,1, Cincinnati 1950/51, 73–95; *J. Scharbert,* Solidarität in Segen und Fluch im Alten Testament und in seiner Umwelt. I. Väterfluch und Vätersegen (BBB 14) Bonn 1958; *H. Ch. Brichto,* The Problem of „Curse" in the Hebrew Bible (JBL.MS 13) Philadelphia, Penn. 1963; außerdem die Artikel *'alā* in: THAT I (1971) 149–152 *(C. A. Keller)* und in: ThWAT I (1973) 279–285 *(J. Scharbert).* Näheres zur Thematik „Fluch" bzw. „Fluchpsalmen" weiter unten unter 6.3.

[118] Hierzu und zum sakralen Rechtsfindungsverfahren: *Scharbert, 'alā* 280 f.

[119] Vgl. *Ruppert,* Feinde (s.o. Anm. 90) 59–63.

ist entscheidend, treten sie dem Beter nicht offen entgegen, sondern wirken ausschließlich aus dem Verborgenen, dem Hinterhalt heraus (vgl. Ps 59,4; 141,9). Offenbar kennt sie der Beter überhaupt nicht persönlich[120], so wenig wie der Beter im Zweistromland seinen Zauberer und seine Zauberin. Er ist lediglich von ihrem heimtückischen, unheimlichen, frevelhaften Tun überzeugt, so wie der babylonische Beter von den Machenschaften der Zauberer.

In anschaulicher Weise illustriert Ps 9/10 die Pläne und Unternehmungen solcher Feinde. Obwohl der Terminus technicus *po'ᵃlê 'awæn* selbst nicht fällt, wird doch *'awæn,* in Parallele mit *'amal,* mit der Zunge des Feindes in Verbindung gebracht (Ps 10,7). Dieser wird in seinem Vorgehen mit einem Jäger oder Raubtier verglichen: er sitzt im Hinterhalt, lauert, späht, harrt, kauert sich nieder (vgl. Ps 10,8-10). Er hat nicht nur ein bestimmtes Opfer, einen einzelnen Unschuldigen im Visier, sondern überhaupt den Armen, den Geringen bzw. die Schwachen (vgl. Ps 10,8-10). Sein Plan geht auf nichts Geringeres als auf Mord (vgl. 10,8). Dazu motivieren ihn nicht nur seine Gier, seine Hoffart (vgl. 10,2f), sondern auch seine lebenspraktische Gottlosigkeit: „Der Frevler (denkt) hochnäsig: ‚Er ahndet nicht; es ist kein Gott'" (Ps 10,4). Damit trifft sich der Charakter dieses Feindes mit demjenigen der *po'ᵃle 'awæn.* Auch er ist kein Einzelfall; nach Ps 10,2 denken und handeln die Frevler grundsätzlich alle so.

Warum aber diese detaillierte Schilderung des Treibens der unheimlichen Feinde in Ps 59 und Ps 9/10? Sie ist nicht einfach bloß Bestandteil der Klage, sondern *geschieht, damit Jahwe als Richter*

---

[120] Dies unterscheidet sie von den „Männern/Söhnen Belials". Denn als solche werden in den alttestamentlichen Belegen in der Regel ganz bestimmte, ja bekannte Personen charakterisiert. Vgl. die Auswertung sämtlicher Stellen bei *V. Maag,* Bᵉlija'al im Alten Testament: ThZ 21 (1965) 287–299. Freilich bezeichnet *bᵉlija'al* nach *Maag* (aaO. 294) als religiös bezogener Begriff „eine Wesensart, die entweder Gott selbst oder den göttlichen Urordnungen menschlichen Zusammenlebens entgegengesetzt ist". Da die Aktivitäten der *po'ᵃlê 'awæn* auf eine verwandte Lebensart hinweisen, könnte man sie den „Männern/Söhnen Belials" an die Seite stellen. Daß sie aber, so *N. Füglister,* „irgendwie, mit dem, wie es scheint, dämonischen ‚Belial' in Verbindung" stehen, ist eine bloße Vermutung, da *bᵉlija'al,* zunächst Epitheton der Scheol (Ps 18,5 = 2 Sam 22,5), erst später zum Terminus technicus des jahwefernen Todesbereichs und der Todesmacht wurde, um schließlich als Eigenname zu dienen (vgl. *Maag,* aaO. 299; gegen *N. Füglister,* Gott der Rache? [s. u. Anm. 141] 122, der sich nicht ganz zu Recht auf Maag beruft).

eingreife, nicht so sehr oder bloß, um einen einzelnen bedrängten Frommen aus Lebensgefahr zu retten, sondern *um seine Königsherrschaft für immer und sichtbar aufzurichten und jeglicher Gewaltausübung und Unterdrückung ein Ende zu bereiten* (vgl. Ps 10,16–18; 59,14).

Wenn man die Belege von *poʿᵃlê ʾawæn* einmal *unter literaturgeschichtlichem Gesichtspunkt* überprüft, stellt man überraschend fest: Sie finden sich zum übergroßen Teil *in relativ jungen* (exilisch-nachexilischen) *Gebeten*[121]. Dies wäre verwunderlich, wenn *poʿᵃlê ʾawæn* „Zauberer" bedeutete. Derartiges wäre doch noch am ehesten in der frühen Zeit zu vermuten, als noch Könige (wie Saul) und das alte Gottesrecht gegen Zauberei und Magie angehen mußten (vgl. Ex 22,17; 1 Sam 28,9). Oder sollte der exilische und nachexilische Jahwekult die Feinde der Psalmbeter etwa nach babylonischem Vorbild neu als Zauberer und Dämonen verstanden haben? Das wäre nach der Betonung von Jahwes Alleinwirkmächtigkeit durch Ezechiel und Deuterojesaja mehr als merkwürdig[122]. Auch erlaubt der Psalmenbefund diese Deutung nicht. Dennoch gibt die „Annäherung" der Feinde des Beters an die dämonische, hinterhältige Art der Feinde in babylonischen Gebeten Anlaß zum Nachdenken.

Die plausibelste Erklärung ist wohl diese: Beginnend mit der letzten Phase vor dem Exil sahen die jahwegläubigen Beter vor allem die sozial Schwachen ihre persönlichen Feinde, unter deren Aktivitäten sie litten, dann auch die Feinde der Jahwetreuen überhaupt, ja des Jahwevolkes zunehmend in dämonischen Farben. Immer deutlicher werden die Feinde des Beters, der Frommen als *rᵉšaʿîm,* als „Frevler" bzw. „Gottlose" erkannt[123]. Von daher erklärt sich auch

---

[121] *O. Keel* hat für die Feindbezeichnung *rašaʿ* (Frevler/Gottloser) ein relativ spätes Aufkommen wahrscheinlich gemacht (*ders.,* Feinde und Gottesleugner [s.o. Anm. 36] 109–131). Damit korrespondiert offenbar das Auftreten der mit *Keel,* aaO. 108, zur *rašaʿ*-Gruppe der Feindbezeichnungen zu rechnenden Wendung *poʿᵃlê ʾawæn.*

[122] Man denke etwa an den Kampf beider Exilspropheten gegen den Götzenkult, an die Belegung der Götzen mit dem verächtlichen Ausdruck *gillûlîm* (ursprünglich „Mistdinger"?) bei Ezechiel (vgl. die hebräisch-deutschen Wörterbücher z.St.), die Herausstellung der Ohnmacht, ja der Nichtigkeit der Götter bei Deuterojesaja (vgl. etwa Jes 41,24), von der sich Jahwes Schöpfermacht abhebt, der nicht nur das Licht und das Heil, sondern sogar Finsternis und das Unheil (!) erschafft, der alles vollbringt (Jes 45,7).

[123] Vgl. die entsprechenden Ausführungen *Keels* (s.o. Anm. 121).

die Zunahme von Rachewünschen bzw. Rachebitten[124] gegen die Feinde in den exilischen und nachexilischen Psalmen. Dieser Befund gibt vor allem zu denken; denn „das Wort ‚Rache' begegnet in keinem Gebet"[125] des Zweistromlandes. Bitten um die Vernichtung der Feinde finden sich in der von E. Ebeling edierten Serie der Handerhebungsgebete überhaupt nur an zwei Stellen, in einem Gebet zu Adad und in dem schon mehrfach herangezogenen Gebet zu Ištar[126]. Dagegen strebt der Beter durchgängig in der assyrischen Beschwörungsserie Maqlû, die überhaupt gesondert zu betrachten ist, im Rahmen der Verbrennungszeremonie, der sympathetischen Magie, die Vernichtung der sein Leben bedrohenden Zauberer an. In den alttestamentlichen Gebeten, auch in den Gebeten des Kranken (!), fleht der Beter mehr um Errettung von Feinden als um Wiederherstellung seiner Gesundheit (vgl. etwa Ps 22, 21 f; 35 passim). Dem babylonischen Beter ist es, abgesehen von der Beschwörungsserie Maqlû und den relativ wenigen, von Ebeling bearbeiteten Beschwörungen gegen den Feind, dagegen vornehmlich um die Vertreibung der (Krankheits-)Dämonen, also um die Wiederherstellung der Gesundheit, des Wohlbefindens, zu tun. – Ein weiterer Grund für die „Dämonisierung" der Feinde in jüngeren Klagepsalmen ist wohl, daß die Feinde des alttestamentlichen Beters zunehmend als Feinde Gottes, Jahwes, verstanden werden. In den babylonischen Gebeten erscheinen die Feinde des Beters dagegen praktisch nie als Feinde der Gottheit, weder der Schutzgottheiten noch der übergeordneten Gottheit, an die sich der Babylonier im Gebet wendet.

Fazit: Je mehr sich die Psalmbeter der späteren Zeit als entschiedene Verehrer Jahwes verstanden, umso eher mußten sie solche Menschen, von denen sie Zurücksetzung, Rechtsbeugung, Unterdrückung und ähnliches erfuhren, als verschworene Feinde Jahwes begreifen, da sich ihre Feindschaft ja gegen entschiedene, engagierte Jahweverehrer richtete. Letztlich auf Gott zielende Feindschaft kann aber nur gleichsam „übermenschlicher", dämonischer Art sein. Die menschlichen Feinde werden dadurch zwar keineswegs zu Dämonen, doch scheint aus ihrer Einstellung und ihrem Tun gleichsam etwas vom *mysterium iniquitatis* auf.

---

[124] Näheres dazu weiter unten unter 6.3.
[125] *Falkenstein – v. Soden,* Hymnen (s. o. Anm. 3) 56.
[126] *Ebeling* 102/103, 14 bzw. 134/135, 97 f.

6 Das Problem der Gewalt in den Feindpsalmen auf dem Hintergrund der verwandten mesopotamischen Individualgebete

Was wirft nun der durchgeführte Vergleich der Individualgebete des Zweistromlandes und Israels für das Generalthema dieser Tagung ab, die sich mit der Darlegung, Aufdeckung und Überwindung der Gewalt im Alten Testament befaßt?

Gewalt geht, modern gesprochen, von Menschen oder doch menschlichen, gesellschaftlichen Strukturen aus. Naturgewalten stehen auf einem anderen Blatt, interessieren hier auch nicht.

Auch die Krankheit konnte der antike Mensch als Auswirkung von Gewalt verstehen; da er um ihre natürlichen Ursachen noch nicht wissen konnte, brachte er sie mit dem Zorn beziehungsweise der Strafe der Götter oder (so nachgewiesenermaßen im Zweistromland) auch mit dem Wüten von Dämonen in Verbindung. Man wird wohl kaum fehlgehen in der Annahme, daß auch der israelitische Volksglaube der frühen Zeit diese gemeinsemitische Auffassung zunächst weitgehend teilte. Insofern spielt auch Krankheit bei unserem Thema „Gewalt" eine große Rolle neben der von Menschen ausgehenden Gewalt, um die man in Israel wie im Zweistromland wußte. Erhellender als die Gemeinsamkeiten sind freilich die Unterschiede, die ich im folgenden jeweils in einem *Dreischnitt* herausarbeiten möchte, bei der *Darlegung,* der *Aufdeckung* und der *Überwindung der Gewalt* in den Gebeten beider Kulturen.

6.1 Die Darlegung der Gewalt

Bis auf verschwindende Ausnahmen erfährt der Babylonier und Assyrer nach dem Zeugnis der Individualgebete Gewalt, sei es von numinosen Mächten (Gottheiten, Dämonen), sei es von Menschen, primär als Minderung des Wohlbefindens, als Krankheit, die bis zur Todesnot geht. In den israelitischen Individualgebeten hat Krankheit als Gewalterfahrung zwar auch einen beträchtlichen Stellenwert, doch nehmen die persönlichen Feinde, die von ihnen erfahrene Gewalt und Lebensbedrohung, einen größeren Raum in Klage und Bitte ein. In den mesopotamischen Gebeten sind die (persönlichen) Feinde in der Regel persönlich unbekannte Zauberer und Hexer; „gewöhnliche", bekannte Feinde sind in den babylonischen Gebeten eher die Ausnahme, in der Regel Bekannte, Verwandte, die sich vom Beter im Zusammenhang mit seiner Krankheit abgewandt haben[127]. Zwar finden sich solche Feinde auch im Psalter, und zwar in viel größerem Ausmaß, doch sucht man nach Zauberern unter den Feinden des Beters vergebens. Dafür sind die Feinde des Psalmenbeters in der Regel, wenigstens in älteren Psalmen, „gewöhnliche" Menschen aus seiner näheren oder weiteren Umgebung. Die Gewalt oder Bedrohung, die er von ihnen erleidet, besteht vornehmlich in falscher, verleumderischer Anklage, die auf den Tod des Beters abzielt[128]. Überhaupt sind die Feinde, auch die persönlich unbekannten, im Verborgenen wirkenden Feinde des Beters, Todfeinde im wörtlichen Sinne, was sie mit den Zauberer-Feinden des babylonischen Beters gemeinsam haben, „Blutmenschen", Mörder. In jüngeren Psalmen, wo die Feinde oft in der Mehrzahl, auch in Gruppen auftreten, handelt es sich nicht selten um Unterdrücker, Vergewaltiger von Armen, sozial Schwachen, Witwen und Waisen[129].

6.2 Aufdeckung der Gewalt

Beginnen wir mit *der Notlage der Krankheit!* Der babylonische Beter empfindet seine *Krankheit als Angriff,* als Gewaltausübung von *Dämonen, Krankheitsdämonen,* von denen die babylonische Religion eine Vielzahl namentlich zu kennen meint. Sie gelten als *Direktverursacher* der Krankheit; ihre Aktivität kann tödlich sein. Als hauptsächlicher *Letztverursacher* der Krankheit, das heißt, der einschlägigen Gewalterfahrung durch die Dämonen gelten zunächst die bereits erwähnten *Zauberer und Hexer,* die als Todfeinde des Beters diesem die Dämonen mittels ihrer schwarzen Magie geschickt haben. Als weitere, keineswegs nebensächliche Ursache der Krankheitsnot gilt *der Zorn beziehungsweise die Abwendung des persönlichen Gottes, der persönlichen Göttin,* bisweilen auch einer übergeordneten Gottheit, wie etwa Marduk, Schamasch, Sin. – Der alttestamentliche Beter hingegen rechnet nur mit einer *einzigen Ur-*

---

[127] Vor allem ist dies in dem mehrfach zitierten Gebet an Ištar zu registrieren, vgl. die Anmerkungen 76–78.

[128] Vgl. hier besonders die von *Schmidt,* Gebet (s.o. Anm. 108) und *Beyerlin* (s.o. Anm. 109) herausgestellten Psalmen.

[129] Vgl. Ps 9, 13.19; 10, 9 f. 14.18; 12, 6; 14, 6; 37, 14; 40, 18 = 70, 6; 82, 4; 94, 6; 109, 22; 140, 13; 147, 6.

sache seiner Krankheitsnot: Er führt sie ausschließlich auf *die Ab-wendung, das Fernsein* oder auf *den Zorn Jahwes,* seines persönlichen Gottes, zurück[130]. Von Krankheitsdämonen wie von Zauberern und Hexern finden wir in den einschlägigen Psalmen keine Spur, es sei denn, man geheimnißt diese als Krankheitsursachen in die Feinde des Beters hinein[131]. Diese Differenz ist umso erstaunlicher, als man im frühen Israel wenigstens mit der Existenz von Dämonen rechnete (vgl. Ps 91) und um magische Praktiken wußte. Der in Israel immer mehr erstarkende Glaube an die All- und Alleinursächlichkeit Jahwes war es wohl, der Dämonen- und Hexenglauben, sowie Magie überwinden konnte. Freilich hatte die Entdämonisierung der Krankheit durch ihre alleinige Zurückführung auf Jahwe eine gravierende Folge: Das Bild Jahwes wurde dadurch um Züge des Gewalttätigen bereichert beziehungsweise verdüstert! Die Klagen Ijobs aber auch manche einschlägigen Individualpsalmen (z. B. Ps 88; 102) geben hiervon ergreifendes Zeugnis. Solange der Beter seine schwere Krankheit noch als gerechte Strafe verstehen konnte, mußte er sich selbst anklagen, war er sich freilich, wie oft in den be-

---

[130] Z. B. Ps 6,2; 13,2; 22,2f; 38,2; 69,27; 88,8.17; 102,11, unbeschadet, ob es sich bei der zugrunde liegenden Not jeweils um Krankheit handelt.
[131] Freilich könnte die erschreckende Fluchlitanei in Ps 109 (V. 6–19) in die Nähe magischer Praktiken weisen. Doch stellt sich dieses Problem nur, wenn man die Hypothese von *Schmidt* (s. o. Anm. 95) als zwingend betrachtet, derzufolge die besagten Flüche vom Beter (nach Schmidt vom Angeklagten) lediglich als gegen ihn selbst gerichtete Flüche seiner Verkläger *zitiert* werden. Immerhin haben sich einige Exegeten diese Hypothese zu eigen gemacht und durch weitere Argumente zusätzlich gestützt, so *Kraus,* Psalmen⁵ (s. o. Anm. 88) 920f, und *P. Hugger,* ,Das sei meiner Ankläger Lohn …'? Zur Deutung von Psalm 109,20: BiLe 14 (1973) 105–112. *S. Mowinckel* (Psalmenstudien V [s. o. Anm. 117] 94) hat bei Ps 109,6–19 sehr richtig beobachtet: „Zunächst ist hier die ursprüngliche Form des selbstwirkenden Wortes klar erhalten: die Worte weisen formell keine Spur von einem Gebet auf und unterscheiden sich insofern auch deutlich von den sonst nahe verwandten Worten in Ps 69,23–29." Doch zieht er aus der richtigen Beobachtung den keineswegs zwingenden Schluß, der kranke (!) Beter bediene sich bei seiner Reinigung eben eines vorgegebenen Fluchformulars, dessen Verfasser „nicht an eine konkrete Einzelperson oder an einen konkreten Fall gedacht (haben)", sie hätten „nur ,den' typischen Zauberer für alle Fälle durch einen brauchbaren Fluch lahmlegen wollen" (aaO. 96). Ebenso wenig hätten die Kranken an eine konkrete Person gedacht, da sie in der Regel nicht gewußt hätten, „welche die Feinde waren, die im Geheimen ,auf ihr Leben gelauert' und sie ins Unglück gestürzt haben" (ebd.). Es ist jedoch schwer vorstellbar, daß ausgerechnet für einen rituellen Akt am Jahweheiligtum eine derart „profane" Fluchlitanei geschaffen oder doch wenigstens übernommen worden sein soll. Vielmehr erweckt die Litanei den Eindruck einer Zu-

treffenden Psalmen und im Unterschied zu den babylonischen Gebeten keiner entsprechenden Schuld bewußt, mußte dies zu schweren Anfechtungen des Glaubens führen, wie etwa beim Ijob der Dichtung[132].

Anders steht es um *die Aufdeckung der von menschlichen Feinden ausgehenden Gewalt*. Der alttestamentliche Beter erkennt viel schärfer als der Beter in Babylonien und Assyrien *gewöhnliche Feinde* als Ursache der Gewalt, gerade weil für ihn Welt und Umwelt entdämonisiert, entzaubert ist. In den älteren Psalmen sind die Feinde meist

---

sammenstellung konventioneller „profaner" Flüche, deren sich ein sich unschuldig wissender Angeklagter bei einem sakralen Rechtsfindungsverfahren durchaus bedienen konnte, um seinerseits seine Ankläger als Verleumder, ja als selbst zum Mißbrauch des (an sich legitimen) Fluchinstituts fähige Todfeinde zu denunzieren. Wenn dem aber so ist, dann hat man auch im alten Israel verschiedentlich versucht, Mitmenschen (Rivalen, „Feinde") durch einen als wirkmächtig gedachten Fluch zu „erledigen". Vom eigenmächtigen Mißbrauch des Fluches als eines legitimen Selbstverteidigungsmittels Unterlegener, Unterdrückter (vgl. etwa Ex 22,22) bis zur Hexerei und schwarzer Magie ist indes noch ein beachtlicher Schritt. Dies ist auch Ch. Hauret entgegenzuhalten, der immerhin in den Feinden einiger Psalmen (etwa: Ps 6; 13; 35; 38; 41; 109) eine Art von unprofessionellen (!) Zauberern sehen möchte, auf die der jeweilige Beter seine Krankheit zurückführe (*ders.,* Les ennemies-sorciers dans les supplications individuelles, in: Aux grands carrefours de la révélation et de l'exégèse de l'Ancien Testament [RechBib 8] Bruges 1967, 129–137). Ganz abgesehen davon, ob in allen diesen Psalmen überhaupt Krankheit des Beters anzunehmen ist, zwingt der Kontext keinesfalls dazu, die Feinde nach Meinung des Psalmenbeters als Verursacher der Krankheit zu betrachten. – Sollte es sich aber bei Ps 109,6–19 tatsächlich um echte Flüche des Beters selbst handeln, stellt sich die Frage nach der vom Beter selber intendierten Gewalt gegenüber dem „Feind", die weiter unten noch zu behandeln ist. Ob man mit O. Loretz die Spannung der Flüche (V.6–19) zu ihrem Kontext rein literar- bzw. redaktionskritisch erklären kann, ist sehr die Frage: Die Flüche seien (mit Rücksicht auf ihren späten Sprachgebrauch) erst in nachexilischer Zeit in den vorexilischen Psalm eingefügt worden, es handele sich um ein Zitat, „das durch die Einfügung zu einem Fluch gegen die Feinde des Beters wird" (*ders.,* Die Psalmen. Teil II: Beitrag der Ugarit-Texte zum Verständnis von Kolometrie und Textologie der Psalmen 90–150 [AOAT 207/2] Kevelaer – Neukirchen/Vluyn 1979, 151–160, 159). Da der Beter von einer Mehrzahl von Feinden spricht, die Flüche sich aber gegen einen einzigen Feind richten, müßte man dem Redaktor bzw. Kompositor eine gehörige Position Gedankenlosigkeit unterstellen, weil er es unterlassen hätte, die singularisch bezogenen Flüche jeweils in pluralisch bezogene zu verwandeln, was leicht möglich gewesen wäre. Somit wirft diese neue Erklärung der Spannung weit größere Probleme auf als die Theorie von Schmidt. An welchen konkreten Feind hätte die Gemeinde des zweiten Tempels, die den besagten Psalm im Kult verwandte, auch denken können? Man müßte denn ein kollektives Verständnis (auf *den* Frevler/Gottlosen hin) postulieren.

[132] Vgl. hierzu *J. J. Stamm,* Das Leiden des Unschuldigen in Babylon und Israel (AThANT 10) Zürich 1946.

Menschen aus der Umwelt, ja dem Bekanntenkreis des Beters, die diesem nach dem Leben trachten, und zwar auf scheinbar legalem Wege: durch falsche, verleumderische Anklage, etwa auf Diebstahl oder Raub (vgl. Ps 69,5). Doch meist sind die konkreten Anschuldigungen der Rechtsgegner (vgl. Ps 35,1; 38,21; 71,13; 109,4.20.29) nicht mehr zu erheben, was bei dem allgemeinen Formularcharakter der Gebete auch nicht verwunderlich ist. Als wirkliche *Gebete der Angeklagten (H. Schmidt)* bzw. im Zusammenhang der *Institution eines kultischen Gottesgerichts (W. Beyerlin)* können vielleicht am ehesten noch die Psalmen 7; 17; 26; 27; 57; 109 und 142 angesprochen werden[133]. Die Topik dieser Gebete dürfte alsbald auf *die Gebete der Kranken* abgefärbt haben (vgl. Ps 35; 38; 69; 71)[134]; dort sind es *sekundäre* Feinde, welche die der Krankheit angeblich zugrundeliegende Schuld des Beters meinen aufdecken zu können, um ihn als von Jahwe getrennt hinzustellen[135].

Vor allem *in jüngeren Psalmen* werden die Feinde des Beters zu *unbekannten, heimtückischen Gewalttätern,* die sich als *„Frevler"* durch ihre allgemeine Gottlosigkeit wie auch durch ihren Gruppencharakter *(po'alê 'awæn)* auszeichnen. Außerdem tun sie sich durch Unterdrückung, Vergewaltigung der sozial Schwachen hervor, etwa der Witwen und Waisen, die teilweise identisch sind mit der Gruppe der Armen, solcher, die allein auf die Zuwendung und Hilfe Jahwes bauen können, die sich ganz auf Jahwe verlassen. Die Motive dieser „Frevler" sind Habsucht und Hoffart (vgl. Ps 10,2 f). Ihre menschenverachtende Rücksichtslosigkeit wird erst möglich aufgrund ihrer lebenspraktischen Gottlosigkeit: „Er ahndet nicht; es ist kein Gott" (Ps 10,4, vgl. Ps 14,1 = 53,2). Ja, ihre Feindschaft richtet sich letztlich gegen Jahwe selbst; sie wird als gottwidrig erkannt. So bekennt der Beter von Psalm 69: „Denn um deinetwegen trage ich Schmach / bedeckt Schande mein Antlitz" (V. 8), und: „Denn der Eifer für dein Haus hat mich verzehrt, / Schmähungen deiner Schmäher sind auf mich gefallen" (V. 10). *Die Gewalt,* unter denen die Menschen leiden, ist also nichts Schicksalhaftes. Sie kommt nicht von einem Dämon, einem feindlich eingestellten, gar bösen Gott, sondern *von*

---

[133] Vgl. *Ruppert,* Der leidende Gerechte (s. o. Anm. 89) 6 f.
[134] Vgl. *Ruppert,* aaO. 7 (u. ö.).
[135] Vgl. *Kraus,* Psalmen⁵ (s. o. Anm. 88) 115; *ders.,* Theologie der Psalmen (s. o. Anm. 115) 165 f.

Menschen, und zwar von Menschen, die zu ihrem Verbreiten von Schrecken und Gewalt keineswegs wie Zauberer und Hexer übermenschliche Fähigkeiten haben oder sich übermenschlicher Kräfte bedienen müssen. *Das Böse* und Unheimliche, Unmenschliche wie Widergöttliche ihres Tuns kommt *aus ihrem eigenen Herzen* (vgl. auch Mk 7,21 par.), *aus dem Mißbrauch ihrer menschlichen Fähigkeiten,* wie etwa ihrer Zunge. Das Skandalon der Gewalt und Gewalttätigkeit des Menschen hängt letztlich mit dem *gottwidrigen Mißbrauch menschlicher Freiheit* zusammen. Das *mysterium violentiae humanae* kann dem Schöpfergott nicht untergeschoben werden, der etwa Dämonen erschaffen und sie der Verfügungsgewalt bestimmter Menschen, von Zauberern oder Hexern unterstellt beziehungsweise diesen Menschen übermenschliche Kräfte verliehen hätte.

6.3 Die Überwindung der Gewalt

Bedenken wir zunächst *die babylonischen „Gebetsbeschwörungen"!* Der Beter hofft, *durch Gebet zur höherstehenden Gottheit* (oder besser: *durch ihre „Beschwörung")* und mit Unterstützung durch weiße Magie* sein durch dämonische Gewalt verursachtes Unglück (meist schwere Krankheit) mitsamt den Dämonen loszuwerden, die Wiederzuwendung seiner persönlichen Gottheiten und die Ausschaltung, wenn möglich Vernichtung der Letztverursacher seiner Not oder Krankheit, der Zauberer und Hexer zu erreichen. Wo im einzelnen das Hauptgewicht liegt, auf dem Gebet oder dem magischen Ritual, läßt sich schwer sagen, beides kann auch nicht voneinander getrennt werden. Das babylonische Bittgebet zeichnet sich zudem durch umfänglichen und überschwenglichen einleitenden Lobpreis der höheren Gottheit, deren Hilfe und Vermittlung bei den persönlichen Gottheiten erbeten wird, aus. Nach den Motiven dieses Lobpreises kann man fragen: Spricht sich in ihm echter Glaube an die Macht der angerufenen Gottheit aus, oder handelt es sich mehr um eine schmeichelhafte „captatio benevolentiae"[136], um die Gottheit für sich geneigt zu machen? Man ist versucht, eher an letzteres zu denken, wenngleich man das erstgenannte Motiv nicht einfach ausschließen darf.

---

[136] S. o. Anm. 86.

Gänzlich anders stellt sich die Frage nach der Überwindung der Gewalt in den einschlägigen *Psalmen*. *Magie, Bitte an eine höherstehende Gottheit* um *Dämonenvertreibung* und Ausschaltung oder Vernichtung von *Zauberern* und *Hexern fallen* naturgemäß als Möglichkeiten *fort.* Der alttestamentliche Beter kann sich mit Hilfe- und Rettungsbitte *nur an Jahwe,* den Gott Israels, wenden, der gleichzeitig sein (persönlicher!) Gott ist. Im Falle einer (schweren) gar tödlich erscheinenden Krankheit kann einzig und allein Jahwe den Beter vom Tode erretten, ihn heilen, sei es, daß er ihn zur Strafe oder – wie beim Ijob in der Ijob-Dichtung – aus einem unerforschlichen Grunde, aus seiner Freiheit heraus mit Krankheit geschlagen und in Todesgefahr gebracht hat.

Von *Gewalt,* die von Menschen ausgeht, kann ebenfalls *nur Jahwe* befreien und seinen von ihr betroffenen Frommen beziehungsweise Verehrer retten. Er allein kann einen unschuldig Angeklagten oder Verdächtigen rechtfertigen, rehabilitieren[137]. Jedenfalls erhoffen die Beter derartiges ausschließlich von Jahwe, ihrem Gott, *nie von menschlichen Institutionen,* etwa vom davidischen König, in den man doch bei seiner Inthronisation entsprechende Erwartungen setzte (vgl. Ps 72,4.12–14). Die Überwindung der Gewalt, konkret die Entlarvung von falscher Anklage und Verleumdung erhofft sich beziehungsweise erbittet der Bedrängte, der Angefeindete durch *Jahwes Gericht über die Feinde*[138], etwa die verleumderischen Ankläger, oder doch durch deren gottgewirkte Beschämung[139]. Solches ist wenigstens aus einschlägigen Psalmen mit Institutionsbezug zu erheben, die ihrerseits auf Gebete der Kranken und dann auch auf Klagelieder, die auf allgemeine Bedrängnis durch die Frevler[140] abheben, Einfluß ausgeübt haben.

Überhaupt fällt die wiederholt geäußerte *Bitte um Jahwes Gericht über die Frevler* auf, die in den babylonischen Gebeten kaum eine

---

[137] Vgl. die einschlägigen Rechtfertigungs- bzw. Rechtsprechungsbitten Ps 7,9aβb; 26,1; 35,24; 43,1; 54,3; auch: 9,5; 10,18; 11,7; 17,1–3.14; 31,2f; 35,1–3.17; 40,18; 140,13. Zur Bitte des Psalmisten, Gott möge ihn „richten", d. h. ihm „Recht verschaffen", vgl. *A. Gamper,* Gott als Richter in Mesopotamien und im Alten Testament. Zum Verständnis einer Gebetsbitte, Innsbruck 1966, bes. 234f.

[138] Vgl. Ps 5,11; 7,(7–8.10).11–18; 10,12–15; 11,6; 17,13; 28,4; 55,24; 59,12.14; 64,8f; 69,24f.28; 94,1f.23; auch: 54,7; 58,7.11; 82,8; 138,7; 139,19; 140,11; 143,12.

[139] Ps 6,11; 31,19; 35,4–6.26; 40,15f = 70,3f; 56,10; 71,24; 86,17; 109,29.

[140] Vgl. Ps 44,6; 79,6.10.12; 83,10–18.

Entsprechung hat, zumal vor dem Forum der Völker (vgl. z. B. Ps 7,7–10; 58,12).

In diesem Zusammenhang stoßen wir allerdings auf Äußerungen, die einen Christen, der noch die Mahnung der Bergpredigt zur Feindesliebe im Ohr hat (vgl. Mt 5,34–48 par.), zutiefst befremden, ja skandalisieren müssen: auf unverhohlen artikulierte Rachegefühle, Rachewünsche, „Flüche", die auf den Tod der Feinde zielen. Freilich tragen die sogenannten Fluchpsalmen[141] ihren Namen nicht ganz zu Recht. Zunächst handelt es sich überhaupt nicht um eine (eigene) Gattung[142], sondern um Gebete, vornehmlich um Klagelieder des Einzelnen (KE), weniger häufig um Klagelieder des Volkes (KV)[143], aber auch um andere, gattungsmäßig mitunter nicht sicher bestimmbare, gegen äußere oder innere Feinde des Jahwevolkes beziehungsweise der Jahweverehrer gerichtete Psalmen[144], welche unter anderem „Fluch"-Äußerungen oder Rachewünsche enthalten. Vor allem *N. Füglister*[145] hat noch aus einem weiteren Grunde entschiedenen Protest gegen die Bezeichnung „Fluchpsalmen" ange-

---

[141] Zur ersten Information vgl. *P. Imschoot,* Fluchpsalmen, in: BL² 488 f. Zum religionsgeschichtlichen, gattungskritischen Verständnis des Fluchs im Alten Orient und im Alten Testament, sowie zur theologischen Wertung der „Flüche" in den betreffenden Psalmen vgl. *S. Mowinckel,* Psalmenstudien V (s. o. Anm. 117) 61–135, bes. 82–96; *H. Junker,* Das theologische Problem der Fluchpsalmen: PastB 51 (1940) 65–74; *Sh. H. Blank,* Curse (s. o. Anm. 117); *J. Scharbert,* Solidarität (s. o. Anm. 117) 132–135; *H. Ch. Brichto,* Problem (s. o. Anm. 117) 22–76; *H. A. Brongers,* Die Rache- und Fluchpsalmen im Alten Testament, in: OTS XIII, Leiden 1963, 21–42; *R. Schmid,* Die Fluchpsalmen im christlichen Gebet, in: Theologie im Wandel. FS zum 150jährigen Bestehen der Kath.-Theol. Fakultät an der Universität Tübingen 1817–1967, I, München – Freiburg i. Br. 1967, 377–393; *W. Schottroff,* Der altisraelitische Fluchspruch (WMANT 30) Neukirchen-Vluyn 1969 (bes. 130–162); *N. Füglister,* Vom Muṭ zur ganzen Schrift. Zur Eliminierung der sogenannten Fluchpsalmen aus dem neuen Römischen Brevier: StZ 184 (1969) 186–200; *ders.,* Gott der Rache?, in: Th. Sartory (Hg), Entdeckungen im Alten Testament oder Die vergessene Wurzel, München 1970, 117–133; *W. Dietrich,* Rache. Erwägungen zu einem alttestamentlichen Thema: EvTh 36 (1976) 450–472; *J. Ebach,* Das Erbe der Gewalt. Eine biblische Realität und ihre Wirkungsgeschichte (Siebenstern 378) Gütersloh 1980, 49–54.

[142] Dies betont nach anderen vor allem *Füglister,* Vom Mut 188, und in: Gott der Rache? 118.

[143] Vgl. Ps 5,11; 6,11; 7,10.16f; 10,12; 28,4; 31,19; 35,4–6; 40,15; 54,7; 55,16.24; 59,6.12–14; 69,23–29; 109,6–19; 120,3f; 140,9–12; 141,10; 143,12; auch: Jer 11,20; 12,3; 15,15; 17,18; 18,21–23: jeweils KE; sowie Ps 79,6.10.12; 80,17; 83,14–18, jeweils KV.

[144] Gegen äußere Feinde: Ps 129,5–8 (Vertrauenslied des Volkes); 137,8f (KV?); 104,35 (Hymnus), vgl. Ps 149,6–9 (Hymnus); gegen innere Feinde: Ps 58,7–11; 139,19.

[145] Gott der Rache? 117f; vgl. *ders.,* Vom Mut 188.

meldet: „Was hier landläufig als ‚Flüche' bezeichnet zu werden pflegt, sind, morphologisch betrachtet, Wünsche, die die Bestrafung der Feinde – die ‚Rache' – zum Inhalt haben und die, direkt oder indirekt, Gott als Bitten vorgetragen werden". *Füglister* möchte lediglich Formeln, die mit dem passivischen Partizip „Verflucht" (hebr. *'arûr*) beginnen, als Flüche klassifizieren. Doch ist diese mehr formal motivierte Einschränkung des Fluchs als Gattung auf eine fixe Fluch*formel* ihrerseits aus formal-inhaltlichen Gründen problematisch[146]. Im Gefolge von formellen (!) Flüchen trifft man nämlich verschiedentlich auf „Fluchentfaltungen"[147], die in Struktur und Inhalt mit den fraglichen Rachewünschen der Psalmen verwandt sind[148]. Auch religionsgeschichtliche Parallelen in Gebeten des alten Mesopotamien stimmen nachdenklich, stellen doch auch die massiven Vernichtungswünsche in der wiederholt angezogenen assyrischen Beschwörungsserie Maqlû[149] derartige Fluchentfaltungen,

---

[146] *Blank,* Curse (s. o. Anm. 117) unterscheidet drei Formen des Fluchs: „(I) the simple curse formula, (II) the composite curse, and (III) curses freely composed" (aaO. 73).

[147] Zu den „Fluchentfaltungen" vgl. vor allem *Schottroff,* Fluchspruch (s. o. Anm. 141) 162: „Die Formbeziehungen zum altorientalischen Fluchwort und seinen Typen deuten … darauf hin, daß wir es hier – im Unterschied zur *'arûr*-Formel – mit Fluchwortformen zu tun haben, die Israel erst auf dem Boden des Kulturlandes kennengelernt, übernommen und weitergebildet hat. Im Vollzug dieses Amalgamierungsprozesses sind diese Formen des Fluchwortes dann auch in Verbindung mit der genuin israelitischen Fluchformel gebracht worden als Explikationen des mit dem formelhaft zugesprochenen Fluch gesetzten Unheils" (vgl. *ders.,* aaO. 156–162: Die Formen der Fluchentfaltungen). Die „zu den Fluchformeln hinzutretenden Fluchentfaltungen" dokumentieren „die Übernahme gemeinorientalischer Fluchmotive durch Israel" (*Schottroff,* aaO. 155). Die Klassifizierung und traditionsgeschichtliche Herleitung dieser Fluchwortformen (d. h. der 3. Gruppe bei Blank) dürfte überzeugen. Die offensichtliche formale Verwandtschaft jener in den Psalmen verwandten Fluchformen mit entsprechenden Verwünschungen in Gebeten des Zweistromlandes (vgl. schon *F. Steinmetzer,* Babylonische Parallelen zu den Fluchpsalmen: BZ 10 [1912] 133–142.363–369) sollte davor warnen, die „Flüche" in den Psalmen vorschnell als „Rachebitten" zu deklarieren. Jedenfalls stehen sie den formellen Flüchen näher als echten an Jahwe gerichteten Strafbitten.

[148] Vgl. etwa Gen 3, 18; 4, 12; Jos 6, 26 b; Jer 20, 16 auf der einen und Ps 40, 15 f = 70, 3 f; 58, 8 f auf der anderen Seite.

[149] Vgl. etwa Maqlû II, 93–96 (Edition *Meier* [s. o. Anm. 10] z. St.):
Sie mögen sterben
ich aber leben!
Sie mögen abbiegen,
ich aber geradeaus gehen!

und zwar ebenfalls im Rahmen von Gebeten dar, wie dies ähnlich in den betreffenden Klagepsalmen der Fall ist. Und ebenso wenig wie in den Psalmen gehen ihnen formelle Flüche voraus! Ja wir stießen oben schon auf ein von *E. Ebeling* ediertes Gebet gegen den Feind[150], das unmittelbar mit einer langen Litanei schauriger Verderbenswünsche einsetzt, um dann gelegentlich entsprechende Rachebitten an die Gottheit aufzuweisen. Sollte man hier ebenfalls, nur weil die einschlägige Formel fehlt, nicht von Flüchen sprechen dürfen? – Inwiefern aber kann man bei den Psalmen etwa von *Fluchentfaltungen* sprechen, obwohl diesen doch kein formeller Fluch vorausgeht? Gewiß, die Sentenzen entfalten zwar keinen formell ausgesprochenen Fluch, wohl aber einen unausgesprochenen, gedachten Fluch. Er wird wohl zunächst aus dem mehr formalen Grunde nicht ausgesprochen, weil sich der Sprecher nicht direkt gegen den Feind wendet, sondern im Gebet an Jahwe; eine Fluchformel ist aber, obzwar Ausdruck eines Wunsches, selbst kein Gebet, wird auch nicht an Gott gerichtet[151]. Bei den Psalmdichtern beziehungsweise Psalmbetern wird aber auch noch ein *inhaltlich-religiöser Grund* mit im Spiel sein: Der Beter leistet Verzicht auf Ausübung eigener Rache, auf die im alten Israel im Falle einer ungerechten Bedrohung durchaus legitime Selbstverteidigung[152] mit Hilfe eines als selbstwirkend gedachten Fluchwortes[153], sondern überantwortet die eigene Rache an Jahwe, den Richter, worauf später noch zurückzukommen ist. Insofern, nicht aber aus dem einen der beiden erwähnten formalen Gründe Füglisters sollte man auf die leicht mißverständliche Bezeichnung „Fluchpsalmen" verzichten.

Wird aber hier das Gebet nicht doch zum Vehikel eigener Haß- und Racheausbrüche mißbraucht, auch wenn die Ausführung der (eigenen) Rache Jahwe überlassen wird? Indes stellt sich die Sache

---

Sie mögen ein Ende nehmen,
ich aber zunehmen!
Sie mögen schwach werden,
ich aber stark!

[150] S. o. Anm. 68 und 69.
[151] Vgl. *Blank,* Curse (s. o. Anm. 117) 77.
[152] Vgl. *Scharbert,* Solidarität (s. o. Anm. 117) 132.
[153] Vgl. die Definition des Fluchworts bei *Blank,* Curse 78: „The curse was automatic or selffulfilling, having the nature of a ,spell', the very words of which were thought to possess reality and the power to effect the desired results".

bei genauerer Betrachtung des vermutlichen Hintergrundes und Anlasses der anstößigen Wünsche ganz anders dar. Um die Rachebitten der einschlägigen Psalmen besser zu verstehen, sollte man nicht vergessen, nach dem Zusammenhang zu fragen, in dem sie formuliert beziehungsweise besser rezitiert worden sind. Bei den fraglichen individuellen Klageliedern handelt es sich wohl kaum zufällig nicht zuletzt um Psalmen, die *H. Schmidt*[154] zu den Gebeten der Angeklagten beziehungsweise *W. Beyerlin*[155] zu Psalmen mit institutionsbezogenen Rettungsaussagen rechnen; die übrigen Privatgebete scheinen von diesen institutionsgebundenen Psalmen beeinflußt zu sein[156] wie die Volksklagelieder und verwandte Gebete ihrerseits von den individuellen Klagepsalmen, auch und gerade in den Rachewünschen. Das heißt, der zwar nicht formell ausgesprochene, so doch entfaltete Fluch (hebr. *'alā*)[157] in der Form eines Klagegebetes zu Jahwe hatte ursprünglich höchstwahrscheinlich seinen „Sitz" oder „Ort" bei einem sakralen Akt am Jahweheiligtum[158]. Die Rachebitten sind also keineswegs hemmungslose Haßausbrüche irgendwelcher Beter, schon gar nicht über das Ziel hinausschießende (private) Abwehrmagie nach Art der assyrischen Beschwörungsserie Maqlû. Es handelt sich offenbar, jedenfalls bei den ältesten einschlägigen Gebeten, um eine legitime Möglichkeit des Betens innerhalb des offiziellen Jahwekultes.

Wohl nicht nur in Sonderfällen, wo das ordentliche Gericht der Gemeinde (am Tor) zu keiner eindeutigen Schuldfeststellung kam (so *Beyerlin*), wird man den Ausweg einer sakralen Rechtsfindung

---

[154] Das Gebet der Angeklagten (s. o. Anm. 95). Von derartigen Gebeten im engeren Sinne (nach Schmidt) kommen hier in Frage: Ps 5; 7; 109, von den Schmidts Meinung nach mit ihnen verwandten Gebeten: Ps 54; 55, 1–19; 59; 140. – Freilich ist die besondere Problematik der „Flüche" in Ps 109 (s. o. Anm. 131) zu beachten.
[155] Die Rettung des Bedrängten (s. o. Anm. 109). Von den einschlägigen Gebeten mit Institutionsbezug kommen hier in Frage: Ps 5 und Ps 7.
[156] S. o. Anm. 134.
[157] Vgl. außer der oben (Anm. 141) erwähnten Literatur noch die Artikel *'alā* in: THAT I, 149–152 (C. A. Keller), und in: ThWAT I, 279–285 *(J. Scharbert)*.
[158] Dies gilt zunächst natürlich für die Selbstverwünschung, den Reinigungseid des Beschuldigten im sakralen Rechtsfindungsverfahren in der Art von Ps 7, 4–6 (vgl. hierzu *Schmidt,* Das Gebet der Angeklagten [s. o. Anm. 95] 1 f, sowie *Scharbert* [s. o. Anm. 157] 281), aber auch für die am gleichen Ort vorgetragenen „Fluch"bitten zur Abwehr ungerechter Ordalflüche verleumderischer oder leichtfertiger Ankläger, worauf etwa Ps 10, 7 und Ps 59, 13 hindeuten (vgl. hierzu *Scharbert* ebd.).

am Jahweheiligtum gesucht haben, vielmehr wird so mancher Bedrängter, der sich unschuldig wußte, seinen Fall selber – aus eigenem Antrieb oder nicht – Jahwe am Heiligtum in einem sakralen Akt der Rechtsfindung vorgetragen haben (vgl. 1 Kön 8,31f), um die Entscheidung durch einen (von Priestern vermittelten) Gottesspruch, ein (Heils-)Orakel herbeizuführen (so *Schmidt*)[159]. Dabei ging es im Falle der Anklage eines Kapitalverbrechens, was der Normalfall gewesen sein wird, für den Angeklagten um Leben oder Tod: „Wenn diese Menschen auf ihre Widersacher die Rache Gottes herabrufen, dann", so *W. Dietrich*[160], „offensichtlich nicht, weil sie besonders selbstgerechte und rachsüchtige Naturen wären, sondern weil sie befürchten müssen, auf andere Weise nicht zu ihrem Recht zu kommen". Jahwes Gerechtigkeit ist es, welche die Psalmbeter mit ihren Beschwörungsbitten gleichsam provozieren, beschleunigen wollen, Jahwes Gerechtigkeit, die den verleumdeten, eines todeswürdigen Verbrechens angeklagten Beter rechtfertigt, rehabilitiert und im Gegenzug seine verleumderischen Todfeinde verurteilt. Da der alttestamentliche Fromme, von der spätesten Zeit einmal abgesehen, noch nicht auf ein Leben und (ausgleichendes) Gericht *nach* dem Tode hoffen konnte, mußte eben, wenn sich Jahwe als „der gerechte Richter" (vgl. Ps 9,5) erweisen sollte, die Rechtfertigung, die Rehabilitierung seines Verehrers *hic et nunc* geschehen[161]. Das heißt, die ungerechten, verleumderischen Feinde mußten in einem Gottesgericht von genau der Strafe getroffen werden, die sie ihrem unschuldigen Opfer zugedacht hatten[162]. Davon ist etwa der sich keines

---

[159] In der Regel wird die Initiative zu diesem Verfahren im Hinblick auf einen vor dem ordentlichen Gericht zu klärenden Fall wohl beim Ankläger (Beschuldiger), wenn nicht beim Gericht selbst gelegen haben (so Schmidt bzw. Beyerlin), doch ist auch nach Beyerlin, Die Rettung des Bedrängten 64, für den Beschuldigten die Möglichkeit der Anrufung der Gottesgerichtsinstitution nicht auszuschließen, vor allem, „wenn sich die örtliche Rechtsprechung nicht zur Anrufung der Gottesgerichtsinstitution entschließen wollte und der bedrängende Kontrahent sich einem Gottesurteil nicht anzuvertrauen bereit war". Ob ein Bedrängter oder Beschuldigter im Heiligtum ein Schutzorakel anstreben und erhalten konnte, muß offen bleiben. Zum Letzteren vgl. *L. Delekat,* Asylie und Schutzorakel am Zionheiligtum. Eine Untersuchung zu den privaten Feindpsalmen, Leiden 1967.
[160] Rache (s. o. Anm. 141) 461.
[161] Hierauf weist besonders *Brongers,* Die Rache- und Fluchpsalmen (s. o. Anm. 141) 35 hin.
[162] Dies geht etwa aus Dtn 19,16–21, einem der zwingendsten alttestamentlichen Belege für das Postulat eines sakralen Rechtsfindungsverfahrens im alten Israel hervor:

todeswürdigen Verbrechens bewußte, angeklagte Beter von Ps 7 (vgl. V.12–17) auch überzeugt.

Eigentümlicherweise ergehen sich aber auch Beter darin, den *Frevlern* („Gottlosen") allgemein, deren sie sich nicht selbst unbedingt zu erwehren haben, die Rache anzuwünschen beziehungsweise sich schon jetzt die Freude der Gerechten an der künftig erlebten Rache über die Frevler auszumalen:

Es freut sich der Gerechte, wenn Rache *(naqam)* er schaut,
(wenn) seine Füße er badet im Blut des Frevlers (Ps 58,11)[163].

Doch meint der Beter nicht eigentlich *seine* Rache, schon gar nicht eine Rache, die er selbst eigenmächtig vornehmen wird, sondern *Jahwes* Rache (vgl. auch Jer 11,20!), das heißt Jahwes Gericht, an dem ihn Jahwe, wie er hofft, gleichsam teilnehmen lassen wird. Im Gebet überantwortet er die Rache Gott allein, um dessen Freiheit, Souveränität, aber auch Barmherzigkeit[164] er weiß. Wie hoch stehen diese alttestamentlichen Beter doch über jenen Betern des Zweistromlandes, die solche, ihnen persönlich unbekannte Menschen, von denen sie sich bedroht wähnten, durch das Gebet unterstützende weiße Magie auszuschalten oder, wie etwa in der assyrischen Beschwörungssammlung Maqlû, physisch zu vernichten suchten, ohne ihre „Rache" wirklich der Entscheidung der angerufenen Gottheit anheimzustellen. Der israelitische Beter verzichtet auf das Aussprechen formeller Flüche, während der Babylonier oder Assyrer seiner „Gebetsbeschwörung" durch Anwendung weißer Magie Nachdruck verleiht. Außerdem trifft, wie schon angedeutet, die Übersetzung des hebräischen Substantivs *naqam* mit *Rache* nicht den ganzen Sachverhalt; denn *naqam* kann neben „Rache" auch „Strafe" bedeuten, worauf *W. Dietrich*[165] hinweist, eine „begriffliche Unschärfe", die „nicht verursacht" ist „durch ein mangelndes

---

„Dann sollt ihr mit ihm so verfahren, wie er mit seinem Bruder verfahren wollte" (V.19a), nach der Einheitsübersetzung der Heiligen Schrift, Das Alte Testament, z.St. Man vgl. auch Dan 13!
[163] Übersetzung nach *Kraus,* Psalmen⁵ (s.o. Anm. 88) z.St.
[164] Vgl. Ex 34,6f; Num 14,18; Dtn 4,31; Joel 2,13; Jon 4,2; Ps 78,38; 86,15; 103,8; 111,4; 112,4; 116,5; 145,8; Neh 9,17.31; 2 Chr 30,9: *rḥm/ḥnn.*
[165] Rache (s.o. Anm. 141) 459. – „Die ursprüngliche Bedeutung des Stammes *nqm* dürfte der Rechtsprache zugehören. Ein begangenes Unrecht wird durch Bestrafung ausgeglichen und dadurch aufgehoben" (*G. Sauer, nqm* rächen, in: THAT II, 106–109,

Rechtsbewußtsein, sondern durch die gesellschaftlichen Verhältnisse im alten Israel". Schließlich gab es eine ordentliche Justiz im modernen Sinne damals begreiflicherweise noch nicht. Rechtsbeugung bei der üblichen Rechtsprechung „am Tor" war im Nord- wie im Südreich keineswegs selten[166]. So ist es auch nach *H. A. Brongers*[167] „nicht ein persönliches Rachegefühl, das in diesen Psalmen zu Wort kommt, sondern ein Schrei von den Erniedrigten und Beleidigten, von den ohnmächtigen 'anāwîm[168] und 'ebjōnîm"[169].

Schließlich ist, so *Brongers* ebd., „das Ziel des Anrufens von Fluch und Strafe kein anderes, als der Sieg der Gerechtigkeit und Rechtfertigung und Anerkennung des lebendigen Gottes".

Warum aber wünschen die Beter (vor allem in jüngeren Psalmen) den Frevlern allgemein Gottes Gericht an? Nun, dies hängt damit zusammen, daß die Feinde in der nachexilischen Zeit zunehmend als r^{e}ša'îm, als „Frevler" beziehungsweise „Gottlose" verstanden wurden. Die Bedränger und Unterdrücker derer, die sich Gott gegenüber gering wissen, der '^{a}nawîm, waren *eo ipso* „Frevler, Gottlose" im praktischen Sinne. Somit galten die Feinde, die Unterdrücker der „Armen" in gleicher Weise als *Feinde Jahwes.* Mußte man als Anhänger Jahwes diesen Gottesfeinden gegenüber nicht eindeutig Stellung beziehen? Der Beter von Ps 139 tut es:

Sollte ich nicht hassen, Jahwe, die dich hassen,
nicht verachten, die dich verachten?
Mit unbändigem Haß hasse ich sie,
Feinde sind sie für mich! (V. 21 f)[170]

---

107); vgl. *ders.,* Die strafende Gerechtigkeit Gottes in den Psalmen, Erlangen 1961. Die u. a. von *Sauer* (in: THAT II, 107) übernommene Theorie, der Begriff der Rache sei „die ‚typische Privatstrafe'" wird energisch bestritten von *G. E. Mendenhall,* The Tenth Generation. The Origins of the Biblical Tradition, Baltimore – London 1973, 69–104. Mendenhall stellt entschieden jeglichen Zusammenhang von „Rache" *(naqam/n^e- qamā)* bzw. *nqm* („rächen") mit der Blutrache (vgl. Gen 9,6) in Frage. In der Regel sei der Terminus als „avenge" (ein Akt vergeltender Gerechtigkeit) zu verstehen; von zwei Psalmstellen (Ps 8,3; 44,17) abgesehen, an denen der eigenmächtige Rächer mit dem Feind gleichgesetzt wird, habe der Begriff lediglich einmal bei Jeremia (Jer 20,10), und bezeichnenderweise in einem Feindzitat, die Bedeutung „revenge" (zu deutsch etwa: Rache [im engeren Sinn], Vergeltung). Zu diesem Befund vgl. besonders *ders.,* aaO. 98.
[166] Vgl. etwa Am 2,6f; 5,7.10–12.15 bzw. Jes 1,17.21.23; 5,7.22f; 10,1f.
[167] Die Rache- und Fluchpsalmen (s.o. Anm. 141) 33.
[168] Das Adjektiv *'anaw* bedeutet (vgl. KBL² s.v.): „(wer sich Gott gegenüber) gering (weiss), demütig, sanftmütig".
[169] Das Adjektiv *'æbjōn* bedeutet (vgl. KBL² s.v.): „bedürftig, arm".
[170] Übersetzung nach *Kraus,* Psalmen⁵ (s.o. Anm. 88) z.St.

Zu diesem „merkwürdigen Identifizierungsprozeß" führt *Brongers*[171] aus: „Es versteht sich von selbst, daß eine solche heilige Empörung nicht mit einem Wort wie ‚vulgäre Rachsucht' abgetan werden kann. Sie verdient es vielmehr, positiv bewertet zu werden, weil sie ihren Ursprung in einer leidenschaftlichen Liebe zu Jhwh hat". Diese Liebe aber gilt einem „Gott des Rechts"[172]. So schließt denn Ps 58, der oben schon wegen seiner anstößigen Racheerwartung (V. 11) zitiert wurde, mit dem Bekenntnis gläubiger Zuversicht:

Und die Menschen werden sagen: Der Gerechte empfängt seine Frucht,
ja, es gibt einen Gott, der auf Erden richtet (V. 12)[173].

So wird das Gericht Jahwes herbeigewünscht nicht nur als Vergeltung für die Frevler, sondern auch als Epiphanie Gottes, welche die durch das Treiben der „Gottlosen" in ihrem Jahweglauben angefochtenen Volks- und Glaubensgenossen im Glauben an Jahwe als den „Gott des Rechts" wieder bestärkt. Eine ähnlich positive Funktion schreibt der Psalmist sogar dem Gericht Jahwes über die nationalen Feinde Israels zu:

Für ewig seien sie beschämt und erschreckt,
gefallen in Schande und Verderben!
Auf daß sie erkennen, daß du "Jahwe,
allein der Höchste bist über alle Welt (Ps 83,18f)[174].

So hat das Gericht Jahwes sogar die Gotteserkenntnis beziehungsweise die Einsicht[175] der von ihm Betroffenen zum Ziel. Man kann sich bei diesem Gerichtszweck fragen, ob der Psalmist die Vernichtungswünsche überhaupt wörtlich verstanden hat, wenn das Gericht den so Bestraften nützen soll. So zielen denn die Gebete der bedrängten Jahweverehrer wie der durch allgemeine Ungerechtigkeit angefochtenen Frommen viel entschiedener als die „Gebetsbeschwörungen" ihrer babylonischen oder assyrischen Zeitgenossen

---

[171] Die Rache- und Fluchpsalmen (s. o. Anm. 141) 34.
[172] Ps 50,6(cj.); Jes 30,18; Mal 2,17; Sir 35,15.
[173] *Kraus,* Psalmen⁵ z. St. übersetzt: „Und die Menschen sollen sprechen …" Es ist aber nicht einsichtig, weshalb die jeweils in Anfangstellung befindliche Präfixkonjugation in V. 11 präsentisch (oder futurisch), in V. 12 dagegen jussivisch übersetzt werden soll.
[174] Übersetzung nach *Kraus,* Psalmen⁵ z. St.
[175] Vgl. etwa Ps 59,14, hierzu *Schmid,* Die Fluchpsalmen (s. o. Anm. 141) 387: „Die Psalmisten rufen mit ihren Verwünschungen Gottes Strafgericht herab, damit die Menschen zur Einsicht kommen".

auf das Gericht Gottes. Das aber heißt: Die von Menschen gegen Menschen, vor allem gegen Arme wie Fromme ausgeübte Gewalt kann nur durch das Gericht Gottes, das Gericht Jahwes endgültig überwunden werden. Selbst der Verzicht auf die eigene Vergeltung wie im Falle der Psalmenbeter und des gegenüber seinem Todfeind und Verfolger Saul großmütigen David (vgl. 1 Sam 24, 13) intendiert letztlich die göttliche Vergeltung[176]. Und nur scheinbar wird das Vergeltungsdenken in dem bekannten alttestamentlichen Sprichwort überwunden:

Hat dein Feind Hunger, gib ihm zu essen,
hat er Durst, gib ihm zu trinken;
so sammelst du glühende Kohlen auf sein Haupt,
und Jahwe wird es dir vergelten (Spr 25, 21 f)[177].

Zielt doch auch diese Mahnung zu Gewaltverzicht, ja zur Vergeltung des Bösen mit Gutem letztlich ebenfalls auf die göttliche Vergeltung, nur daß primär an den göttlichen Lohn für den Friedfertigen gedacht ist, der freilich die Bestrafung des Übeltäters durchaus impliziert.

Erst das Erlebnis des Gottesknechtes und seines unschuldigen, mit Ergebung in den Willen Gottes ertragenen Leidens kann nach der prophetischen Schau von Jesaja 53[178] in den Übeltätern und Gewalttätern die Erkenntnis bewirken, daß Jahwe dazu in der Lage ist, auch *auf anderem Wege* als durch Gericht über die Schuldigen die in ungerechter Gewalt bestehende Sünde hinwegzunehmen und durch die damit bewirkte Erkenntnis in den Sündern, den Gewalttätern, *die Gewalt selbst zu überwinden,* insofern sie nämlich von ihnen als sündhaft, ja als unmenschlich durchschaut wird. Zu einer solchen

---

[176] *K. Koch* hat zwar entschieden bestritten, daß das AT ein Vergeltungsdogma kenne, vielmehr müsse man von einem Zusammenhang von Tun und Ergehen im Sinne einer „schicksalwirkenden Tatsphäre" sprechen (*ders.,* Gibt es ein Vergeltungsdogma im Alten Testament? [1955], wieder abgedruckt in: ders. [Hg], Um das Prinzip der Vergeltung in Religion und Recht des Alten Testaments [WdF CXXV] Darmstadt 1972, 130–180), doch haben gegenüber dieser These andere Autoren z. T. schwerwiegende Bedenken angemeldet, z. B. *F. Horst,* Recht und Religion im Bereich des Alten Testaments [1956], wieder abgedruckt, in: Koch, Prinzip der Vergeltung, 181–212 (207–211), sowie *J. Scharbert,* ŠLM im Alten Testament [1961], wieder abgedruckt, in: Koch, aaO. 300–324 (312–318.321–323). Zur Thematik der Vergeltung vgl. auch *Sauer,* Die strafende Vergeltung Gottes (s. o. Anm. 165).
[177] Einheitsübersetzung (s. o. Anm. 162) z. St.
[178] Vgl. hierzu den Beitrag von *E. Haag* in diesem Band.

tiefen Erkenntnis konnten freilich die selbst bedrängten, leidenden oder doch wegen der Gewalt der Frevler und der Bedrängnis der Armen und Unschuldigen im Glauben an den gerechten Richter Jahwe angefochtenen und deshalb vor ihm klagenden Psalmbeter noch nicht gelangen, sondern erst prophetische Leidenserfahrung, die nicht zuletzt durch die Erfahrung des Bedrängnisleidens der selbst zum Teil nicht mehr des Abfalls von Jahwe und des Ungehorsams persönlich schuldigen Exilierten[179] vertieft worden ist. Doch haben die Psalmbeter diese prophetische Erkenntnis über Charakter, Sühne und Überwindung der Gewalt insofern vorbereitet, als sie die in der Welt erfahrbare Gewalt als solche nicht von irgendwelchen Dämonen oder Numina ausgehend erkannten, sondern als von Menschen, „normalen" Menschen verursachte Gewalt, ja als eine letztlich gottwidrige Gewalt, die schließlich Gott selbst trifft und als solche nur von Gott überwunden werden kann.

7 Zusammenfassende Auswertung

„Gewalterfahrung und Gewaltdeutung in Israel und Babylonien" war das Thema unserer Ausführungen. Worin unterscheidet sich nun, kurz zusammengefaßt, die *interpretatio Israelitica* von der *interpretatio Babylonica*?

Beginnen wir zunächst bei der *Erfahrung der Krankheit,* die ja gerade in den babylonisch-assyrischen Individualgebeten eine so große Rolle spielt, in den Psalmen hingegen hinter der Feinderfahrung deutlich zurücktritt. Da in beiden Kulturkreisen die natürlichen Ursachen der Krankheiten weitgehend unbekannt waren, mußten dafür numinose Mächte und Gewalten verantwortlich sein. Im mesopotamischen Raum waren es vornehmlich die (Krankheits-)-Dämonen, die, von Zauberern angehext, sich infolge der Abwendung der erzürnten (Schutz-)Gottheiten an den Opfern austoben konnten. Ganz anders in Israel! Nach dem Jahweglauben, wenigstens in seiner „orthodoxen" Form, wie er im Psalter seinen Niederschlag gefunden hat, war es Jahwe selbst, der die Krankheit, sei es

---

[179] Man denke etwa an das nach der ersten Zerstörung Jerusalems kursierende bittere Sprichwort Jer 31,29 = Ez 18,2.

als Strafe für bewußte oder unbewußte Verfehlungen, sei es auf Grund seines für den Menschen unerforschlichen Willensentschlusses, seines „Zorns", dem Menschen schicken kann, ohne daß anderen Menschen (etwa ihren entsprechenden Flüchen) ein nennenswerter Anteil an der Krankheit als Schickung Jahwes zugesprochen wurde. Die erfahrene *„Gewalt" der Krankheit* ist in Israel also wesentlich *entdämonisiert,* mit der Folge freilich, daß das Bild des allein zu verehrenden Gottes Jahwe in zunehmendem Maße Züge des Irrationalen annehmen mußte (vgl. etwa Ijob!).

Andererseits erfahren und erkennen die jahwegläubigen Beter der Psalmen unvergleichlich *deutlicher* als ihre babylonisch-assyrischen Zeitgenossen *den Menschen als den Ausgangspunkt direkter Gewalt,* von Feindschaft, Rechtsbeugung, Unterdrückung im zwischenmenschlichen und sozialen Bereich! Die feindlichen Aktivitäten vollziehen sich weithin in der Öffentlichkeit. In der Nachexilszeit werden die „Feinde", die sich vor allem als Unterdrücker der sozial Schwächeren, der Armen, bestätigen, die sich ihrerseits wiederum ganz auf Jahwe, den „Gott des Rechts" angewiesen wissen, zunehmend als (praktisch) „Gottlose" erfahren und beurteilt. Das heißt, das Unheimliche, „Dämonische" der Gewalt (im objektiven Sinn) wird ausschließlich in den Menschen selbst hinein verlagert, und zwar in den Menschen, insofern er (vor Jahwe) Sünder ist. Gewalt im eigentlichen Sinn wird somit nicht nur als menschenfeindlich (als „unmenschlich") erfahren, sondern auch und vor allem als „gottwidrig", ganz anders als im Zweistromland. Und weil dem so ist, kann derartige Gewalt zwar von den Jahwegläubigen in ihrem Wesen durchschaut, aber nur von Jahwe selbst überwunden werden, und zwar nach der verbreitetsten alttestamentlichen Glaubensanschauung im Gottesgericht, das den Bedrängten, Bedrohten „Recht verschafft" und die Bedränger (die „Feinde") entsprechend verurteilt.

Religionsgeschichtlich betrachtet kommt dem Jahweglauben (wenigstens im altorientalischen Raum) also das unbestreitbare Verdienst zu, die Gewalt (im eigentlichen Sinn) weitgehend entdämonisiert und als (egoistischen) Mißbrauch menschlicher Freiheit erwiesen zu haben. Theologisch kann dies nur als (indirekter) Erweis dessen verstanden werden, was Offenbarung bedeutet.

IV

Die Botschaft vom Gottesknecht

Ein Weg zur Überwindung der Gewalt

Von Ernst Haag, Trier

Einleitung

Wer zu dem Thema Gewalt und Gewaltlosigkeit im Alten Testament
Stellung bezieht, kann schwerlich auf eine Berücksichtigung der
Ebed-Jahwe-Dichtung in Jes 42–53 verzichten[1]. Denn bei diesem
Werk, das zu den Höhepunkten der alttestamentlichen Überlieferung zählt, geht es um eine Form der Durchsetzung von Jahwes
Herrschaft in dieser Welt, die im Gegensatz zu den bis dahin bekannten Formen gerade wegen des besonderen Verhältnisses von
Gewalt und Gewaltlosigkeit neue Maßstäbe setzt. So erreicht der
Gottesknecht in seiner Eigenschaft als Mittler der Heilsordnung
Jahwes das Ziel seiner Sendung entgegen aller menschlichen Erwartung dadurch, daß er trotz der Gewalttat, die ihm bei der Ausübung
seines Auftrages entgegenschlägt und die ihn schließlich dahinrafft,
persönlich in der Anlehnung an Gottes Offenbarung nicht den Weg
der Gewalttat wählt. Kein Wunder, daß im Kontext der Ebed-
Jahwe-Dichtung nicht nur der Gegensatz von Gewalt und Gewaltlosigkeit als solcher eine Beurteilung findet, sondern daß in der von
Jahwes Selbstmitteilung getragenen Sendung des Gottesknechts sich
auch ein Weg zur Überwindung der Gewalt zeigt, der, weil er von
Jahwe bei der Verwirklichung seines Heilsplans offenbart wird,
Hoffnung stiftet und zur Nachahmung einlädt.

Nun ist, wie man weiß, die Ebed-Jahwe-Dichtung innerhalb der
alttestamentlichen Forschung mit einer komplizierten exegetischen

---

[1] Zur Ebed-Jahwe-Dichtung gehören nach der allgemeinen Ansicht der Erklärer: Jes
42,1–4 (5–9); 49,1–6 (7–13); 50,4–9 (10–11); 52,13–53,12.

Problematik belastet, die sich zunächst auf die Literar- und Traditionskritik, aber dann auch auf die Form- und Redaktionskritik der einzelnen Überlieferungseinheiten erstreckt. Was gehört zum Grundbestand der Ebed-Jahwe-Dichtung, und was ist daran Bearbeitung? Soll man die Gestalt des Gottesknechtes individuell oder kollektiv verstehen? Handelt es sich bei dem Gottesknecht um eine präsentische oder um eine futurische Gestalt? Hat die königliche oder die prophetische Tradition bei der Darstellung als Hintergrund gedient? Alle diese für das Verständnis der Ebed-Jahwe-Dichtung entscheidenden Fragen haben bisher von seiten der alttestamentlichen Forschung keine allgemein anerkannte Antwort erfahren. Aus diesem Grund muß eine theologische Auseinandersetzung mit der Botschaft vom Gottesknecht sich zuerst mit der exegetischen Problematik beschäftigen und hier, soweit das möglich ist, eine Klärung herbeiführen[2]. Erst dann mag es auf dieser Basis gelingen, auch eine theologische Aussage zum Thema Gewalt und Gewaltlosigkeit im Alten Testament zu artikulieren.

1 Exegetische Probleme der Ebed-Jahwe-Dichtung in Jes 42–53

1.1 Literarkritik

1.1.1 Beobachtungen

1.1.1.1 Jes 42, 1–9

Die in V. 1–3 a ohne Spannungen und Wiederholungen dahinfließende Rede erfährt in V. 3 b eine Unterbrechung durch die nachklappende Bemerkung, daß der Knecht in Wahrheit das Recht hinausbringen wird. Die Aussage, die auf V. 1 b[b] zurückgreift, aber im

---

[2] Außer der im Literaturverzeichnis II d verzeichneten Spezialliteratur zur Ebed-Jahwe-Dichtung wurden die folgenden Kommentare zu Rate gezogen: *C. Westermann,* Das Buch Jesaja. Kapitel 40–66, Göttingen ⁴1981; *K. Elliger,* Deuterojesaja, Neukirchen 1978; *P. E. Bonnard,* Le second Isaïe, Paris 1972; *C. R. North,* The Second Isaiah, Oxford 1964; *P. Volz,* Jesaja II, Leipzig 1932; *E. König,* Das Buch Jesaja, Gütersloh 1926; *F. Feldmann,* Das Buch Isaias II, Münster 1926; *B. Duhm,* Das Buch Jesaja, Göttingen ⁴1922. – Eine eingehende Auseinandersetzung mit der Spezialliteratur und den Kommentaren zur Ebed-Jahwe-Dichtung kann im Rahmen der vorliegenden Untersuchung nicht durchgeführt werden.

Unterschied zu der dortigen Aussage die Reihenfolge von Objekt und Prädikat vertauscht, erfolgt gleichsam als ein bekräftigender Hinweis auf das unmittelbar vorher dargestellte Vorgehen des Gottesknechts bei der Verwirklichung seines Auftrags. Der Verfasser des Zusatzes in V. 3 b hat offenbar in dem Vorgehen des Knechts eine Bestätigung für die Eigenart des von ihm verkündigten Rechts gesehen. Auch die sich an V. 4 anhängende Bemerkung, daß die Inseln auf die Weisung des Gottesknechts harren, erweist sich bei näherer Betrachtung als Zusatz. Denn im Unterschied zu dem „Recht" *(mšpt)*, dessen Begründung auf Erden die Lebensaufgabe des Gottesknechts darstellt, ist hier von der „Weisung" *(twrh)* die Rede, die wie eine Verdeutlichung des vorher erwähnten „Rechtes" wirkt. Außerdem erscheinen hier nicht mehr wie in V. 1 die „Völker" *(gwjm)* als die Empfänger des Rechts, sondern die erst in Jes 49, 1 genannten „Inseln" *(jjm)*.

Der folgende Abschnitt V. 5-9, der nach Ausweis der Textüberlieferung als eine selbständige Aussageeinheit zu gelten hat, kann nicht die ursprüngliche Fortsetzung von V. 1-4 sein; denn die in V. 1-4 voraufgegangenen Aussagen bilden sowohl formal wie auch inhaltlich eine in sich geschlossene Aussageeinheit, die als Gottesrede keine Fortsetzung mehr verlangt. Zudem wäre die Botenspruchformel im Mund des V. 1-4 sprechenden Jahwe einfach unmöglich. Der Abschnitt V. 5-9 bildet aber auch nicht die Einleitung zu dem in Jes 49, 1-6 folgenden Selbstbericht des Gottesknechts, weil ihm im Vergleich damit, abgesehen von der inhaltlichen Unausgeglichenheit, die für den Selbstbericht des Knechts so bezeichnende persönliche Note fehlt. Literar- und formkritisch gehören daher die beiden Abschnitte V. 1-4 und V. 5-9 ursprünglich nicht zusammen. Die Frage, warum man den Abschnitt V. 5-9, der in sich betrachtet allem Anschein nach eine Komposition aus verschiedenen Einheiten darstellt, nachträglich mit dem Abschnitt V. 1-4 verbunden hat, gehört schon in das Gebiet der Redaktionskritik[3].

---

[3] Vgl. dazu E. *Haag,* Bund für das Volk und Licht für die Heiden (Jes 42,6), Didaskalia 7 (1977) 3–18.

1.1.1.2 Jes 49, 1–13

Der mit V. 1 beginnende Selbstbericht des Gottesknechtes schließt sich offensichtlich an die Jahwerede von Jes 42, 1–4 an; denn der Knecht erzählt hier in der Form einer Stellungnahme von der dort an ihn ergangenen Berufung und greift daher in V. 3 ausdrücklich den ihm in diesem Zusammenhang verliehenen Ehrentitel „Knecht" auf. Innerhalb der Ausführungen des Knechtes erweckt jedoch in V. 3 der weitere Ehrentitel „Israel" hinsichtlich seiner Ursprünglichkeit trotz der textgeschichtlich guten Bezeugung schwere Bedenken. Denn angesichts der Tatsache, daß in dem Grundtext der Glaubensdichtung vom Gottesknecht der Heilbringer bisher ohne Namen geblieben ist und auch weiterhin, wie die Untersuchung noch zeigen wird, unbenannt bleibt, erscheint es recht ungewöhnlich, daß hier, und zwar erst so spät im Kontext der Dichtung, der Gottesknecht den Ehrentitel „Israel" erhält. Die Bedenken gegen die Ursprünglichkeit dieses Titels werden noch verstärkt durch die Beobachtung, daß in dem Selbstbericht des Knechtes offensichtlich ein einzelner spricht; denn nur von einem einzelnen kann im eigentlichen Sinn ausgesagt werden, daß Gott ihn bereits im Mutterschoß geformt hat. Die größte Schwierigkeit bei einem kollektiven Verständnis des Knechtes ist jedoch die, daß in diesem Fall der Knecht, wie es V. 5 bezeugt, eine Aufgabe an Israel selber zu erfüllen hätte, was bei seiner Identität mit Israel logisch und praktisch voller Widerspruch wäre. Erst die Redaktion der Ebed-Jahwe-Dichtung hat, wie noch zu zeigen ist, den Gottesknecht kollektiv gedeutet und dabei den Ehrentitel „Israel" in einem Sinn verstanden, der die bisher aufgezeigten Schwierigkeiten tatsächlich relativiert[4]. Mit höchster Wahr-

---

[4] Diese nicht mehr allein von der Text- und Literarkritik, sondern hauptsächlich von der Redaktionskritik her gewonnene Unterscheidung ist gegenüber *N. Lohfink* („Israel" in Jes 49, 3, in: Wort, Lied und Gottesspruch II, FS J. Ziegler, Würzburg 1972, 217–230) anzumelden, der mit Recht die Ambivalenz der bisher für die Streichung von „Israel" in Jes 49, 3 herangezogenen Argumente betont hat. Die Redaktionskritik wird noch zeigen, daß die kollektive Deutung der Ebed-Jahwe-Dichtung in dem Gottesknecht nicht einfach Israel schlechthin, sondern nur den aus dem Gericht des Exils geretteten, heiligen Rest des alten Gottesvolkes erblickt. So versteht man, daß die Einfügung von „Israel" hier auf die Hervorhebung eines Kontrastes ausgerichtet ist. Während sich nämlich das alte Israel nach Deuterojesaja trotz seiner Erwählung zum Gottesvolk (Jes 41, 8 f) als ein blinder und tauber Knecht Jahwes in der Geschichte erwiesen hat (Jes 42, 18 ff), ist der aus dem Gericht gerettete, heilige Rest Israels als der neue Knecht Jahwes ein Zeuge der endzeitlichen Verherrlichung seines Gottes (Jes 49, 3).

scheinlichkeit darf man daher „Israel" in V. 3 als einen Zusatz der Redaktion betrachten.

Das Vertrauensbekenntnis des Knechtes in V. 4 b unterbricht den gewollten Gegensatz der Aussagen in V. 4 a und V. 5 f und kommt überdies hier zu früh; denn das für die Situation des Knechtes spezifische Vertrauensbekenntnis folgt erst anschließend in dem Abschnitt Jes 50, 4–9. Vermutlich hat in V. 4 b ein Ergänzer schon ein Vertrauensbekenntnis des Knechtes eingefügt, weil er die Sinnhaftigkeit von dessen bisherigen Bemühungen trotz des gegenteiligen Anscheins hervorheben wollte.

Die Redeeinleitung in V. 5 a hat eine Ergänzung erfahren, die den Einsatz der Jahwerede in V. 6 a ungebührlich hinausschiebt. So wirkt der als Weiterführung der Apposition von V. 5 a mit Infinitiv gebildete Finalsatz von V. 5 b syntaktisch schwerfällig und inhaltlich wie eine Dublette zu V. 6, wo die Aufgabe des Gottesknechtes ausdrücklich abgehandelt wird. Auch eine leichte Verschiebung in der Akzentsetzung bei der Aufgabenstellung des Knechtes fällt auf, insofern statt des in V. 6 b gebrauchten Hiphil von *šwb* das Piel (wie in Jer 50, 19; Ez 39, 27) steht. Syntaktisch stört auch das Vertrauensbekenntnis in V. 5 c, das wohl in Angleichung an V. 4 b hier eingefügt worden ist. Die Zusätze in V. 5 b c haben ihrerseits in V. 6 a die Einfügung von *wj'mr* notwendig gemacht; ursprünglich begann das Zitat der Jahwerede ohne die einleitende Wendung.

Die erweiterte Botenformel von V. 7 a markiert einen Neueinsatz der Jahwerede, die jedoch im Unterschied zu V. 6 offensichtlich nicht mehr zu dem Zitat des Gottesknechtes gehört. Angeredet ist in V. 7 b mit Bezug auf die Darstellung von Jes 53, 1–9 „der Tiefverachtete, von den Leuten Verabscheute, der Knecht der Herrschenden"; und im Vorgriff auf die in Jes 52, 15 geschilderte Reaktion der Weltöffentlichkeit heißt es in V. 7 c d: „Könige sehen es, und Fürsten stehen auf und werfen sich nieder wegen Jahwe, der treu ist, der Heilige Israels". Die metrisch überschießende Glosse „und er hat dich erwählt" am Ende von V. 7 d versucht, in direkter Anrede an den vorher erwähnten Tiefverachteten dessen Würde als die eines von Jahwe Erwählten hervorzuheben. Alle diese Aussagen in V. 7 b–d erweisen sich jedoch im Hinblick auf die in V. 8 b einsetzende Jahwerede als sekundär. Das geht aus der gekürzten Wiederaufnahme der Botenformel in V. 8 a hervor, die durch die Einfügung in V. 7 b–d notwendig geworden war. Mit dieser Einfügung hat ein Bearbeiter das in V.8b angeredete Israel mit dem Gottesknecht in Beziehung gebracht. Auf den gleichen Bearbeiter, der vermutlich auch schon in Jes 49,3 durch die Einfügung von „Israel" in Erscheinung getreten ist, geht auch die auf Jes 42,6 zurückgreifende Bemerkung in V.8c zurück, wo es heißt, daß Gott den Angeredeten „bewahren" und zum „Bund für das Volk" machen werde. Die von der Botenformel in V.7a eingeleitete Jahwerede an Israel umfaßt demnach ursprünglich nur V.8bd und V.9a.

Die Aussagen von V.9b–10b, die von der Hirtensorge Jahwes bei der Heimkehr der Verbannten Israels handeln, stellen vermutlich eine eigene Überlieferungseinheit dar, die aus einem anderen Zusammenhang stammt. Auf diese Annahme verweist nicht nur der Umstand, daß in V.10b von Jahwe in der 3. Person als „ihrem Erbarmer" geredet wird, sondern auch die Beobachtung, daß in V.11f von einer endzeitlichen Heimkehr des Gottesvolkes in das Land der Verheißung die Rede ist. Die Aussage in V.11f muß dabei keineswegs als die Fortsetzung der Jahwerede von V.9a betrachtet werden. Alles spricht vielmehr dafür, daß die Jahwerede in V.7–12 literarisch eine Komposition aus verschiedenen Überlieferungseinheiten darstellt. Dazu paßt jedenfalls auch, daß die Jahwerede in V.13 durch ein hymnisches Fragment abgeschlossen worden ist.

1.1.1.3 Jes 50,4–11

Die Aussagen des Gottesknechts in V.4, die in sich nicht einheitlich sind und die allem Anschein nach Zusätze aufweisen, erwecken Zweifel an ihrer ursprünglichen Zugehörigkeit zum Grundtext der Glaubensdichtung vom Gottesknecht. Gleich zu Beginn überrascht die im Vergleich mit der Diktion des Gottesknechts in dem vorangegangenen Selbstbericht von Jes 49,1–6 ungewöhnliche Redeweise von Gott als dem „Herrn Jahwe", die zwar verschiedentlich bei Deuterojesaja (Jes 40,10; 48,16; 49,22; 52,4) und im Kontext der vorliegenden Texteinheit gleich viermal, aber sonst innerhalb der Ebed-Jahwe-Dichtung nie begegnet. Auffälligerweise ist sodann hier vom „Jünger" *(lmwd)* als dem Idealbild eines von Jahwe Erwählten und nicht mehr von dem „Knecht" die Rede. Schließlich fällt es schwer, in V.4 einen Anknüpfungspunkt für die Beteuerung des Knechtes in V.5 zu finden, daß er vor der Beauftragung durch

Jahwe keineswegs zurückgewichen sei und bei der Ausübung seines Dienstes Schläge eingesteckt habe. Denn warum hätte der Knecht, der vorher noch mit Überzeugung seine Sendung durch Jahwe dargelegt hat (vgl. Jes 49,1-6), jetzt vor der damit zusammenhängenden Belehrung durch denselben Jahwe zurückweichen sollen? Und wie soll man die Tatsache erklären, daß der Knecht bei der Stärkung der Müden auf Ablehnung und physischen Widerstand gestoßen ist? Alle diese Schwierigkeiten lassen sich jedoch beheben, wenn man erkennt, daß die Aussagen in V.4 nicht mehr die Fortsetzung des Grundtextes von Jes 49,1-6 sind, sondern daß sie eine für den jetzigen Zusammenhang eigens komponierte Einleitung zu dem anschließenden Bekenntnis des Gottesknechts darstellen. Die Ausrichtung auf die Trostreden in Jes 49,14 – 50,3 ist jedenfalls unverkennbar. Vor allem die Frage Jahwes in Jes 50,2: „Warum war niemand da, als ich kam? Warum hat niemand geantwortet, als ich rief?" hat in dem nach Jes 54,13 gezeichneten Idealbild des Knechtes als eines Jahwejüngers eine exemplarische Antwort gefunden. V.5a ist eine glossenhafte Verdeutlichung zu V.4c.

Hat man den sekundären Charakter des Abschnitts V.4-5a erkannt, dann wird klar, daß die Aussagen in V.5b-6 die Fortsetzung des Grundtextes von Jes 49,1-6 sind. Nachdem der Gottesknecht dort nämlich die Bestätigung für die Sinnhaftigkeit seiner Bemühungen im Dienst Jahwes bekommen hat, bekennt er hier voller Zuversicht, daß er angesichts der ihm von Jahwe eröffneten Einsicht in die Zielsetzung seines Auftrags nicht widerspenstig zurückgewichen ist, sondern seine Berufsleiden willig auf sich genommen hat.

In V.7a wird das Bekenntnis des Gottesknechts von einer Vertrauensäußerung durchbrochen, die sich wegen der Redeweise vom „Herrn Jahwe" (vgl. V.4f) und der vorweggenommenen Aussage (vgl. V.7b), daß der Mittler wegen der Hilfe seines Gottes nicht untergegangen ist, als sekundär erweist. Erst in V.7b beginnt das für den Grundtext charakteristische Vertrauensbekenntnis des Gottesknechts. Lediglich *l-kn* („deshalb") am Anfang von V.7b dürfte als eine Angleichung von V.7a^b sekundär sein.

Die in V.8 sich anschließende Vertrauensäußerung dürfte jedoch kaum ursprünglich sein, weil hier im Unterschied zu der vorangegangenen Rechtfertigung der Verfolgungsleiden (vgl. hierzu den Anschluß von 50,5b an 49,1-6) plötzlich die Vorstellung eines Gerichtsverfahrens begegnet, in dem der Gottesknecht von Jahwe eigens gerechtfertigt wird. Auch V. 9 a bewegt sich noch im Horizont dieser Vorstellung eines Gerichtsverfahrens und dürfte daher – nicht zuletzt auch wegen der Redeweise vom „Herrn Jahwe" (vgl. V. 4 f) – wie V. 8 der Bearbeitung zugehören. Da sich der Gebrauch der Demonstrativpartikel *hn* zu Beginn von V. 9 a gegenüber V. 9 b als Dublette erweist, besteht die Wahrscheinlichkeit, daß die mit *hn* eingeleitete Aussage in V. 9 b ursprünglich ist, zumal die Vorstellung des Gerichtsverfahrens hier nicht mehr vorliegt. Inhaltlich paßt jedenfalls V. 9 b zu V. 7 b, insofern die dort ausgesprochene Hoffnung des Gottesknechts, angesichts all seiner Feinde nicht zuschanden zu werden, hier durch den Ausblick auf deren Ende in Schmach wirkungsvoll ergänzt wird.

Hatte bisher der Gottesknecht geredet, so ergreift in V. 10 f ein nicht mit Namen genannter Sprecher das Wort und fragt: „Wer unter euch fürchtet Jahwe, hört auf die Stimme seines Knechts?" Offenbar denkt der Sprecher an das vorangegangene Vertrauensbekenntnis des Knechtes, in dem er ein Beispiel der Gottesfurcht erblickt hat. Angesichts dieser Wegweisung durch das Verhalten des Knechtes fordert der Sprecher in Anlehnung an das Prophetenwort in Jes 9, 1 alle diejenigen auf, die noch im Finstern wandeln und denen kein Licht erstrahlt, auf den Namen Jahwes zu vertrauen und sich auf den Gott des Knechtes zu stützen. Abschließend wendet sich in V. 11 der Sprecher an die Frevler, die Feuer anzünden und Brandpfeile bündeln (vgl. Ps 57, 5), und droht ihnen im Namen Jahwes die Vernichtung durch ihre eigenen Waffen an. Der paränetische Charakter dieser Aussagen, die das Bekenntnis des Knechtes ergänzen, läßt die Äußerungen des Sprechers in V. 10 f als sekundär erscheinen.

1.1.1.4 Jes 52, 13 – 53, 12

In dem Abschnitt Jes 52, 13 – 53, 12 treten im Unterschied zu den bisher behandelten Abschnitten im Grundtext der Ebed-Jahwe-Dichtung, wo jeweils nur ein Sprecher das Wort geführt hat, gleich zwei Sprecher auf, nämlich Jahwe und das von der Sendung des Gottesknechts betroffene Volk. Dabei sind die Redeanteile der beiden Sprecher zu einer einzigen Aussageeinheit verbunden. Denn die Jahwerede, die in 52, 13–15 und 53, 11 f anzutreffen ist, bildet den Rahmen zu dem in 53,1–10 vorliegenden Bericht des Volkes über das Schicksal des Gottesknechts. Bemerkenswert an dieser Aufgliederung des Jahwewortes ist, daß die sich in der Form bereits abzeichnende Konzentration auf das Schicksal des Gottesknechts auch im Inhalt sich widerspiegelt, insofern hier der Erniedrigung des Gottesknechts bei der Ausführung seines Auftrags die von Jahwe gewährte Erhöhung als ein Erfolg des Heilbringers gegenübergestellt und als eine Bestätigung gegenüber den Machthabern dieser Welt gewertet wird. Mit dieser Ausrichtung auf die schließlich doch gelungene Rechtfertigung des Gottesknechts (vgl. 50,8 f) unterscheidet sich die vorliegende Jahwerede von derjenigen in 42,1–4, die von der weltweiten Bestimmung des Gottesknechts als eines endzeitlichen Heilbringers handelt und die den Erfolg seiner Sendung in der Begründung des Rechts auf Erden sieht. Um so auffälliger ist dagegen die Übereinstimmung mit der ebenfalls auf den Gegensatz von Erniedrigung und Erhöhung abzielenden Darstellung des Bearbeiters in 49,7–12. Es erhebt sich daher bereits hier der Verdacht, daß die Jahwerede des Rahmenwortes nicht zum Grundtext gehört.

Die in 52,13 einsetzende Jahwerede knüpft zwar, rein äußerlich gesehen, an das Bekenntnis der Zuversicht an, das der Knecht am Schluß seines Selbstberichts in 50,7 b abgelegt hat. Überraschenderweise greift jedoch die Jahwerede nicht, wie bereits angedeutet worden ist, inhaltlich die vorher von Gott in 42,1–4 und von dem Knecht selbst in 49,5 a.6 geäußerten Worte über die Bestimmung des Heilbringers auf. Statt dessen blickt die Jahwerede ausschließlich auf den Erfolg des Gottesknechts, der in der wunderbaren Erhöhung nach all den vorher erlittenen Demütigungen gesehen wird. Auffallend ist auch, daß die Jahwerede in 52,13 trotz der in die Augen springenden Ähnlichkeiten mit 42,1 doch recht bezeichnende Unterschiede in der Formulierung aufweist. So beginnt die Aussage in 52,13 mit der Demonstrativpartikel *hnh* und einem Verb statt wie in 42,1 mit *hn* und einem Nomen. Und während in 42,1 eine Häufung von Erwählungsaussagen mit jeweils großem inhaltlichem Gewicht steht, bietet 52,13 nur eine Aneinanderreihung von synonymen Verben, die nicht mehr den Perspektivenreichtum der Erwählungsaussagen von 42,1 enthalten. Aus alledem ergibt sich, daß die Jahwerede in 52,13 das Werk eines Bearbeiters ist, der die betreffende Aussage in Angleichung an 42,1 formuliert hat.

Nach dem Hinweis Jahwes auf den Erfolg seines Knechtes stört in 52, 14a der Übergang zu der direkten Anrede an den Knecht. Der Vers kommt daher schwerlich als Fortsetzung von 52, 13 in Betracht. Aber auch 52, 14b hat keine Beziehung zu der Jahwerede in 52, 13. Der Vers spricht zwar wieder in der 3. Person von dem Knecht, nimmt aber inhaltlich nicht auf den Erfolg des Knechtes, sondern auf dessen Erniedrigung Bezug, wie sie in 53, 2 beschrieben wird. Der Umstand jedoch, daß die Aussage in 52, 14b das Wort von der Erniedrigung des Knechtes in 53, 2 in einer verallgemeinerten Form aufgreift und so zu den „Vielen"[5] in Beziehung bringt, führt zu der Vermutung, daß 52, 14b eine in Angleichung an 52, 15 (vgl. „so") gebildete Glosse zu 52, 14a ist. Die Fortsetzung von 52, 13 erfolgt erst in 52, 15, wo der Erfolg des Gottesknechts zu den Erwartungen der Großvölker in Beziehung gesetzt wird.

In 53, 1 sprechen nicht mehr die unmittelbar vorher genannten Könige und Vertreter der Großvölker, sondern Menschen, die aufgrund ihres Glaubens an Jahwes Heilsmacht zu der Sendung des Gottesknechts Stellung beziehen. Sie fragen, woher es kommt, daß man der Kunde vom Gottesknecht nicht mit Glauben begegnet ist und warum man nicht begriffen hat, gegen wen sich hier der Arm Jahwes hat durchsetzen müssen. Der in der Frage enthaltene Appell an die Aufmerksamkeit des Hörers und der Umstand, daß mit dieser Aussage gleichzeitig die Auseinandersetzung mit dem wahren Charakter der Sendung des Gottesknechts eröffnet wird, lassen darauf schließen, daß nach der Beendigung der Stellungnahme des Heilbringers in 50, 9b hier ein neuer Abschnitt im Grundtext der Ebed-Jahwe-Dichtung folgt.

In 53, 2–6 verläuft die Darstellung des Grundtextes ohne tiefgreifende Störung. Nur die Form *wnr'hw* in V. 2, die wohl in Anglei-

---

[5] In dem Rahmenwort Jes 52, 13–15 und 53, 11–12 ist die Verwendung des Begriffs *rbjm* keineswegs einheitlich. Während in 52, 14 lediglich *rbjm* („viele", ohne Artikel) steht, meint der Begriff in 52, 15 in der Verbindung *gwjm rbjm* die „Großvölker" (vgl. Ez 26, 3; 38, 23; 39, 27). Nach 53, 11 steht der Gottesknecht *lrbjm* (mit Artikel) gerecht da, was wohl „vor den Großen" (vgl. 53, 12a) heißt. Jedenfalls ist in 53, 12a *brbjm* (mit Artikel) mit „unter den Großen" wiederzugeben, wie die Parallelaussage von den „Mächtigen" im gleichen Vers beweist. In 53, 12c dagegen bezeichnet *rbjm* (ohne Artikel) allem Anschein nach wieder wie in 52, 14 „viele". Daraus folgt, daß in 52, 14 und 53, 12c eine andere Hand am Werk gewesen ist als in 52, 15 und 53, 11.12a.

chung an das letzte Verb des Verses gebildet worden ist und metrisch überschießt, darf als sekundär betrachtet werden.

In der ersten Vershälfte von 53,7 fällt auf, daß in der Aussage „und er tut seinen Mund nicht auf" statt des zu erwartenden Perfekts, wie es die vorangehenden Verben aufweisen, das Imperfekt steht. Die Aussage ist wohl im Hinblick auf den an Jer 11,19 erinnernden Vergleich von einem Ergänzer hinzugefügt worden. Die Wiederholung dieser Aussage am Ende des Verses ist dagegen als eine Glosse zu betrachten.

Die Aussagen in 53,8 wirken unausgeglichen und weisen deutlich auf eine Ergänzung hin. So findet die einleitende Aussage des Grundtextes, daß der Knecht ohne den machtvollen Schutz des Gottesrechtes[6] hinweggerafft worden ist, ihre logische Fortsetzung in dem Kausalsatz von V. 8 b ᵃ, der von dem Tod des Knechtes berichtet. Die in V. 8 aᵇ dazwischengeschobene Frage, wer die Folgen dieses Todes für die Familie des Knechtes bedenkt, unterbricht nicht nur syntaktisch den Zusammenhang des Grundtextes, sondern läßt auch durch ihre präsentische Formulierung, die sich von den perfektischen Aussagen der Umgebung auffällig abhebt, auf eine Ergänzung schließen. Die Aussage in V. 8 bᵇ, wo im Unterschied zu der Darstellung des Grundtextes ein einzelner Sprecher zu Wort kommt, greift das Bekenntnis von dem stellvertretenden Leiden des Knechtes in 53,5 auf und bezieht es allem Anschein nach auf das Volk, wie es die wohl pluralisch zu verstehende Form *lmw* am Ende des Verses nahelegt. In 53,9 scheint die erste Vershälfte eine Fortsetzung der als sekundär erkannten Aussage von V. 8 bᵇ zu sein; denn darauf verweist nicht nur die naheliegende Möglichkeit, in V. 8 bᵇ *'mj* („mein Volk") als Subjekt des V. 9 einleitenden Imperfectum consecutivum *wjtn* („und es gab") zu verstehen, sondern auch der Umstand, daß der in

---

[6] Da einerseits die Wurzel *'ṣr* die Grundbedeutung „zurückhalten, verschließen, hindern" (vgl. 1 Kön 18,44; Jer 20,9 u, a.) hat, wobei das Moment der Macht eine nicht unwichtige Rolle spielt (vgl. 1 Sam 9,17; 2 Chr 14,10; Ps 107,39), und andererseits *mšpt* im Kontext der Ebed-Jahwe-Dichtung zunächst mit der Verwendung dieses Begriffes in Jes 42,1.4 in Verbindung zu bringen ist, legt sich für Jes 53,8 ein Verständnis nahe, wonach der Gottesknecht „ohne" (privativer Gebrauch der Präposition *mn*) „den machtvollen Schutz des Rechts", das er zu verwirklichen hat (vgl. Jes 42,1.4) „dahingerafft" (vgl. Jer 15,15) wird. Zur Diskussion des Problems vgl. *G. W. Ahlström,* Notes to Isaiah 53,8 f; BZ 13 (1969) 95–98; *E. Kutsch,* Die Wurzel *'ṣr* im Hebräischen; VT 2 (1952) 57–69.

V. 8 b[b] erwähnte und oft den Ausschluß aus der Gemeinschaft des Volkes nach sich ziehende *ngʻ* („Schicksalsschlag") wohl in dem in V. 9 a beschriebenen Begräbnis eine Verdeutlichung erfahren hat. In V. 9 b liegt wiederum der Grundtext vor[7].

Die Darstellung von 53, 10 ist in der jetzigen Form sicher nicht ursprünglich. Die einleitende Aussage in V. 10 a[a], Jahwe habe Gefallen *(ḥpṣ)* daran gehabt, daß seinen Knecht das Leiden zermalme, faßt die vorangegangene Darstellung recht einseitig zusammen und steht zudem in Spannung zu der abschließenden Aussage in V. 10 b[b], wonach trotz der scheinbaren Niederlage des Knechtes der Plan *(ḥpṣ)* Jahwes gelingen wird. Die Aussage von V. 10 a[a] ist demnach sekundär. Ähnlich verhält es sich mit der Aussage von V. 10 a[b], die sich allem Anschein nach an Jahwe wendet und die in V. 10 b[a] ihre Fortsetzung hat; sie unterbricht wegen ihres Anredecharakters die vorher in der 3. Person gehaltene Darstellung des Grundtextes über den Gottesknecht und ist ebenfalls ein Ausdruck späterer Bearbeitung[8]. Nur die Schlußaussage in V. 10 b[b] darf als ursprünglich und somit als die Fortsetzung des Grundtextes von V. 9 b gelten; sie hebt die Tatsache hervor, daß die Sendung des Knechtes trotz seiner scheinbaren Niederlage von einem Erfolg, und zwar im Sinne der Jahwerede von 42, 1–4, begleitet sein wird.

Die Aussagen in 53, 11 erwecken allesamt erhebliche Zweifel an ihrer ursprünglichen Zugehörigkeit zum Grundtext. So fällt zunächst bei dem Satz in V. 11 a, daß der Knecht nach der Mühsal seiner Seele schauen wird, außer der Unvollständigkeit der Aussage

---

[7] Während in V. 8 f der Grundtext lediglich feststellt, daß der Gottesknecht, ohne sich durch Lüge und Gewalttat schuldig gemacht zu haben, bei seinem Tod nicht den Schutz des von ihm verwirklichten Rechts erfahren hat, spricht der Ergänzer hier von den Folgen dieses Todes für die Familie des Knechtes und von einem unehrenhaften Begräbnis, das man dem allem Anschein nach gewaltsam Beseitigten bereitet hat. In V. 9 a bezeichnen die „Frevler" und die „Reichen" (zum Plural vgl. *E. König,* das Buch Jesaja, 439) offenbar die gleiche Gruppe von Menschen. In V. 9 b ist wegen der Parallelität zu *qbrw* („sein Grab") die Form *bmtjw* als *bmtw* („sein Grabhügel") zu lesen (so *K. D. Schunk, bmh:* ThWAT I, 662 f).

[8] Der Passus lautet nach M: „Wenn du zum Schuldopfer sein Leben machst, wird er Nachkommenschaft sehen, lange leben." Möglich ist auch die *npšw* als betontes Subjekt fassende Übersetzung: „Wenn seine Seele ein Schuldopfer bringt, wird ..." (so *E. König,* Das Buch Jesaja, 440). Bei anderer Wortabtrennung, aber gleichem Konsonantenbestand ist auch die dem Kontext des Berichtwortes angepaßte Wiedergabe möglich: „Wahrhaftig! Er hat zum Schuldopfer sein Leben gemacht."

der Umstand auf, daß die Wortfolge *npšw jr'h* wie eine Dublette zu der entsprechenden Ausdrucksweise in V. 10 wirkt. Vermutlich hat ein Glossator die Anfangsworte *m'ml npšw* in Anlehnung an V. 10 durch die Verbform *jr'h* ergänzt; nicht auszuschließen ist auch Dittographie. Die eigentliche Fortsetzung der Anfangsworte *m'ml npšw* bildet das Prädikat *jsb':* Nach der Mühsal seiner Seele wird der Knecht Sättigung und damit die Erfüllung seines Auftrages erfahren. Als Wort Jahwes stellt diese Aussage eine Wiederholung der Gottesrede von 52, 13 dar. In 53, 11 a[a] ist daher der gleiche Bearbeiter wie in 52, 13 am Werk gewesen; offenbar wollte er mit seiner Bemerkung über das künftige Los des Gottesknechts den Grundtext von 53, 10 b[b] ergänzen. Die Aussage in V. 11 a[b], daß der Knecht durch seine Erkenntnis Rechtfertigung bewirken wird, dürfte hingegen weder auf den erwähnten Bearbeiter noch auf den Verfasser des Grundtextes zurückgehen, weil in der Darstellung beider bisher nirgends von einer solchen Aufgabe des Gottesknechts die Rede gewesen ist. V. 11 a[b] ist daher das Werk eines späteren Ergänzers. Die weitere Aussage Jahwes in V. 11 b[a], daß der Knecht vor den Großen gerecht dastehen wird, ergänzt V. 11 a[a] und ist wohl wie dieser Vers ein Werk des gleichen Bearbeiters. Die Schlußaussage in V. 11 b[b], daß der Knecht die Schuld der Großen tragen wird, stößt sich mit der perfektisch formulierten Feststellung in 53, 4, wonach der Knecht die Schuld des Volkes getragen hat, und dürfte den in V. 11 a[b] stehenden und ebenfalls futurisch formulierten Satz von der rechtfertigenden Tätigkeit des Knechtes ergänzen. V. 11 b[b] geht daher wohl auch auf den gleichen Ergänzer wie V. 11 a[b] zurück.

Die Erklärung Jahwes in 53, 12 a, daß er seinen Knecht den Großen gleichstellen wird, setzt offenbar die Aussagen von 53, 11 a[a].b[a] fort, wonach der Gottesknecht die Erfüllung seiner Sendung und den Erweis seiner Gerechtigkeit vor den Großen durch Jahwes Führung erfahren wird. Die Aussage in 53, 12 b liefert dafür die Begründung; denn die Erhöhung des Knechtes erfolgt deshalb, weil er sein Leben in den Tod dahingab und sich zu den Frevlern zählen ließ. Die inhaltlich an 52, 13.15 anschließenden Aussagen in 53, 12 ab dürfen daher als ein Werk des Bearbeiters gelten. Lediglich in V. 12 b scheint das metrisch überschießende *lmwt* ein verdeutlichender Zusatz zu *hr'h* zu sein. Die Aussage in 53, 12 c[a], daß der Knecht die Sündenschuld von vielen getragen hat, erweitert im Sinne von 52, 14 die

Darstellung des Grundtextes in 53,4, wonach der Gottesknecht das Leiden des Volkes getragen hat. Allem Anschein nach ist auch hier der gleiche Ergänzer am Werk gewesen wie in 52,14. Anders verhält es sich dagegen mit der Aussage in 53,12c^b, daß der Gottesknecht für die Frevler als Fürbitter eintreten wird. Diese Aussage ist weder ein Teil des Grundtextes, weil der gegenüber 53,6 veränderte Gebrauch das Hiphil von *pg'* gegen eine solche Zuweisung spricht, noch gehört sie zu der Bearbeitung, die in V.12b deutlich ihren Abschluß erreicht hat. Vermutlich ist hier ein Glossator am Werk gewesen.

1.1.2 Ergebnisse

Die literarkritische Untersuchung aller Texte, die von der alttestamentlichen Forschung zur Ebed-Jahwe-Dichtung gerechnet werden, hat als Grundschicht die folgenden Textelemente bestimmen können:

Jes 42,1–3 a.4 a
Jes 49,1–3 (ohne *jsr'l*).4.5 a.6 (ohne *wj'mr*)
Jes 50,5 b–6.7 b.9 b
Jes 53,1–2 (ohne *wnr'hw*), 3–7 a^a.b.8 a^{a}b^a.9 b.10 b^b.

Außer dieser Grundschicht ließ sich in allen Teilen der Ebed-Jahwe-Dichtung eine durchgehende Bearbeitung feststellen, zu der die folgenden Textelemente zählen:

Jes 42,3 b.4 b.5–9
Jes 49,3 *(jsr'l)*.5 bc.6 *(wj'mr)*.7–13
Jes 50,4.7 a.8–9 a.10–11
Jes 52,13.15
Jes 53,11 a^a.b^a.12 ab.

Diese Bearbeitung hat ihrerseits Zusätze und Ergänzungen erfahren; dazu gehören:

Jes 50,4 b.5 a
Jes 52,14
Jes 53,2 *(wnr'hw)*.7 a^b.c.8 a^b.b^b.9 a.10 ab^a.11 a^b.b^b.12 c.

Eine weitere Differenzierung der verschiedenen Bearbeitungsstufen kann im Rahmen der vorliegenden Untersuchung nicht durchgeführt werden.

1.2 Formkritik

Die Grundschicht der Ebed-Jahwe-Dichtung hat, wie die literarkritische Untersuchung gezeigt hat, den folgenden Wortlaut:

42, 1 Siehe, mein Knecht, den ich halte,
mein Erwählter, der meiner Seele gefällt!
Ich habe auf ihn meinen Geist gelegt.
Das Recht bringt er zu den Völkern hinaus.
2 Er schreit nicht und lärmt nicht
und läßt auf der Straße seine Stimme nicht hören.
3 Das geknickte Rohr zerbricht er nicht,
und den glimmenden Docht löscht er nicht aus.
4 Er wird nicht müde und bricht nicht zusammen,
bis er auf Erden das Recht verwirklicht hat.

49, 1 Höret auf mich, ihr Inseln,
und lauscht, ihr Völker in der Ferne!
Jahwe hat mich vom Mutterschoß her berufen,
vom Mutterleib her hat er meines Namens gedacht.
2 Er machte meinen Mund wie ein scharfes Schwert,
im Schatten seiner Hand verbarg er mich.
Er machte mich zu einem spitzen Pfeil,
in seinem Köcher versteckte er mich.
3 Er sagte zu mir: Mein Knecht bist du,
ich will durch dich meine Herrlichkeit zeigen.

4 Ich aber sagte: Vergeblich habe ich mich bemüht,
umsonst und nutzlos habe ich meine Kraft vertan.
5 Doch jetzt hat Jahwe gesprochen,
der mich vom Mutterschoß her zu seinem Knecht geformt hat:
6 Es ist zu wenig, daß du mein Knecht bist,
nur um die Stämme Jakobs wieder aufzurichten
und die Bewahrten Israels in die Heimat zu führen.
Ich mache dich (vielmehr) zum Licht für die Völker,
damit mein Heil sich verbreite
bis an das Ende der Erde.

50, 5 So habe ich nicht widerstrebt,
bin nicht nach rückwärts gewichen.
6 Meinen Rücken habe ich hingehalten für Schläger
und für Raufende meine Wangen.
Mein Gesicht habe ich nicht verborgen
vor Schmähung und Bespeiung.
7 Ich habe (vielmehr) mein Gesicht (hart) wie Kiesel gemacht,
da ich wußte, daß ich nicht zuschanden werde.
9 Siehe, sie (dagegen) zerfasern alle wie ein Gewand,
die Motte frißt sie auf.

173

53,1 Wer hat unserer Kunde geglaubt?
Und der Arm Jahwes: gegen wen wurde er offenbart?
2 Er wuchs vor ihm auf wie ein Pflanzensproß,
wie ein Wurzeltrieb aus trockenem Boden.
Er hatte keine schöne und edle Gestalt
und kein Aussehen, daß wir an ihm Gefallen gehabt hätten.
3 Er war verachtet und von den Menschen gemieden,
ein Mann, den man schlug, mit Leiden vertraut.
Wie einer, vor dem man sein Gesicht verhüllt,
war er verachtet, wir schätzten ihn nicht.

4 Aber er hat unsere Leiden getragen
und die für uns bestimmten Schläge auf sich genommen.
Wir jedoch hielten ihn für gezeichnet,
von Gott geschlagen und gedemütigt.
5 Er aber wurde wegen unserer Frevel durchbohrt,
zermalmt wegen unserer Schuld.
Strafe zu unserem Heil lag auf ihm,
und durch seine Wunden wurde uns Heilung zuteil.
6 Wir alle hatten uns wie Schafe verlaufen;
wir gingen ein jeder seinen eigenen Weg.

Aber Jahwe ließ auf ihn treffen
die Schuld für uns alle.
7 Er geriet in Bedrängnis und beugte sich hin
wie ein Lamm, das zur Schlachtbank geführt wird,
und wie ein Schaf, das vor seinen Scherern verstummt.
8 Ohne den Schutz des Rechtes wurde er dahingerafft,
ja, abgeschnitten von dem Land der Lebendigen.
9 Dabei hatte er keine Gewalttat verübt,
und keine Lüge war in seinem Mund gewesen.
10 Aber der Plan Jahwes wird durch ihn gelingen.

Die Grundschicht der Ebed-Jahwe-Dichtung stellt eine Redekomposition aus sieben Strophen zu je zehn Stichen dar. Die Makrostruktur dieser Redekomposition ist durch die Zuordnung dreier Sprecherrollen gekennzeichnet. So folgt auf die den Auftakt bildende Verheißung eines neuen Heilsmittlers durch Jahwe zunächst die Stellungnahme des Erwählten, an die sich die Schlußbetrachtung des von der Sendung des neuen Heilsmittlers betroffenen Gottesvolkes anschließt. Die kunstvolle Zuordnung dieser drei Sprecherrollen läßt dabei ein Spannungsfeld erkennen, das die Neuartigkeit der hier verkündeten Botschaft und die Schwierigkeit ihrer Aneignung durch den Glauben eindrucksvoll wiedergibt. Denn die

Verheißung des Heilsmittlers durch Jahwe erfolgt offenbar angesichts einer Situation, in der die Verwirklichung eines solchen Geschehens durch außerordentliche Umstände behindert ist. Dementsprechend ist die Stellungnahme des Erwählten von der Auseinandersetzung mit seinem Auftrag bestimmt, den Jahwe in der Krise nicht nur bestätigt, sondern auch durch die Ausweitung auf das Endziel seines Heilsplanes noch überbietet. Den Abschluß bildet die Stellungnahme des Gottesvolkes, das die Sinnhaftigkeit des von Jahwe beschlossenen Heilsweges trotz seiner Ungewöhnlichkeit im Glauben erkennt und bejaht.

Die Mikrostruktur dieser drei Redeanteile – die Rede Jahwes, des Heilsmittlers und des Gottesvolkes – weist den gleichen Dreischritt in der Gedankenfolge auf wie die Makrostruktur der ganzen Redekomposition. So beginnt die Jahwerede, nachdem sie eingangs mit der Demonstrativpartikel hn („siehe") die Aufmerksamkeit des Hörers angesprochen hat, mit einer Fülle von Erwählungsaussagen über den Gottesknecht, die den Verheißungscharakter seiner Sendung deutlich umschreiben. Im Mittelpunkt der Rede steht eine Darstellung von dem Wirken des Gottesknechts, das, wie die siebenfache Verneinung in den Aussagen klar zum Ausdruck bringt, sich von dem bisher bekannten Auftreten solcher Mittler gänzlich unterscheidet. Den Abschluß bildet die nachdrückliche Versicherung Jahwes, daß der Gottesknecht, den offenbar Schwierigkeiten bei seinem Wirken erwarten, den ihm erteilten Auftrag mit Erfolg ausführen wird.

Ähnlich verhält es sich mit der Rede des Heilsmittlers selbst. Auch hier folgt auf die mit einem Aufmerksamkeitsruf eingeleitete Darstellung von der Erwählung des Gottesknechts im Zentrum der Stellungnahme eine Auseinandersetzung mit dessen Auftrag, der in diesem Fall eine den bisherigen Mittlerdienst überschreitende universale Ausweitung erfährt. Angesichts der bisher erlittenen Rückschläge bei seinem Wirken entschließt sich daher der Gottesknecht, im Vertrauen auf den bei Jahwe beschlossenen Erfolg seines Wirkens auch den härtesten Widerstand gegen seine Sendung willig zu ertragen.

Auch die Rede des von der Sendung des Gottesknechts betroffenen Volkes zeigt den gleichen Dreischritt im Aufbau. Wie schon vorher die Reden Jahwes und des Gottesknechts so beginnt auch die

Äußerung des Volkes mit einer Aussage, die von dem Hörer eine auf Jahwes Tun gerichtete Aufmerksamkeit verlangt. Im Unterschied jedoch zu der Rede Jahwes und der Stellungnahme des Gottesknechts spricht das Volk in dem ersten Teil seiner Rede nicht von der Erwählung des Heilsmittlers, sondern von dessen scheinbarer Verwerfung. In der Auseinandersetzung mit diesem neuartigen Erscheinungsbild eines Heilsmittlers erkennt das Volk aber dessen wirkliche Sendung, die es mit dem Denkmuster der Stellvertretung zu erfassen sucht. Und weil diese Stellvertretung auf einer Anordnung Jahwes beruht, kann das Volk abschließend seine Hoffnung auf das Gelingen des göttlichen Heilsplanes aussprechen.

Der in der Makro- und Mikrostruktur der Redekomposition zum Ausdruck kommende jeweils gleiche Dreischritt der Gedankenfolge läßt deutlich das Ziel der Gesamtdarstellung erkennen: Die Ebed-Jahwe-Dichtung enthält demnach die Verheißung eines zukünftigen Heilsmittlers, der den mit der Gerichtsverfallenheit dieser Welt verbundenen Widerstand gegen seine Sendung durch den stellvertretenden Einsatz seines Lebens erfolgreich überwindet und der so kraft der durchgehaltenen Konsequenz des Heilsplanes Jahwes und der damit verbundenen Schöpfermacht Gottes die ursprüngliche Bestimmung seines Auftrages zum Heil aller Menschen erreicht.

Die literarische Gestalt dieser Grundschicht der Ebed-Jahwe-Dichtung ist schwer mit den herkömmlichen Gattungen zu beschreiben, weil diese nur für Teile der Komposition und dann noch mit Einschränkung zutreffen. So erinnert sicherlich der Aufbau des Jahwewortes an eine Designation; doch enthält das Wort sowohl in sich wie auch in seiner Verbindung mit den übrigen Abschnitten der Komposition eine derart spezifische Problematik, daß die Ähnlichkeit mit dem historischen Vorgang einer Retterbestellung nur noch in Andeutungen besteht. Man kann sodann in der Stellungnahme des Knechtes einen prophetischen Selbstbericht und ein Vertrauensbekenntnis entdecken; doch angesichts des Selbstverständnisses, das der in der Krise des Gottesgerichtes von Jahwe bestätigte Heilsmittler äußert, wirken diese Gattungsbezeichnungen blaß und unzureichend. Ebenso versagt bei der Rede des Volkes der Vergleich mit dem Danklied des Einzelnen, wie es aus dem Psalter bekannt ist; die Abwandlungen im Schema eines solchen Dankliedes sind dafür zu groß. Denn in der Rede des Volkes erzählt nicht mehr der von Jahwe

Errettete selbst, sondern eine Gruppe von Menschen, denen das an dem Gottesknecht und durch ihn Geschehene kraft göttlicher Fügung zur Rettung geworden ist.

Man wird daher in der Grundschicht der Ebed-Jahwe-Dichtung die Redekomposition als eine eigenständige literarische Größe ansehen dürfen. Diese Redekomposition hat die Struktur und den Charakter einer prophetischen Liturgie. Für diese Gestalt sind die drei Sprecherrollen in ihrer Zuordnung konstitutiv; denn in dem liturgischen Zusammenwirken Jahwes mit den von seiner Offenbarung Betroffenen erfährt die in der Ebed-Jahwe-Dichtung enthaltene prophetische Botschaft erst ihre volle kerygmatische Kraft.

1.3 Traditionskritik

1.3.1 Die Texte

1.3.1.1 Die Rede Jahwes

Die Präsentation des Gottesknechts durch Jahwe, die mit einem Hinweis auf seine Befähigung und Aufgabe verbunden ist (Jes 42, 1), zeigt formal eine überraschende Ähnlichkeit mit der Designation eines charismatischen Führers im alten Israel (1 Sam 9, 16f; 10, 24). Die von dem Verfasser der Ebed-Jahwe-Dichtung offenbar gewollte Ähnlichkeit darf als ein wichtiger Hinweis dafür angesehen werden, daß die Darstellung sich im Horizont der Retterthematik bewegt.

Gleich zu Beginn bezeichnet Jahwe den Heilsmittler demonstrativ als seinen Knecht (Jes 42, 1). Bei der Durchmusterung aller Belege für den Begriff „Knecht Jahwes" im Alten Testament[9] fällt auf, daß dieser Begriff neben seinem Gebrauch als Selbstbezeichnung des Frommen auch in einer auszeichnenden Sonderbedeutung als Ehrentitel sowohl auf Israel als Volk wie auch auf einzelne Persönlichkeiten Israels und anderer Völker angewandt wird. Nimmt man als ein Auswahlkriterium hierfür die bereits mit der Designation des Gottesknechts angedeutete Retterthematik, dann ragt unter den in

---

[9] Vgl. *C. Westermann*, 'æbæd – Knecht: THAT II (1976) 182–200; *W. Zimmerli, pais theou*: ThWNT V (1954) 653–676.

Frage kommenden Persönlichkeiten ohne Zweifel David hervor[10]. Vor allem in der Geschichtsdarstellung der Deuteronomisten erscheint David als Jahwes Knecht, wobei der Titel, wenn er Jahwe in den Mund gelegt wird („mein Knecht"), eindeutig den Rang eines Ehrentitels hat (2 Sam 3,18; 7,5.8). Ähnlich verhält es sich auch bei der Anwendung des Titels auf David in einigen deuteronomistisch beeinflußten Psalmen (Ps 78,70; 89,4.20.40; 132,10; 144,10) und Prophetenworten (Jer 33,21f.26; Ez 34,23f; 37,24f). Nach Ansicht der Deuteronomisten gebührt zwar auch Mose (Dtn 34,5; Jos 1,1f; 9,24; 11,12.15; 12,6; 14,7; 18,7; 22,2) und Josua (Jos 24,29; Ri 2,8) sowie den Propheten insgesamt (1 Kön 14,18; 15,29; 18,36; 2 Kön 9,7.36; 14,25; 17,23 u.ö.) der Ehrentitel „Knecht Jahwes". Traditionsgeschichtlich von Bedeutung dürfte jedoch für die Ebed-Jahwe-Dichtung am ehesten die Verwendung des Ehrentitels „Knecht Jahwes" bei David sein, da bei ihm in Verbindung mit dem Titel auch das Rettertum ausdrücklich hervorgehoben wird (2 Sam 3,18; 7,5.8).

Zur Retterthematik gehört auch die Bemerkung, daß Jahwe den Gottesknecht „hält" (Jes 42,1). Denn von der stützenden Führung durch Jahwe ist vor allem bei den zum Retter Berufenen die Rede, wie das Beispiel Davids (Ps 89,22) und des Perserkönigs Kyrus (Jes 45,1) zeigt. Auf die gleiche Retterthematik verweist auch der Begriff des „Erwählten" (Jes 42,1), der mit Bezug auf Einzelpersonen nur bei David (Ps 89,4) und Mose (Ps 106,23) mit einem ausdrücklichen Hinweis auf ihre Rettertätigkeit begegnet. Nach Auffassung der Deuteronomisten erfüllt jedoch besonders David, der Mann nach dem Herzen Jahwes (1 Sam 13,14), die Voraussetzungen für das Amt eines Retters (1 Sam 25,30; 2 Sam 5,2; 6,21; 7,8). Mit diesem Davidverständnis scheint auch die Aussage Jahwes, daß der Gottesknecht sein Wohlgefallen hat (Jes 42,1), traditionsgeschichtlich in Verbindung zu stehen.

---

[10] Vgl. zu den folgenden Ausführungen über David: T. *Veijola,* Die ewige Dynastie. David und die Entstehung seiner Dynastie nach der deuteronomistischen Darstellung, Helsinki 1975; *ders.,* Das Königtum in der Beurteilung der deuteronomistischen Historiographie, Helsinki 1977. Auch wenn die von *Veijola* rekonstruierte deuteronomistische Redaktion der älteren Davidgeschichte nicht an allen Stellen überzeugt, so bleibt doch unleugbar die Tatsache einer solchen deuteronomistischen Redaktion bestehen, in der die ältere Davidgeschichte eine theologisch bedeutsame neue Ausrichtung erfahren hat.

Die Ausstattung des Gottesknechts mit Jahwes Geist (Jes 42,1) erinnert an die Geistbegabung der Richter Otniel (Ri 3,10), Gideon (Ri 6,34); Jiftach (Ri 11,29) und Simson (Ri 13,25), aber auch anderer Führergestalten wie Mose (Num 11,17), Josua (Num 27,18) und Saul (1 Sam 10,6.10; 11,6). Besondere Beachtung verdient jedoch hier die Ausstattung mit Jahwes Geist bei David (2 Sam 23,2), da sie ihm nach Auffassung der Deuteronomisten die Befähigung zur Rettung Israels verschafft (1 Sam 16,13). In diesem Zusammenhang dürfte traditionsgeschichtlich auch noch von Bedeutung sein, daß die Geistbegabung des Gottesknechts an die endzeitliche Gestalt des neuen David erinnert, auf dem die Fülle des Geistes Jahwes ruht (Jes 11,1 f).

Von dem Gottesknecht als einem mit Jahwes Geist ausgestatteten Erwählten heißt es sodann, daß er den Völkern das Recht bringt und ihm durch den unermüdlichen Einsatz seiner Person weltweite Geltung verschafft (Jes 42,1.4). Das hier angesprochene Verhältnis des Retters zum Recht[11] hat nach Auffassung der Deuteronomisten in der Gestalt Davids eine für das Königtum in Israel einmalige und beispielhafte Verwirklichung gefunden. So wurde Saul der Vorgän-

---

[11] Das Verhältnis des Retters zum Recht hat seine entscheidende Ausprägung in den Verhältnissen des vorstaatlichen Israel gefunden. In dieser Zeit tragen die charismatischen Führer Israels die Amtsbezeichnung „Richter", die den Eindruck erweckt, als seien sie im Gebiet ihrer Stämme die oberste Instanz der Rechtsprechung gewesen. Tatsächlich ist aber der Bedeutungsumfang des hebräischen Wortes *špt* („richten") weiter als im Deutschen und meint daher nicht weniger auch die Ausübung von Führungsvollmachten, wobei schiedsrichterliche Funktionen nicht ausgeschlossen sind. Die Annahme ist deshalb berechtigt, daß in dieser vorstaatlichen Zeit Israels solche Persönlichkeiten, die schon eine Bedeutung als Rechtsprecher erlangt hatten, in Krisenzeiten auch als befähigte Führungskräfte hervortraten. Andererseits ist zu beachten, daß erst der Druck von außen solche Persönlichkeiten herausforderte und daß möglicherweise ihr Ansehen auch nach der erfolgreichen Beendigung des Kampfes noch fortdauerte und daß sie erst dann im Bereich der Stämme Führungsaufgaben erhielten, die in ihrem Volk Anerkennung fanden. Vgl. hierzu *S. Herrmann,* Geschichte Israels in alttestamentlicher Zeit, München ²1980, 147–166. Trotz aller Unklarheit, die im Einzelfall noch über den Aufgabenbereich eines „Richters" besteht, lassen sich doch in dem Auftreten dieser charismatischen Führer zwei Schwerpunkte ermitteln, die beide auf die Wahrung des mosaischen Erbes verweisen: nämlich die Geltendmachung des Jahwerechts und die Führung im Jahwekrieg, die in Verbindung mit der Offenbarung von Jahwes „Gerechtigkeit" (vgl. Ri 5,11) dem Schutz und Ausbau der Theokratie diente. Als schließlich das Königtum in Israel Eingang fand, das von seiner Anlage her gleichsam den Dauerauftrag an eine charismatische Führung und ein Richtertum auf Lebenszeit darstellte, übernahm der jeweilige Herrscher die Sorge für das Jahwerecht und seine Durchsetzung im Volk.

ger Davids, nach Ausweis der deuteronomistischen Geschichtsschreibung deshalb verworfen, weil er die Gebote und Satzungen Jahwes nicht eingehalten hatte (1 Sam 13,13). David hingegen war der Mann nach Jahwes eigenem Herzen (1 Sam 13,14), der im Unterschied zu Saul niemals frevelnd von Jahwe abgefallen war, sondern stets die Gebote und Satzungen Jahwes vor Augen gehabt hatte (2 Sam 22,22–25). Denn David übte Recht und Gerechtigkeit bei seiner Herrschaft über ganz Israel (2 Sam 8,15). Noch auf dem Sterbebett legte David seinem Sohn und Nachfolger Salomo die Einhaltung der Gebote Jahwes, die den Inhalt seines ganzen Lebens gebildet hatten, dringend ans Herz (1 Kön 2,3 f). Kein Wunder, daß die von dieser Auffassung abhängige Prophetie von dem endzeitlichen neuen David die Erwartung hegt, daß er mit Nachdruck für das Recht der Armen und Unterdrückten eintreten werde (Jes 11,3–5; Jer 23,5 f; Sach 9,9 f).

1.3.1.2 Die Rede des Gottesknechts

Der Gottesknecht beginnt den Selbstbericht über seine Berufung mit einem Aufmerksamkeitsruf an alle Völker der Erde und stellt sich ihnen hierbei als einen Heilsmittler vor, den Gott schon vom Mutterschoß her berufen hat (Jes 49,1). Die Aussage ist von der bei Deuterojesaja verschiedentlich anzutreffenden Äußerung zu unterscheiden, daß Jahwe sein Volk Israel schon im Mutterleib geformt hat (Jes 44,2; vgl. 43,1; 44,21; 54,5). Denn mit dieser Äußerung umschreibt der Prophet den durch die Erwählung Israels gesetzten Anfang, den Gott in seiner Eigenschaft als Erlöser nach dem Gericht schöpferisch einholt und seiner Vollendung entgegenführt. Dem Berufungsbericht des Gottesknechts ist dieser Gedanke jedoch fremd. Um so mehr wird man dafür an die Berufung des Propheten Jeremia erinnert, den Gott bereits vor dessen Formung im Mutterschoß erkannt und geheiligt hat und den er ausdrücklich zum Propheten für die Völker bestimmt hat (Jer 1,5). Hinter dieser Aussage verbirgt sich eine Vorstellung, die in den Überlieferungen der Richterzeit belegt ist. Danach hat Jahwe Simson (Ri 13) und Samuel (1 Sam 1) aufgrund eines Nasiräergelübdes der Eltern schon vor ihrer Geburt berufen und zu Rettern ihres Volkes bestimmt. Diese Vorstellung hat wohl deshalb in den Berufungsbericht des Jeremia Eingang gefunden, weil man den Auftrag des Propheten, den Gott wie Abraham

(Gen 18,19), Mose (Dtn 34,10) und David (2 Sam 7,20) „erkannt" hat (vgl. auch Am 3,2), im Horizont der Retterthematik dargestellt und hierbei das ganze Dasein des Propheten in die ihm von Jahwe auferlegte Sendung mit einbezogen hat. Nicht nur das Wort des Propheten, sondern auch sein Lebensschicksal wird daher ein Zeugnis für die Manifestation Jahwes und seiner Herrschaft sein, die von ihrem Wesen her eine grundsätzlich universale Ausrichtung hat. Auf dieser Ebene der Retterthematik, die deuteronomistisches Denken[12] verrät, liegt die traditionsgeschichtlich belangvolle Verbindung zu der Berufung des Gottesknechts.

In diese Richtung weist auch die weitere Aussage des Gottesknechts, daß Jahwe seinen Mund wie ein scharfes Schwert und wie einen spitzen Pfeil gemacht hat und daß er ihn im Schatten seiner Hand geborgen und in seinem Köcher versteckt hat (Jes 49,2). Die hier beschriebene Ausrüstung des Gottesknechts erinnert an die Bestellung eines Retters im Jahwekrieg; denn der Knecht erscheint einerseits wie ein Krieger, der mit Angriffswaffen ausgestattet mutig in den Kampf zieht, und andererseits als ein Werkzeug Jahwes bei der Behauptung und Durchsetzung seiner Herrschaft, wie die nachdrückliche Zusicherung des göttlichen Schutzes verrät. Inhaltlich geht es jedoch bei dieser Ausrüstung des Gottesknechts um die Beauftragung eines Wortmittlers durch Jahwe; die Bilder verdeutlichen nur die unwiderstehliche Macht des ihm anvertrauten Wortes. Ähnlich verhält es sich aber auch mit der Ausrüstung des Propheten Jeremia mit Jahwes Wort im Rahmen der deuteronomistischen Redaktion seiner Berufung. Jahwe streckt dort seine Hand aus, berührt den Mund des Propheten und sagt zu ihm: „Hiermit lege ich meine Worte in deinen Mund" (Jer 1,9). Die Schilderung des Vorgangs greift auf die im Buch Deuteronomium festgehaltene Verheißung eines künftigen Propheten nach dem Vorbild des Mose zurück, wie die zum Teil wörtliche Übereinstimmung mit der dortigen Darstellung bezeugt (Dtn 18,18). Motivgeschichtlich betrachtet ist jedoch dieser Vorgang in Anlehnung an die Zeichengewährung bei der Be-

---

[12] Vgl. zu den folgenden Ausführungen über Jeremia: *W. Thiel,* Die deuteronomistische Redaktion von Jeremia 1–25, Neukirchen 1973; *ders.,* Die deuteronomistische Redaktion von Jeremia 26–45, Neukirchen 1981. Zum Berufungsschema der Retter Israels vgl. *W. Richter,* Die sogenannten vorprophetischen Berufungsberichte, Göttingen 1970.

rufung eines Retters gestaltet (Ex 3,12; 4,8; Ri 6,17; 1 Sam 10,7).
Daraus folgt, daß auch hier die traditionsgeschichtliche Verbindung
zwischen der Ausrüstung des Gottesknechts und der Beauftragung
des Jeremia mit Jahwes Wort auf der Ebene der Retterthematik liegt,
wie sie für die Sicht der Deuteronomisten charakteristisch ist.

Die von Jahwe ausgesprochene Bestimmung des Gottesknechtes:
„Mein Knecht bist du; ich will durch dich meine Herrlichkeit zeigen" (Jes 49,3) erinnert in der Form an die Erklärung Jahwes bei der
Inthronisation eines davidischen Königs: „Mein Sohn bist du, heute
habe ich dich gezeugt" (Ps 2,7). In beiden Fällen enthält die Bestimmung des jeweils Betroffenen einen Ermächtigungszuspruch Jahwes, der auf einen besonderen Dienst bei dem Aufbau der Gottesherrschaft verweist. Bei dem Gottesknecht ist dieser Dienst nach der
Anordnung Jahwes dadurch bestimmt, daß er ihn als ein Werkzeug
zu seiner Selbstverherrlichung gebraucht. Nach Deutero- und Trito-
jesaja aber verherrlicht sich Jahwe nach dem Gericht an Israel durch
die Erlösung seines Volkes (Jes 44,23) mit dem Erfolg, daß Israel
dann nur noch aus Gerechten besteht, die für immer das Land der
Verheißung besitzen (Jes 60,21; 61,3). Die gleiche Verbindung von
einer Wortübertragung mit der Indienstnahme zur Selbstverherrlichung Jahwes findet sich auch in dem Berufungsbericht des Propheten Jeremia. Dort heißt es im Anschluß an die Bestellung des Propheten zum Wortmittler für Jahwe: „Siehe, ich habe dich heute bestellt über Völker und Reiche; du sollst ausreißen und niederreißen,
vernichten und verheeren, aufbauen und einpflanzen" (Jer 1,10).
Das Wort gehört wie die Bestellung zum Wortmittler (Jer 1,9) zu der
deuteronomistischen Redaktion des Berufungsberichts. Mit Bezug
auf die Berufung des Propheten, dessen Verkündigung auch „für"
die Völker gültig sein soll (Jer 1,5), lautet jetzt die Bestimmung, daß
der Prophet einen Auftrag „über" die Völker auszuführen hat, weil
das Handeln Jahwes durch Gericht und Heil, wie es Jeremia zu bezeugen hat, entsprechend seiner universalen Bedeutung auch eine
universale Wirkung hat.

Der Berufung durch Jahwe stellt der Gottesknecht das Ergebnis
seines bisherigen Wirkens entgegen, indem er auf die Erfolglosigkeit
seiner Bemühungen verweist (Jes 49,4). In der Form erinnert diese
Feststellung an den Einwand, mit dem der von Jahwe erwählte Retter den Auftrag Gottes von sich weist (Ex 3,11; 4,1.10; Ri 6,15;

1 Sam 9,21). Der gleiche Einwand steht auch in dem Berufungsbericht des Propheten Jeremia (Jer 1,6). Genau mit diesem Einwand aber ist, inhaltlich gesehen, die Resignation des Gottesknechts zu vergleichen. Denn während alle Retter Israels trotz ihrer menschlichen Unzulänglichkeit, wie sie in dem Einwand offen zum Ausdruck kommt, kraft der Führung Jahwes Erfolg bei ihrer Sendung hatten, mußte allein Jeremia bis zum Ende seines Lebens den Mißerfolg seines Wirkens erfahren; denn es gelang ihm trotz größter Anstrengung nicht, die Katastrophe des Gerichts von seinem Volk abzuwenden.

Jahwe nimmt den Einwand des Gottesknechts nicht an: „Jetzt aber hat Jahwe gesprochen, der mich vom Mutterschoß her zu seinem Knecht geformt hat: Es ist zu wenig, daß du mein Knecht bist, nur um die Stämme Jakobs wieder aufzurichten und die Bewahrten Israels in die Heimat zu führen. Ich mache dich zum Licht für die Völker, damit mein Heil sich verbreite bis an das Ende der Erde" (Jes 49,5 f). Inhaltlich berührt sich diese Aussage mit der auf dem deuteronomistischen Davidbild aufbauenden Heilserwartung, daß nach dem Gericht des Exils David, der erwählte Knecht Jahwes, das Volk Israel sammelt und als ein guter Hirt leitet (Ez 34,23 f). Die Ausführungen des Gottesknechts lassen demnach hier den gleichen traditionsgeschichtlichen Hintergrund wie schon zu Beginn die Rede Jahwes (Jes 42,1–4) erkennen. Auffällig ist jedoch, daß die vorliegende Äußerung des Gottesknechts ebensowenig wie schon vorher die einleitende Rede Jahwes sich damit begnügt, die auf dem deuteronomistischen Davidbild aufbauende Heilserwartung einfach nur zu bestätigen. Die von dem Gottesknecht zitierte Zusicherung Jahwes überbietet vielmehr diese Heilserwartung, indem sie in eschatologischer Perspektive nicht nur die schon in der Jahwerede zum Ausdruck gebrachte universale Geltung der Herrschaft Jahwes (vgl. Jes 42,1.4) proklamiert, sondern gleichzeitig auch die mit dieser räumlichen Ausweitung Hand in Hand gehende Neuschöpfung des Menschen konsequent ins Auge faßt. Denn der Gottesknecht soll, wie die Anordnung Jahwes verheißt, ein Licht für die Völker und damit bereits in seiner Person ein Zeichen für die nach dem Gericht sieghaft durchbrechende Heilsmacht Jahwes sein.

Abschließend kommt der Gottesknecht wieder auf seinen Auftrag zu sprechen und äußert dabei im Hinblick auf den Widerstand, der ihn bei seiner Sendung treffen wird, den unbedingten Willen zum

Durchhalten; denn er weiß sich von der Gewißheit getragen, daß Gott ihn nicht fallen läßt (Jes 50,5–9). Ähnlich hat die deuteronomistische Redaktion in dem Berufungsbericht des Propheten Jeremia den Widerstand gegen den Gotteszeugen berücksichtigt und daher Jahwe ihm ausdrücklich Mut zusprechen lassen. Danach führt Jahwe selbst die Sendung des Propheten zum Erfolg, weil er ihn aus der Bedrängnis, in die ihn seine Berufung führt, machtvoll errettet (Jer 1,17–19). Die hier in Aussicht genommene Rettung des „Retters" Jeremia, wie ihn die deuteronomistische Redaktion seines Berufungsberichtes sieht, berührt sich mit der vorher genannten Bestimmung des Gottesknechts, ein Licht für die Völker zu sein; denn es handelt sich jeweils um den gleichen Erweis der Heilsmacht Jahwes.

1.3.1.3 Die Rede des Volkes

Das Volk beginnt seine Stellungnahme zu der Sendung des Gottesknechts mit einer Doppelfrage, die auf eine Glaubensschwierigkeit bei dem Bekenntnis zu diesem Heilsmittler Jahwes verweist; denn das Volk hat bei der Auseinandersetzung mit dem Gottesknecht und seiner Sendung die für Israel ungewöhnliche Erfahrung gemacht, daß sich in diesem Fall der Arm Jahwes gegen den Retter selbst gewandt hat. Zur weiteren Verdeutlichung dieser Glaubensschwierigkeit vergleicht das Volk das Dasein des Gottesknechts mit einem Pflanzensproß, der in dürrem Erdreich nur kümmerlich dahinwächst, und fügt sodann erklärend hinzu, daß der Gottesknecht keine schöne und edle Gestalt besessen hat, deren Anblick ihn für seine Umwelt begehrenswert gemacht hätte (Jes 53,1f). Das Bildwort von einem Pflanzensproß in dürrem Erdreich begegnet in einer weisheitlichen Rede des Buches Jeremia, die Segen und Fluch Gottes von der Haltung des Menschen abhängig macht. Verflucht ist nach dieser Auffassung der Mensch, der sich von Gott abgewandt hat und nur auf Menschen vertraut; er gleicht einem kahlen Strauch in der Steppe, der ohne Regen auf dürrem Boden wächst (Jer 17,5f). Zu diesem Bild eines von Gott Verfluchten paßt auch der Mangel an Schönheit; denn Schönheit ist nach alttestamentlicher Auffassung ein Ausdruck des Segens Jahwes[13]. Wie sehr der Gottesknecht den

---

[13] So *Westermann,* Das Buch Jesaja, 211, der auf Gen 39,6 und 1 Sam 16,18 verweist.

Eindruck eines von Gott Verfluchten gemacht hat, geht nach der weiteren Darstellung des Volkes aus der Tatsache hervor, daß er von den Menschen mit Verachtung gemieden, ja, verfolgt und geschlagen wurde, und daß man vor ihm wie vor einem vom Unglück Verfolgten das Gesicht verhüllt hat (Jes 53,3). Die Aussagen gebrauchen die Sprache der Klagepsalmen und lassen daher, für sich genommen, wegen ihres allgemeinen Charakters keine Schlüsse auf eine bestimmte Persönlichkeit zu. Doch hilft hier die Verbindung zu der vorangegangenen Stellungnahme des Gottesknechts weiter. Fragt man nämlich nach der traditionsgeschichtlichen Verankerung einer Gestalt wie der des Gottesknechts, die auf Außenstehende den Eindruck des Verfluchtseins gemacht hat, deren wahre Bedeutung jedoch nach Jahwes Anordnung mittlerischer Natur gewesen ist, dann stößt man auf das Bild des Propheten Jeremia in der Darstellung seiner Konfessionen. Dort hat sich Jeremia vor Gott darüber beklagt, daß er, ohne sich in weltliche Geschäfte verstrickt zu haben, für die Menschen ein Mann des Streites und des Haders geworden ist und daß alle ihm fluchen (Jer 15,10). Mit dieser Feststellung beginnt der Prophet ein Bekenntnis, in dessen Verlauf er einerseits seine Sendung als Mittler des Jahwewortes deutlich zum Ausdruck bringt und andererseits die für ihn selbst zur Glaubensbelastung gewordene Tatsache beklagt, daß er gerade wegen der ihm aufgetragenen Mittlerfunktion den Zorn Jahwes in aller Härte zu spüren bekommt (Jer 15,15f). Eine traditionsgeschichtliche Verbindung zu dem in den Augen der Menschen verfluchten Dasein des Gottesknechts, der sich selbst als einen Mittler des Jahweworts beschrieben hat (Jes 49,2), ist unschwer zu erkennen.

Die weiteren Ausführungen über die Sendung des Gottesknechts sind von der Erkenntnis geprägt, daß der von Jahwe bestellte Mittler ein stellvertretendes Leiden auf sich genommen hat. So hat das Volk anfangs noch dem Augenschein geglaubt und den Gottesknecht tatsächlich für einen von Gott Verfluchten gehalten; aber dann hat sich bei dem Volk die Erkenntnis durchgesetzt, daß ihm, nämlich der durch den Abfall von Jahwe zur Ohnmacht verurteilten Gemeinschaft der Sünder, durch das Leiden des Gottesknechts Heil und Heilung zuteil geworden ist (Jes 53,4–6a). Die Erwähnung von Heil *(šlwm)* und Heilung *(rp'ni.)* ruft die Erinnerung an jene Auseinandersetzung wach, die der Prophet Jeremia mit den nationalistisch und revanchistisch gesinnten Heilspropheten und ihrem Anhang geführt hat. Denn im Verlauf dieser Auseinandersetzung, die dem Propheten persönliche Verachtung und offene Gegnerschaft von seiten der herrschenden Kreise eingebracht hat, ist ein Problem zur Sprache gekommen, das von ausschlaggebender Wichtigkeit für die Zukunft des Volkes gewesen ist. Jeremia hatte nämlich an den Heilspropheten und ihrem Anhang kritisiert, daß sie ohne Umkehr zu Jahwe und daher grundlos auf Heil *(šlwm)* hofften (Jer 4,10; 6,14; 8,11.15; 9,7; 14,19; 16,5; 28,9), und daß der von ihnen proklamierte Weg der nationalen Erhebung ein Betrug am Volk wäre und nicht zur Heilung *(rp')* all jener Schäden führen würde, die inzwischen durch das Gericht Jahwes schon eingetreten waren (Jer 6,14; 8,11.15.22; 14,19; 19,11). Die Geschichte hat, wie man weiß, Jeremia recht gegeben. Die Bemühungen der Heilspropheten und ihres Anhangs führten nicht zum Heil Judas und zur Heilung seiner Schäden, sondern zur Katastrophe von Volk und Reich. Obwohl Jeremia all das vorausgesehen hatte und er persönlich keine Schuld an dem Unglück seines Volkes trug, traf ihn bei dem Untergang Jerusalems dennoch die volle Wucht des göttlichen Gerichtes. Genau davon spricht der Prophet in der bereits erwähnten Konfessio, wenn er sagt, daß er nicht im Kreis der selbstsicheren Heilspropheten verweilt, sondern die leidvolle Einsamkeit eines mittlerischen Zeugen erfährt, den Jahwe mit seinem Gerichtszorn angefüllt hat (Jer 15,17). Daß Jeremia bei der Erduldung dieses Schicksals ein stellvertretendes Leiden auf sich genommen hat, ist jedoch nicht mehr das Ergebnis seiner eigenen Erkenntnis, sondern der von seiner Botschaft betroffenen und umgekehrten Sünder. Auch davon ist in der erwähnten Konfessio ausdrücklich die Rede. Doch sei zunächst die entsprechende Aussage in der Ebed-Jahwe-Dichtung genannt.

Im Hinblick auf das Schicksal des Gottesknechts bekennt nämlich das Volk in seiner Rede: „Jahwe ließ auf ihn treffen die Schuld für uns alle" (Jes 53,6b). Mit diesem Wort wird der vorher beschriebene mittlerische Einsatz des Knechtes als ein von Jahwe verfügtes stellvertretendes Leiden gedeutet. Ähnlich hat aber auch die Redaktion des Jeremiabuches das Schicksal des Propheten beurteilt. Denn nach dem Untergang Jerusalems hat die Jeremia nahestehende Bewegung der Deuteronomisten sich nicht nur die Einsicht des Propheten bezüglich der Umkehr voll zu eigen gemacht; sie hat auch, inzwischen auf das Walten Jahwes im Leben seines Propheten aufmerksam geworden, das Schicksal des Jeremia vom Glauben her zu deuten versucht. Als einen Ausdruck dieser Bemühung darf man das Jahwewort betrachten, mit dem die Deuteronomisten in der bisher erwähnten Konfessio die Klage des Propheten über sein von allen Menschen verfluchtes Dasein kurz unterbrochen haben: „Gesprochen hat Jahwe: Fürwahr, deine Anfeindung ist zum Guten; ja, ich habe auf dich treffen lassen – zur Zeit des Unheils und zur Zeit der Not – den Feind" (Jer 15,11)[14]. Mit diesem Wort haben die Deuteronomisten nicht nur das Leiden des Propheten in der Auseinandersetzung mit seinen persönlichen Gegnern, sondern auch seine Mühsal bei der Eroberung Jerusalems und bei der Niederlage seines Volkes als ein von Jahwe verfügtes Schicksal hingestellt. Damit aber haben die Deuteronomisten das Leiden des Propheten als mittlerisch anerkannt und aus ihrer Sicht positiv gedeutet. Die Verbindung zu der Stellungnahme des Volkes hinsichtlich der Leiden des Gottesknechts (Jes 53,6b) ist hier bis in die Terminologie hinein (*pg'* hi.) nicht zu verkennen.

Das Volk beschreibt sodann die Haltung des Gottesknechts bei der Erfüllung der ihm von Gott gestellten Aufgabe und greift dabei ein Bild auf, das Jeremia angesichts der Mordabsichten seiner Widersacher einmal gebraucht hatte: Wie ein Lamm, das zur Schlachtbank geführt wird (Jer 11,19), und wie ein Schaf das vor seinen Scherern verstummt, so hat der Gottesknecht im Vertrauen auf die Führung durch Jahwe und ohne Widerspruch gegen Gott seine Sendung bis zum Ende durchgeführt (Jes 53,7–9). Für diese Idealvorstellung eines durch Widerstand unbeirrten Mittlertums läßt sich das Verhalten des Propheten Jeremia in seiner historischen Konkretheit nur schwer als Beispiel heranziehen; denn Jeremia hat sich, wie nicht zuletzt seine Konfessionen beweisen, des öfteren voll Verzweiflung gegen den Ratschluß Jahwes aufgelehnt und seine Gegner mit furchtbaren Flüchen bedacht. Dennoch findet sich gerade im Zusammenhang mit einem solchen Aufbegehren des Propheten ein Wort der Zurechtweisung von seiten Jahwes, das die am Beispiel des Gottesknechts erkannte Idealvorstellung des Gehorsams vor Jahwe

---

[14] Zu dieser Übersetzung und ihrer Rechtfertigung vgl. *F. D. Hubmann,* Untersuchungen zu den Konfessionen Jer 11,18–12,6 und Jer 15,10–21, Würzburg 1978.

mit wünschenswerter Klarheit entwirft. Als der Prophet sich nämlich im Rahmen der bisher erwähnten Konfessio vor Jahwe beklagt,
daß sein Leiden wohl ewig dauern und seine Wunde nie heilen wird,
und als er Jahwe den lästerlichen Vorwurf macht, er sei für ihn wie
ein versiegender Bach, wie ein unzuverlässiges Wasser gewesen, erhält er von Jahwe die Antwort: „Wenn du umkehrst, lasse ich dich
wieder vor mir stehen. Redest du Edles und nicht mehr Gemeines,
sollst du (weiter) mir als Mund dienen. Jene sollen sich zu dir kehren, du aber kehre dich nicht zu ihnen" (Jer 15, 18 f). Hier wird der
vorbehaltlose Gehorsam gegenüber der Führung durch Jahwe, auch
in den Stunden der Anfechtung und Versuchung, als der allein gültige Weg beschrieben, auf dem die Sendung des Propheten ihr von
Jahwe gesetztes Ziel erreicht. Genau diese Idealvorstellung eines
vorbehaltlosen Gehorsams haben jedoch die Deuteronomisten bei
Jeremia verwirklicht gesehen, als sie aus der Rückschau auf sein Lebensschicksal erkannten, daß er in konsequenter Bejahung seiner
Sendung als Prophet den Untergang Jerusalems mitgemacht und
hierbei in unverbrüchlicher Solidarität mit den Verlorenen seines
Volkes deren Leiden bis in den Tod hinein geteilt hatte. Ausdruck
dieser Beurteilung des Propheten durch die Deuteronomisten ist neben der Gestaltung der bereits erwähnten Konfessio die Leidensge-
schichte des Jeremia (Jer 37–44) und besonders ihr Abschluß mit
dem Jahwewort an Baruch, das die Ergebenheit in Gottes Willen zur
Zeit des Gerichtes zu einem auch für Jeremia gültigen Prinzip erhebt
(Jer 45)[15].

Die Rede des Volkes gipfelt in dem Bekenntnis der Zuversicht,
daß der Plan Jahwes durch den Gottesknecht gelingen wird (Jes
53, 10). Gedacht ist hier wohl an die Bestimmung des Gottesknechts,
die Heilsordnung Jahwes auf Erden zu begründen (Jes 42, 1.4; 49, 6).
Diese Bestimmung ist jedoch, weil sie den geschichtlichen Auftrag
Davids mit einer endzeitlichen Zielsetzung überbietet und gleichzeitig den durch das Gericht bezeichneten Bruch in der Führungsge-

---

[15] Die gleiche Idealvorstellung des Festhaltens an Jahwe trotz Anfechtung und Ver-
kennung hat nach deuteronomistischer Auffassung auch David bewiesen, als er während des Abschalomaufstandes Leid (2 Sam 15, 25 f) und Lästerungen (2 Sam 16, 11 f)
ohne Aufbegehren als Jahwes Fügung hingenommen und wie schon vorher (2 Sam
3, 39) sein Vertrauen und seine Zuversicht unbeirrt auf Jahwe gerichtet hat. Vgl. hierzu
Veijola, Die ewige Dynastie, 132.

schichte des Gottesvolkes schöpferisch überwindet, nur durch einen Neueinsatz des Rettertums Jahwes zu erreichen. Traditionsgeschichtlich ist auch für diese Aussage der Ansatz in jener Konfessio zu finden, die bisher für die Stellungnahme des Volkes als Beispiel gedient hat. Denn dort heißt es im Anschluß an die von Jahwe entworfene Idealvorstellung des Gehorsams im Ton der Verheißung: „Ich mache dich für dieses Volk zu einer ehernen, festen Mauer. Wenn sie dich bekämpfen, werden sie dich nicht bezwingen; denn ich bin mit dir, um dich zu retten und dich herauszureißen – Spruch Jahwes" (Jer 15,20). Mit wünschenswerter Deutlichkeit wird hier der Erfolg des Propheten als das Ergebnis eines rettenden Eingreifens von seiten Jahwes bezeichnet. Das heißt aber, daß der Prophet nicht nur durch die Hilfe seines Gottes überhaupt erst zum Ziel gelangt, sondern daß er dann auch selbst zu einem Zeugen der an ihm offenbar gewordenen Heilsmacht Jahwes wird.

1.3.2 Die Traditionen

1.3.2.1 Das deuteronomistische Davidbild

Die traditionskritische Untersuchung hat vornehmlich bei der einleitenden Rede Jahwes, aber dann auch an hervorgehobener Stelle in den Reden des Gottesknechts und des Volkes als Hintergrund das deuteronomistische Davidbild erkennen lassen. Das gilt für die Betonung der Retterthematik in Verbindung mit einem Träger des Ehrentitels „Knecht Jahwes", für dessen Stellung als Auserwählter Jahwes und Träger seines Geistes, für seine Aufgabe, ein Mittler der Rechtsordnung Jahwes zu sein, für die Vorstellung von dem Herrscher über das Zwölfstämmevolk und schließlich für den aufopferungsvollen Gehorsam des Erwählten vor Jahwe. Alle diese Merkmale des deuteronomistischen Davidbildes haben ihren Ursprung nicht mehr in den historischen Fakten, wie sie von der Gründungszeit der davidischen Monarchie her bekannt sind, sondern in der späteren Auseinandersetzung des Jahweglaubens mit dem theokratischen Königtum Davids in der Zeit des babylonischen Exils.

Bereits in vorexilischer Zeit hatte die von Propheten angestoßene und dann von ihren Anhängern weitergeführte Auseinandersetzung mit dem Königtum Davids und seiner Bestimmung in der Geschichte Israels eine Konzeption gefunden, die trotz aller Kritik im Einzelfall keinerlei Zweifel an der bleibenden Gültigkeit der Verheißungen Jahwes für die Herrschaft seines Erwählten aufkommen ließ (Jes 7,1–17; 9,1–6). Ihren Höhepunkt erreichte jedoch diese Auseinandersetzung mit dem Königtum Davids, als die Herrschaft der Davididen nach dem Untergang Judas zu Ende ging und es nach menschlichem Ermessen keine Hoffnung mehr auf eine Weiterführung des Königtums in Jerusalem gab. In dieser Zeit hat die Bewegung der Deuteronomisten, getreu ihrer Auffassung, daß in der Situation des Gerichtes allein die Umkehr zu Jahwe und zu dem von ihm gesetzten Anfang mit Israel die erhoffte Rettung bringen könne, ein neues Davidbild entworfen, das durch seine gewollte Idealisierung den für die Umkehr wegweisenden Anfang verkörperte. Die deuteronomistische Interpretation der Nathanverheißung (2 Sam 7,1–29) und die nachdrückliche Betonung der ewigen Dauer des David gewährten Bundes (2 Sam 23,5; Ps 89,4 f.29.35–38; 132,11 f) unterstreichen dabei nach der Absicht der Verfasser die für alle Zukunft gültige Setzung Jahwes bei der Begründung des theokratischen Königtums Davids. Gewiß hatte diese Idealisierung des Gründers der Dynastie auch die Funktion, die Schuld der Nachfolger Davids auf dem Königsthron von Jerusalem augenfällig zu machen – die deuteronomistische Geschichtsschreibung hat hier deutliche Akzente gesetzt (2 Kön 18,3–8; 22,2; 23,25) –; die eigentliche Intention der Deuteronomisten war jedoch, die Basis für eine durchgreifende Änderung zu schaffen. Auf diese Leistung der Deuteronomisten greift die Ebed-Jahwe-Dichtung zurück.

1.3.2.2 Das deuteronomistische Jeremiabild

Die traditionskritische Untersuchung sowohl der Äußerungen des Gottesknechts selbst über seine Berufung durch Jahwe wie auch der Stellungnahme des Volkes zu dem Leidensschicksal dieses Mittlers hat deutlich gezeigt, daß für diesen Teil der Ebed-Jahwe-Dichtung als Hintergrund weniger das Davidbild der Deuteronomisten als vielmehr ihr spezifisches Verständnis von Jeremia und seiner Sendung als Prophet in Frage kommt. Zu den entscheidenden Elementen dieses deuteronomistisch geprägten Jeremiabildes gehören jedenfalls in der Rede des Gottesknechts die Berufung zum Retter vom Mutterschoß her, die Ausrüstung des Erwählten zum Mittler

des Wortes und seine Bestimmung zum Dienst bei der Selbstverherrlichung Jahwes, der Einwand des Berufenen gegen seine Sendung
und die von Gott darauf gegebene Zusicherung seines Beistandes;
in der Rede des Volkes gehören zu diesen traditionsgeschichtlich
wichtigen Elementen die Klage des Mittlers über sein in den Augen
der Menschen verfluchtes Dasein, die ihm von Jahwe auferlegte
Last eines stellvertretenden Leidens, der vorbehaltlose Gehorsam
gegenüber Jahwe bis in den Tod hinein und schließlich die unum-
stößliche Gewißheit der Rettung durch Jahwe. Das mit Hilfe all dieser Elemente entworfene Jeremiabild nimmt zwar Maß an dem historischen Auftreten und Wirken des Propheten, ist aber in der dar-
gestellten Form deutlich das Ergebnis einer erst von den Deuteronomisten vorgenommenen Redaktion seiner Worte und Taten.

Die Voraussetzung und gleichzeitig auch schon die Vorbereitung
für diese Arbeit der Deuteronomisten ist eine wohl mit den deuteronomischen Reformkreisen der Joschijazeit einsetzende Reflexion
über die Autorität der Propheten gewesen, wie man aus den entsprechenden Angaben im Deuteronomium schließen darf. Danach stand
am Anfang der Prophetie das normierende Vorbild des Mose als
Mittler zwischen Jahwe und Volk. Da Israel jedoch nach Ansicht
der deuteronomischen Reformer im Gegensatz zu den autokrati-
schen Regimen der altorientalischen Großreiche, deren Beispiel die
Könige in Israel und Juda immer wieder nachgeahmt hatten, eine
wirkliche Theokratie darstellen sollte, in der nicht der Wille eines
Menschen, sondern einzig und allein der Wille Jahwes die Richt-
schnur für das Volk in allen seinen Lebensbereichen darstellen
sollte, brauchte eine solche Verfassung von ihrem Wesen her über
ihre Begründung hinaus auch zu ihrer weiteren Erhaltung in der Geschichte den prophetischen Mittler. Aus diesem Grund hat nach der
Darstellung des Deuteronomium Mose dem Gottesvolk eröffnet:
„Einen Propheten wie mich wird Jahwe, dein Gott, dir aus deiner
Mitte, aus deinen Stammesbrüdern, erwecken. Auf ihn sollt ihr hören. So hast du es von Jahwe, deinem Gott, am Horeb am Tag der
Versammlung erbeten, als du sagtest: Ich kann die Donnerstimme
Jahwes, meines Gottes, nicht noch einmal hören und dieses gewal-
tige Feuer nicht noch einmal sehen, ohne daß ich sterbe. Damals
sagte Jahwe zu mir: Was sie von dir verlangen, ist recht. Einen Propheten wie dich will ich ihnen aus ihren Stammesbrüdern erwecken;

ich will ihm meine Worte in den Mund legen, und er wird ihnen alles sagen, was ich ihm auftrage" (Dtn 18,15–18).

Angesichts dieser Einschätzung der Propheten[16] als der wahren Anwälte des mosaischen Erbes und des Ideals der Theokratie, aber auch als Mittler zwischen Israel und dem unter schreckenerregenden Begleitumständen herannahenden Jahwe überrascht es nicht, daß später im Exil die Deuteronomisten bei der Reflexion über die Geschichte ihres Volkes nicht die Könige, auch wenn sie wie in Juda die rechtmäßigen Nachfolger Davids waren, sondern die Propheten insgesamt mit dem Ehrentitel „Knecht Jahwes" belegten. Unter diesen stets treu gebliebenen Mittlern Jahwes aber nimmt Jeremia, der letzte Prophet des alten davidischen Reiches und Zeuge seines Untergangs, eine Sonderstellung ein; das zeigt mit unverkennbarer Deutlichkeit die Redaktion der Deuteronomisten in seinem Buch[17].

Fragt man, warum die Deuteronomisten den Propheten Jeremia nach der im Deuteronomium entworfenen Idealvorstellung des Mose gezeichnet haben (vgl. Jer 1,9 mit Dtn 18,18) und worin ihrer Meinung nach die Bedeutung gerade dieses Mittlers für die Erhaltung der Theokratie in Israel bestanden hat, dann gibt bereits das in dem Aufbau des Berufungsberichtes (Jer 1,4–19) zum Ausdruck gebrachte Rettertum des Propheten eine erste wichtige Antwort. Denn das Rettertum des Propheten hat sich nach Auffassung der Deuteronomisten darin erwiesen, daß Jeremia in der Gerichtskatastrophe

---

[16] Der Zusammenhang von Dtn 18,9–22 verlangt, daß der Singular „Prophet" hier in einem allgemeinen Sinn gebraucht ist und nicht eine bestimmte Prophetengestalt meint. Die allgemeine Ausdrucksweise rührt daher, daß es sich bei dem Propheten wie Mose hier im Deuteronomium um das Amt aller Ämter handelt, durch das Israel ganz unmittelbar zu seinem Gott Jahwe Verbindung hat. Vgl. *H. Junker*, Das Buch Deuteronomium (EB-AT I) Würzburg ⁴1965, 506; *G. von Rad*, Das fünfte Buch Mose (ATD 8) Göttingen 1964, 88.

[17] Im Hinblick auf diese Redaktion und ihren Reichtum an Perspektiven ist für *S. Herrmann* „das Buch Jeremia ungleich mehr als da Protokoll des Mannes aus Anathoth; es ist unter Verwendung zahlreicher und verschiedenster Materialien das Buch der Abrechnung mit der Vergangenheit, der Ruf zur Umkehr, ein Dokument der Hoffnung für Israel und der künftigen Weisung Jahwes für alle Völker ... An diesem Buch wird ebenso wie am Buche Ezechiel und letztlich bei Deuterojesaja sukzessiv sichtbar, wie Israel seine Krise sah und überwand, wie es diesem letzten großen Propheten, der im Lande weilte, der dort die Katastrophe überstand, das volle Vertrauen entgegenbrachte und unter seiner Autorität die Überlieferungen und Gedanken vereinigte, die das Buch Jeremia ausmachen" (Die Bewältigung der Krise Israels, in: Beiträge zur alttestamentlichen Theologie, FS W. Zimmerli, Göttingen 1977, 164–178; 172).

seines Volkes durch den Totaleinsatz für das ihm anvertraute Wort Jahwes (Jer 1,9) einen Mittlerdienst vollbracht hat, der ihm und allen, die seinem Beispiel gefolgt sind, das Offenbarwerden der Retterhilfe Jahwes ermöglicht hat (Jer 45,1–5). Zur Erfassung dieser in der Zeit des Exils ohne Zweifel höchst aktuellen Deutung des Propheten und seiner Sendung ist es entscheidend, daß man die hierbei vorausgesetzte Eigenart des Wortes Jahwes und den ihm zugeordneten Mittlerdienst des Propheten genau beachtet. So hat nach Ansicht der Deuteronomisten das Wort Jahwes kraft seiner Herkunft aus dem für alle Welt bestimmenden himmlischen Rat Jahwes (Jer 23,18.22; Am 3,7) eine Mächtigkeit in der Geschichte (Jer 23,29), die in dem Zusammentreffen mit dem Menschen Heil und Unheil hervorruft (Jer 1,10). Da jedoch im Rahmen der Selbstverherrlichung Jahwes sein allmächtiges Wort letzten Endes nicht das Unheil der Menschen, sondern ihr Heil zum Ziel hat (Jer 1,10), kann weder die Aufsässigkeit der Frevler noch das Scheitern des Mittlers in dem von ihm verkündeten Gericht das Gelingen der Heilsplanung Jahwes verhindern (Jer 1,6–8). Im Gegenteil: Das in der getreuen Ausübung des Mittlerdienstes um Jahwes willen erfahrene und angenommene Leiden sowie der unbedingte Gehorsam bei dem Einsatz für das Wort Jahwes unter den von der Gerichtskatastrophe Betroffenen schaffen, wie es die Deuteronomisten betonen, jene Disposition, die das verheißene Eintreffen der Retterhilfe Jahwes verdient (Jer 1,17–19). Diesen Mittlerdienst hat Jeremia für sein Volk nach Auffassung der Deuteronomisten bei dem Untergang des davidischen Reiches beispielhaft geleistet. Jeremia hat daher aus der Sicht des Exils durch den Totaleinsatz seines Lebens für das ihm in den Mund gelegte geschichtsmächtige Wort Jahwes einen Anfang sichtbar gemacht, der in der Offenbarung des Heils seine Vollendung findet.

1.3.3 Die Interpretation

Der Verfasser der Ebed-Jahwe-Dichtung hat bei der Interpretation der von ihm aufgegriffenen deuteronomistischen David- und Jeremiatradition eine doppelte Leistung vollbracht: Er hat einmal die beiden an sich heterogenen Traditionen von David und Jeremia auf der von den Deuteronomisten geschaffenen Basis der Retterthematik miteinander vereint und dadurch der an das theokratische Königtum Davids gebundenen Heilserwartung in der Zeit ihrer Krise eine Hilfe geboten, die sie theologisch befähigt hat, den durch den Untergang Judas und seiner Dynastie entstandenen Bruch erfolgreich zu überwinden. Denn durch die Aufnahme der deuteronomistischen Jeremiatradition war eine Deutung des Mittlerdienstes vor Jahwe möglich geworden, die auch dem Leiden und Tod eines Gotteszeugen noch einen positiven heilsgeschichtlichen Aspekt abgewinnen konnte. Die zweite Leistung des Verfassers der Ebed-Jahwe-Dichtung ist darin zu sehen, daß er die Sendung des Gottesknechtes als das Werk einer eigenen Initiative Jahwes dargestellt hat, die den mittlerischen Einsatz des neuen Retters zu einem Heilsereignis von universaler Bedeutung macht. Wegen der mit dieser neuen Initiative Jahwes verbundenen Transzendierung aller bis dahin bekannten Kategorien zur Bezeichnung eines Mittlers hat der Verfasser die zunächst bei den Propheten funktional gemeinte, aber dann nach der Anwendung auf den Gottesknecht durch die Selbstmitteilung Jahwes ontologisch gefüllte Bezeichnung „Knecht" gewählt.

Diese doppelte Leistung des Verfassers berührt sich mit der ebenfalls doppelten Leistung, die Deuterojesaja bei der Verkündigung seiner Erlösungsbotschaft vollbracht hat[18]. Denn Deuterojesaja sah sich im Exil vor die Aufgabe gestellt, die früheren Heilstaten Jahwes als Heilstaten in der Einheit Gottes mit dem neuen Heil zu verbinden, ohne dabei den durch das Gericht bezeichneten Bruch zwischen dem Früheren und dem Neuen zu übersehen. Für Deuterojesaja stellte sich daher die Erlösung Israels als die schöpferische Einholung jenes Anfangs dar, den Jahwe mit der Erwählung seines Volkes einst gesetzt hatte. Das Schöpfertum Jahwes kommt nach der Darstellung Deuterojesajas dabei in einer doppelten Weise zum Tragen: einmal in der Überwindung des Bruches zwischen dem Früheren und dem Neuen, einer Aufgabe, die für das am Nullpunkt seiner Existenz angelangte Israel aus eigener Kraft nicht zu bewältigen war, und sodann in der Vollendung der früheren Heilstaten Jahwes

---

[18] Vgl. *E. Haag,* Gott als Schöpfer und Erlöser in der Prophetie des Deuterojesaja: TThZ 85 (1976) 193–213; *H. O. Steck,* Deuterojesaja als theologischer Denker: KuD 15 (1969) 280–293.

durch eine Heilstat von universaler Bedeutung und eschatologisch unüberbietbarer Qualität.

Sollte daher, das ist die Frage, die sich hier anschließt, nicht auch Deuterojesaja, wer auch immer unter dieser Chiffre zu verstehen ist, der Verfasser der Ebed-Jahwe-Dichtung sein? Der traditionsgeschichtliche Befund und seine theologische Verarbeitung sprechen jedenfalls für diese Annahme.

1.4 Redaktionskritik

Bei der Redaktion der Prophetie des Deuterojesaja hat die Ebed-Jahwe-Dichtung ihre ursprüngliche Gestalt und Aussage verloren. Ohne Rücksicht auf die von dem Verfasser der Ebed-Jahwe-Dichtung entworfene Zuordnung der Redeanteile Jahwes, des Gottesknechts und des Volkes hat der Redaktor den ihm vorliegenden Text in vier ungleiche Einheiten (Jes 42,1-4; 49,1-6; 50,5-9; 53,1-10) aufgeteilt und durch die Eingliederung in neu geschaffene Textzusammenhänge mit einer entsprechend veränderten Aussage versehen. Gezielt eingefügte Zusätze (Jes 49,3; Israel) und größere Erweiterungen (Jes 50,10f; 52,13.15; 53,11f) haben dabei auf ihre Art die Maßnahmen des Redaktors abgerundet und gestützt. Die wichtigste Veränderung jedoch, welche die Ebed-Jahwe-Dichtung im Verlauf dieser Redaktion erfahren hat, ist bei der Konzeption des Gottesknechts zu vermerken; denn hier hat der Redaktor die ursprünglich individuell gezeichnete Person des Mittlers konsequent zu einem Repräsentanten des Kollektivs Israel gestaltet. Er hat aber diese Deutung des Gottesknechts, wie sowohl die Erweiterung im Text der Ebed-Jahwe-Dichtung als auch die Eingliederung ihrer Bestandteile in andere Textzusammenhänge verraten, nicht auf Israel schlechthin bezogen, sondern nur auf jenes Gottesvolk, das sich nach dem Exil als den von Jahwe geretteten Rest Israels verstanden hat.

Die in Verbindung mit diesem Selbstverständnis der Heimkehrergemeinde gewonnene kollektive Deutung des Gottesknechts ist noch in der Zeit des Exils von Deuterojesaja vorbereitet worden. Denn der Prophet hatte schon damals im Hinblick auf die bevorstehende Befreiung der Exulanten und in Würdigung der durchgehaltenen Konsequenz des göttlichen Heilsplanes Israel als den erwählten Knecht Jahwes bezeichnet (Jes 41,8f; 43,10; 44,1f; 45,4), den Gott nie vergißt (Jes 44,21). Zwar hat, wie Deuterojesaja betont hatte, dieser Knecht Jahwes in der Vergangenheit versagt und seine Sendung nicht erfüllt (Jes 42,18 f); aber in Zukunft, darauf hatte Deuterojesaja mit Nachdruck verwiesen, kann dieser Knecht Jahwes, den Gott schon vom Mutterschoß her geformt (Jes 44,2.24) und getragen (Jes 46,3) hat, kraft der Neuschöpfung bei seiner Erlösung die im Gericht erlittene Schmach vergessen (Jes 45,17) und als ein Zeuge der Selbstverherrlichung Jahwes (Jes 44,23) den Ruhm seines Gottes in aller Welt verkünden (Jes 43,21).

Den für die kollektive Deutung des Gottesknechts wohl entscheidenden Schritt hat jedoch die Überlieferung von Israel als dem erwählten Knecht Jahwes in dem Augenblick getan, als man nach dem Ende des Exils die Verheißung an David (2 Sam 7,1-16) auf die Heimkehrergemeinde von Jerusalem übertrug. Nach dieser Auffassung hat Jahwe sich bereit erklärt, auf der Grundlage der unverbrüchlichen Hulderweise gegenüber David einen ewigen Bund mit dem geretteten Israel zu schließen und den Rest des Gottesvolkes zum Zeugen für die Völker sowie zum Fürsten und Gebieter von Nationen zu machen; all das soll um Jahwes willen geschehen, der sein Volk mit Herrlichkeit beschenkt (Jes 55,3-5; vgl. auch Jes 11,10).

Fragt man nach dem Grund, warum der Redaktor in der beschriebenen Art und Weise die Ebed-Jahwe-Dichtung aufgeteilt und die Gestalt des Gottesknechts kollektiv gedeutet hat, dann scheidet mit Sicherheit der Verdacht aus, daß er das Anliegen der ihm vorliegenden Tradition nicht sachgemäß verstanden hätte. Eher darf man vermuten, daß der Redaktor angesichts der Situation Israels nach dem Exil sich einfach nicht mehr imstande sah, die Ebed-Jahwe-Dichtung so undifferenziert zu betrachten, wie es vor ihm vielleicht noch die Exilsgemeinde getan hatte.

Denn wenn die Ebed-Jahwe-Dichtung ursprünglich den Sinn gehabt hatte, die auf das Königtum Davids gegründete Heilserwartung eines Mittlers auch im Gericht Jahwes aufrechtzuerhalten und weiterzuführen, so mußte gerade in diesem Punkt Israel nach der Heimkehr aus dem Exil eine Enttäuschung erleben. Man sah sich nämlich damals mit einer Wirklichkeit konfrontiert, in der sich die Wiedereinführung der Monarchie mit einem Davididen an der Spitze auf lange Zeit als schlechthin aussichtslos erwies. Folglich blieb die auf das Königtum Davids aufgebaute Erwartung eines Heilsmittlers ganz auf die Zukunft ausgerichtet. Dabei geschah es, daß man die von den Deuteronomisten entwickelte Idealvorstellung von dem Königtum Davids als eine Anfangsschilderung aufgriff und mit der von Deuterojesaja verkündeten Neuschöpfung und Erlösung Israels verband; so gelang es, die Konzeption eines neuen David zu entwerfen, der in der von Jahwe selbst vollendeten Theokratie seine Friedensherrschaft verwirklicht (Jes 11,1–9).

Im Unterschied zu dieser ganz auf die Person des neuen David ausgerichteten Heilserwartung konnte der Redaktor all das, was der Verfasser der Ebed-Jahwe-Dichtung während des Exils über die im Gericht Jahwes aufrechterhaltene Sendung des Gottesknechts und ihre Durchführung gesagt hatte, nach der Heimkehr der Verbannten praktisch für jedes Mittlertum eines von Jahwe Erwählten als exemplarisch betrachten. Daß er dies mit gutem Grund für die Rolle des geretteten Restvolkes von Israel inmitten der Völkerwelt tun konnte, läßt sich jedenfalls unschwer beweisen. So hat die Leidenserfahrung des Propheten Jeremia nicht nur auf die Ebed-Jahwe-Dichtung und die Darstellung des Gottesknechts, sondern auch auf das Verhalten des Gottesvolkes selbst einen tiefgreifenden Einfluß ausgeübt; die deuteronomistische Redaktion der Konfessionen des Jeremia und die Gerichtsklage des leidenden Gerechten im Buch der Klagelieder belegen dies zur Genüge[19]. Im Zusammenhang mit dieser Leidenserfahrung hat sodann der aus dem Exil heimgekehrte Rest Israels ein Erwählungsbewußtsein entwickelt, wonach das mit Jahwe jetzt eng verbundene Gottesvolk (Ps 44,18 f) einerseits zum Segensmittler für die Völkerwelt bestellt ist (Sach 8,13) und andererseits um Jahwes willen schwere Verfolgungen erduldet (Ps 44,23). Für den Redaktor der Ebed-Jahwe-Dichtung lag es folglich sehr nahe, die Rolle des Restvolkes von Israel mit der Sendung des Gottesknechts zu vergleichen und von ihr aus zu deuten.

Die Ebed-Jahwe-Dichtung hat auch nach Abschluß der Redaktion des Deuterojesajabuches noch Zusätze und Erweiterungen erfahren[20], wie die Literarkritik gezeigt hat. Doch kann dieser Teil der

---

[19] Vgl. *R. Brandscheidt,* Gotteszorn und Menschenleid. Die Gerichtsklage des leidenden Gerechten in Klgl 3, Trier 1983. Den größeren Horizont des Problems behandelt *L. Ruppert,* Der leidende Gerechte, Würzburg 1972.

[20] So ist eine Überarbeitung zur Zeit der Makkabäer nicht auszuschließen, wie die auffällige, bis in die Terminologie hineinreichende Übereinstimmung von Jes 53,11 mit Dan 12,3 f verrät.

Redaktionsgeschichte hier nicht mehr mit der gebotenen Gründlich-
keit verfolgt werden. Im Hinblick auf das Ziel der vorliegenden Untersuchung ist jedenfalls soviel deutlich geworden, daß die Frage
nach der Überwindung der Gewalt nicht nur den Heilsmittler persönlich, sondern auch das von ihm angesprochene Gottesvolk wesenhaft berührt.

2 Theologische Aussagen der Ebed-Jahwe-Dichtung in Jes 42–53

2.1 Die Gewalttat der Sünder als Ausdruck des Abfalls von Gott

Die folgenden Überlegungen gehen aus von dem Urteil des Volkes
über das Ende des Gottesknechts: „Ohne den Schutz des Rechtes
wurde er dahingerafft, ja, abgeschnitten vom Land der Lebendigen.
Dabei hatte er keine Gewalttat verübt, und keine Lüge war in seinem
Mund gewesen" (Jes 53,8 f). Diese Feststellung, mit der die Sprecher
die Unschuld des Gottesknechts nach seinem Untergang im Gericht
Jahwes beschreiben, verdient im Zusammenhang der vorliegenden
Untersuchung insofern Beachtung, als hier die Erwähnung der Gewalttat in Verbindung mit der Lüge erfolgt und beide Verhaltenswei-
sen zur Kennzeichnung der Schuld dienen.

Die Begriffe „Gewalttat" (ḥms)[21] und „Lüge" (mrmh)[22] begegnen
zwar sonst nicht mehr bei Deuterojesaja, aber dafür in aufschlußrei-
chen Aussagen des Buches Jeremia, das nach Ausweis der Traditionskritik für die Ebed-Jahwe-Dichtung, und hier besonders für die
Rede des Volkes (Jes 53,1–10), von großer Bedeutung gewesen ist.
So sagt Jeremia bei der Begründung des Strafgerichtes Jahwes über
die Schuld der Bevölkerung der Stadt Jerusalem: „Wie ein Korb mit
Vögeln gefüllt ist, so sind ihre Häuser voll Lüge (mrmh); dadurch
sind sie mächtig und reich geworden" (Jer 5,27). „Lüge" ist hier die
Bezeichnung für ein Fehlverhalten vor Gott, das durch die Verdun-
kelung der Weisung Jahwes den Betrug am Mitmenschen erleichtert.
In diese Richtung geht auch der Vorwurf des Propheten: „Sie haben

---

[21] Vgl. *H. Haag, hamas:* ThWAT II, 1050–1061; *H. J. Stoebe, hamas* – Gewalttat:
THAT I, 583–587.
[22] Vgl. *M. A. Klopfenstein,* Die Lüge nach dem Alten Testament, Zürich 1964.

ihre Zunge ans Lügen gewöhnt, handeln verkehrt und mögen nicht umkehren: Unterdrückung über Unterdrückung, Lüge *(mrmh)* über Lüge *(mrmh)*. Sie weigern sich, mich zu erkennen – Spruch Jahwes" (Jer 9,4f). Und weiter: „Ein tödlicher Pfeil ist ihre Zunge, Lüge *(mrmh)* redet ihr Mund. ‚Friede' sagt man zum Nächsten, doch insgeheim stellt man ihm eine Falle" (Jer 9,7). An die Stelle von Umkehr und Gotteserkenntnis, die nach der Auffassung des Propheten das richtige Verhältnis zu Jahwe bezeichnen, sind bei den Menschen von Jerusalem Lüge und Gewalttat getreten. Kein Wunder, daß Jeremia daher über Jerusalem klagt: „Wie ein Brunnen sein Wasser hervorsprudeln läßt, so läßt sie ihre Schlechtigkeit sprudeln. Von Gewalttat *(ḥms)* und Unterdrückung hört man in ihr; ständig sind mir vor Augen Leid und Mißhandlung" (Jer 6,7). Sobald Jeremia dazu Stellung bezieht, muß er Gewalttat *(ḥms)* und Unterdrückung anklagen (Jer 20,8).

Der Überblick zeigt, daß hier die Lüge *(mrmh)* das Gegenteil einer auf Umkehr gegründeten Gotteserkenntnis darstellt. Umkehr meint nämlich die Hinwendung des Sünders zu Jahwe und dem Anfang, den er mit der Erwählung seines Volkes gemacht hat[23]. Gotteserkenntnis hingegen ist das Wissen um Jahwes Werk und Wort, das Vertrautsein mit seiner heilsgeschichtlichen Offenbarung und der darin beschlossenen sittlichen Weisung[24]. Die Lüge als Verweigerung der Umkehr und als Verzicht auf die den ganzen Menschen erfassende Ausrichtung auf Gott und sein Werk ist demnach ein Ausdruck der Verstocktheit vor Gott und in dieser Eigenschaft andauernde Sünde. Äußert sich die auf Umkehr gegründete Gotteserkenntnis in der Übung von Recht und Gerechtigkeit (Jer 22,15f), so führt die Lüge zur Gewalt als Mittel der Selbstbehauptung des Sünders und zur Knechtung des Mitmenschen. In Umkehrung der Wahrheit bemüht sich hierbei die Lüge, die Herrschaft der Ungerechtigkeit und des Unrechts als Ordnung des Friedens zu bezeichnen. Lüge und Gewalt sind demnach zwei Aspekte der Sünde. Während die Lüge dem Abfall von Gott folgt und die Untat des Sünders

---

[23] Vgl. *H. W. Wolff*, Das Thema „Umkehr" in der alttestamentlichen Prophetie: ZThK 48 (1951) 129–148; *E. Haag*, Umkehr und Versöhnung im Zeugnis der Propheten, in: Dienst der Versöhnung, FS B. Stein, Trier 1974, 9–25.
[24] Vgl. *H. W. Wolff*, „Wissen um Gott" bei Hosea als Urform von Theologie: EvTh 12 (1952/53) 533–554.

verschleiert, wurzelt die Gewalt[25] in der Eigenmächtigkeit des von Jahwe abgefallenen und in der Gottesferne sich selbst behauptenden Sünders. Das Verhältnis von Lüge und Gewalt entspricht demnach dem Abfall des Menschen von Gott und seiner Untat am Bruder, wie sie in Gen 3–4 dargestellt werden.

Auf dem Hintergrund dieser Bestimmung der Gewalt, die nicht nur für das Buch Jeremia, sondern auch für die Ebed-Jahwe-Dichtung Gültigkeit beansprucht, erhebt sich die Frage, warum das Auftreten des Gottesknechts ohne Gewalt erfolgt. Wie sieht die Norm aus, die sein Verhalten bestimmt? Und wie versteht er seinen Auftrag in einer von Sünde geprägten Welt, die ihm mit Gewalt Widerstand leistet und die ihn schließlich mit in den Untergang reißt?

2.2 Die Gewaltlosigkeit des Gottesknechts als Ausdruck der Vermittlung von Gottes Heil

2.2.1 Die Heilsordnung Gottes

Das Auftreten des Gottesknechts ist durch die Anordnung Jahwes bestimmt, daß er das Recht zu den Völkern hinausbringen soll; und im Hinblick auf die Ausführung seines Auftrags heißt es, daß dieser Mittler nicht ruht, bis er auf Erden das Recht verwirklicht hat (Jes 42,1.4). Was ist hier unter „Recht" *(mšpt)* zu verstehen?

Geht man von der Grundbedeutung des hebräischen Begriffes

---

[25] Die hier gegebene Bestimmung des biblischen Begriffes *ḥms* („Gewalt") verlangt nach einer Abgrenzung von den Begriffen „Gewalt" und „Macht" im deutschen Sprachgebrauch. Denn das deutsche Wort „Gewalt", das sich von der indogermanischen Wurzel *„val"* (vgl. lat. *valere*) ableitet und ursprünglich „Verfügungsfähigkeit haben" bedeutet, meint zunächst wertneutral jede freie Ausübung von Macht. Ob diese „Gewalt" im Einzelfall Recht oder Unrecht bewirkt, läßt sich daher von der Struktur der Gewalt selbst nicht erkennen, sondern wird erst durch hinzutretende Eigenschaften bestimmt. Diese Ambivalenz des Begriffes „Gewalt", der semantisch die Wiedergabe von lat. *potestas* und *violentia* deckt, bestimmt den deutschen Sprachgebrauch bis heute. Vgl. *K. Röttgen,* Gewalt: Historisches Wörterbuch der Philosophie III, 562–570 (Lit.). Das Wort „Macht" bedeutet seiner etymologischen Herkunft nach (von got. *magan*) das Können oder Vermögen. Wichtig ist, daß ontologisch gesehen, allem Sein von seinem Ursprung her eine Mächtigkeit eignet, deren rechter Gebrauch sich in der Verantwortung vor Gott vollzieht und in der Bereitschaft, ihm alles anheimzustellen. Vgl. *Th. Kobusch, L. Oeing-Hanhoff* und *R. Hauser,* Macht: Historisches Wörterbuch der Philosophie V, 585–588.630–631 (Lit.).

mšpt aus, dann kann „Recht" sowohl das Gerichtsverfahren selbst wie auch das Gerichtsurteil als das Ergebnis eines solchen Verfahrens bedeuten; „Recht" kann aber auch die Sammlung einzelner Gerichtsentscheide im Sinn einer Rechts- und Lebensordnung meinen[26]. Die Tatsache, daß der Gottesknecht das „Recht" zu den Völkern „hinausbringt" (*jṣ'* hi.), erinnert an das an anderer Stelle bei Deuterojesaja erwähnte „Hinausbringen" (*jṣ'* hi.) der Erlösungstat Jahwes, womit die Verkündigung des von Jahwe geschenkten Heils gemeint ist (Jes 48,20). Daß die Verwirklichung des „Rechts" durch den Gottesknecht eine Heilsoffenbarung meint, wird durch eine andere Äußerung bei Deuterojesaja belegt: „Horcht her, ihr Völker, hört auf mich, ihr Nationen! Denn von mir geht Weisung aus, und mein Recht *(mšptj)* wird zum Licht der Völker" (Jes 51,4). Zu diesem Verständnis von „Recht" paßt aber genau die von dem Gottesknecht mitgeteilte authentische Deutung durch Jahwe, daß er den Gottesknecht zum Licht für die Völker gemacht habe, damit sein Heil *(jšw'h)* sich bis an das Ende der Erde verbreite (Jes 49,6). Gleichwohl ist der Umstand zu beachten, daß bei der Beauftragung des Gottesknechts Jahwe terminologisch nicht die Verwirklichung des „Heils", sondern des „Rechts" mit Nachdruck nennt (Jes 42,1.4). Danach gibt das „Heil" den von Jahwe im Zuge der Erlösung geschaffenen Rahmen an, in dem das „Recht" als Lebensordnung der Gottesherrschaft seine endgültige Bestätigung und gleichzeitig vervollständigende Überhöhung erfährt. Aufgrund dieser Ausführungen läßt sich das „Recht", das der Gottesknecht bringt, als die Lebensordnung der endzeitlichen Theokratie oder als die Heilsordnung Jahwes für die erlöste Menschheit verstehen[27].

Wenn Jahwe abschließend bei der Vorstellung des Gottesknechts sagt, daß sein Erwählter nicht müde wird und nicht zusammenbricht, bis er auf Erden das Recht verwirklicht hat (Jes 42,4), dann unterstreicht dieses Wort zunächst den von Jahwe selbst garantierten Erfolg seines Mittlers. Gleichzeitig enthält aber das Wort auch

---

[26] Vgl. *G. Liedke, špt* – richten: THAT II, 999–1009; *W. A. M. Beuken,* Mišpat. The First Servant Song and its Context: VT 22 (1972) 1–30; *J. Jeremias,* Mišpat im ersten Gottesknechtslied: VT 22 (1972) 31–42.

[27] Mit diesem Verständnis läßt sich auch die Feststellung des Volkes verbinden, daß der Gottesknecht wegen der noch andauernden Situation des Gerichts ohne den Schutz des „Rechts" dahingerafft worden ist.

ein Urteil über das Verhältnis des Gottesknechts zu dem von ihm offenbarten Recht. Denn während das Volk aus seiner Sicht bei einem Gottesknecht nur das Fehlen von Gewalttat und Lüge vermerkt (Jes 53,9), ergeht in dem Wort Jahwes von allerhöchster Stelle ein Urteil, das die Totalidentifikation des Mittlers mit der von ihm repräsentierten Heilsordnung erklärt.

2.2.2 Die Vermittlung des Heils

2.2.2.1 Keine Mimesis der Gewalt

Die Verbundenheit des Gottesknechts mit Jahwe, auf dessen Gerechtigkeit und Heil er mit seiner ganzen Person ausgerichtet ist, hat zur Folge, daß er sich bei der Erfüllung seines Auftrags das Verhalten Jahwes als des Erlösergottes zum Vorbild nimmt: „Er schreit nicht und lärmt nicht und läßt auf der Straße seine Stimme nicht hören. Das geknickte Rohr zerbricht er nicht, und den glimmenden Docht löscht er nicht aus" (Jes 42,2f).

Die erste Aussage, daß der Gottesknecht nicht schreit und nicht lärmt und auf der Straße seine Stimme nicht hören läßt, lehnt ein Verhalten ab, das allem Anschein nach bei der Begründung der Rechtsordnung Jahwes und bei der Durchsetzung ihres Anspruchs einmal üblich gewesen ist. Als aufschlußreich darf in diesem Zusammenhang der Hinweis gelten, daß der Gottesknecht nicht „schreit" *(ṣ'q)*. Denn mit dieser Aussage ist entsprechend einer Sonderbedeutung des hebräischen Verbums *ṣ'q* das Aufgebot zum Heerbann im Jahwekrieg gemeint[28]. Bedenkt man, daß die Sendung des Gottesknechts der Designation eines Retters im Jahwekrieg nachgestaltet ist (1 Sam 9,16f; 10,24) und daß sowohl die Bezeichnung des Mittlers als eines Erwählten Jahwes (Ps 89,4; 106,23) wie auch seine Ausstattung mit Jahwes Geist (Ri 3,10; 6,34; 11,29; 13,25 u.a.) den gleichen Vorstellungshorizont berührt, dann ist bei dem Schreien des Gottesknechts die Annahme einer Beziehung zu dem Vorstellungsbereich des Jahwekriegs nicht ungewöhnlich. Die Frage ist nur, welche Art des Jahwekriegs die Darstellung hier meint. Hat der Verfasser die Unternehmungen der Retter Israels aus der Vorzeit im

---

[28] Vgl. *G. F. Hasel, za'aq:* ThWAT II, 628–639.

Blick, als der Jahwekrieg das bevorzugte Mittel zum Schutz der Gottesherrschaft und zur Bekämpfung ihrer Widersacher unter den Völkern war? Oder denkt der Verfasser an die für die vorexilische Gerichtsprophetie charakteristische Vorstellungen eines umgekehrten, nämlich gegen Israel selbst gekehrten Jahwekrieges? Schaut man auf die Aussagen, die das Vorgehen des Gottesknechts bei der Ausführung seines Auftrags beschreiben, dann wird man der letzteren Annahme offenbar den Vorzug geben. Denn der Verfasser hat die Sendung des Gottesknechts deutlich im Gegensatz zu dem Auftrag der Gerichtspropheten konzipiert (vgl. Jes 49, 1–6).

So heißt es von dem Auftreten des Gottesknechts, daß er das geknickte Rohr nicht bricht und den glimmenden Docht nicht auslöscht. Was mit dieser bildhaften Redeweise gemeint ist, wird klar, wenn man die negative Formulierung des Satzes nach der positiven Seite hin ergänzt[29]. Dann füllt der Gottesknecht die erlöschende Lampe wieder auf, damit sie ordentlich leuchtet; und für das beschädigte Rohr hat er auch noch eine brauchbare Verwendung. Auf diese Weise erkennt man, daß die negative Formulierung an die konkrete Situation der mit dem Rohr und Docht Gemeinten und deren reale Befürchtungen anknüpft, daß sie nämlich sagen: Uns ist doch nicht mehr zu helfen, wir gehen vollends zugrunde. Im Hintergrund stehen hier die Befürchtungen des im Exil vergehenden Restvolkes von Israel. Diesen im Strafgericht Jahwes gedemütigten und inzwischen am Nullpunkt ihrer Existenz angelangten Menschen begegnet der Gottesknecht, wie das Bild von dem Nichtknicken des Rohrs und dem Nichtauslöschen des Dochts anzeigt, nicht mehr mit der Härte der prophetischen Unheilsverkündigung, sondern mit der zum letzten Opfer bereiten und daher Hoffnung auf Heilung stiftenden Liebe des Erlösergottes Jahwe.

Das Auftreten des Gottesknechts, das sich in seinem Einsatz für die im Gericht Jahwes gedemütigten und zur Umkehr bereiten Sünder sowie in der durchgehaltenen Solidarität mit ihrem verlöschenden Leben[30] manifestiert, kennt daher nicht die Mimesis eines frem-

---

[29] Vgl. hierzu *K. Elliger,* Deuterojesaja, 213 f.
[30] Darauf weisen die durch die Verwendung des gleichen Wortstamms gekennzeichneten Aussagen hin, daß der Gottesknecht den „erlöschenden" *(khh)* Docht nicht ausgehen läßt (V. 3) und selbst nicht „erlischt" *(jkhh),* bis er das Recht auf Erden verwirklicht hat (V. 4).

den, als Vorbild betrachteten menschlichen Strebens und damit auch nicht die Möglichkeit eines Abgleitens in die Gewalt. Denn was das Auftreten des Gottesknechts zutiefst bewegt, ja wesenhaft prägt, ist nicht irgendeine, von Menschen entworfene Idealvorstellung zur Rettung von Unterdrückten, sondern Gott selbst, der sich zum Heil seiner Schöpfung offenbart. Hier liegt der eigentliche Grund für die Distanz des Gottesknechts zu jeder Form von Gewalt. Da nämlich die Offenbarung Jahwes zum Heil von seiner alles umfassenden und daher auch die Sendung des Mittlers tragenden Liebe geprägt ist, die eine für Menschen nicht mehr hinterfragbare (Jes 49,14f), da in der Gottheit Jahwes gründende (Hos 11,8f) Macht darstellt, ist das Auftreten des Gottesknechts sowohl von seinem Anfang her wie auch in allen Phasen seines Verlaufs grundsätzlich frei von jeder Mimesis der Gewalt.

2.2.2.2 Keine Rivalität mit dem Bösen

Das Auftreten des Gottesknechts ist aber nicht nur durch die Begegnung mit den im Gericht Jahwes Gedemütigten und daher zur Umkehr bereiten Sündern gekennzeichnet, sondern auch durch den Zusammenstoß mit den verstockten Widersachern Jahwes und seiner Pläne. So läßt der Gottesknecht in seinem Bericht erkennen, daß die Ausführung seines Auftrags nicht ohne Schwierigkeiten verlaufen ist. In der Rückschau auf seine Bemühungen bei der Verwirklichung von Jahwes „Recht" muß er nämlich voll Bitterkeit gestehen, daß er sich lange Zeit ohne Erfolg angestrengt und seine Kraft nutzlos vertan hat (Jes 49,4). Diese Feststellung des Gottesknechts spiegelt die Erfahrung der vorexilischen Prophetie in Israel wider, die unter Aufbietung all ihrer Kräfte das Volk zur Übung von Recht und Gerechtigkeit angehalten hatte und am Ende doch den Untergang von Volk und Reich und damit den Mißerfolg ihrer Bemühungen erleben mußte. Um die nach soviel Rückschlägen verständliche Mutlosigkeit des Gottesknechts und seine Anfechtung angesichts des Widerstands all seiner Gegner zu beseitigen, betont Jahwe bei seiner Entgegnung die unverminderte Gültigkeit der Sendung des Mittlers und bestätigt sie in Verbindung mit einer Verheißung, die den bisherigen Auftrag des Gottesknechts eschatologisch überbietet. Danach genügt es nicht mehr, daß der Gottesknecht im Sinn der bisherigen Konzeption von Israel als Volk Jahwes die Stämme aus der Zerstreuung sammelt; die mit der Sendung des Gottesknechts angebrochene letzte Phase der Heilsoffenbarung Jahwes verlangt vielmehr die Einbeziehung aller Völker der Erde in die universal ausgerichtete, endzeitliche Theokratie (Jes 49, 5 f). Mit dieser Antwort, die dem Gottesknecht die Sinnhaftigkeit seiner Sendung trotz der entgegenstehenden Erfahrung ausdrücklich bestätigt, hat Jahwe gleichzeitig unausgesprochen dem Mittler eine Anweisung für sein Verhalten angesichts des Widerstandes der Sünder gegeben. Wenn nämlich die Sendung des Gottesknechts ein Ausdruck der Heilszuwendung Jahwes nach dem Gericht ist und der Erfolg dieser Offenbarung durch keinen Widerstand der Sünder mehr gefährdet werden kann, dann gilt die für den Gottesknecht verpflichtende Distanz zu jeder Mimesis der Gewalt auch für die Konfrontation mit den Widersachern Jahwes und ihrer aggressiven Auflehnung gegen seinen Mittler. Oder anders ausgedrückt: Weil Jahwe im Zuge seiner Heilszuwendung nicht erst bei der Vollendung seines Werkes, sondern auch schon vorher bei der Sendung seines Mittlers als der eigentlich Handelnde in Erscheinung tritt, kommt bei dem Gottesknecht selbst bei der Konfrontation mit den Bösen eine Rivalität mit ihnen grundsätzlich nicht in Betracht.

Es verwundert daher nicht, daß sich der Gottesknecht angesichts dieser Situation trotz aller Schwierigkeiten und Mißerfolge dem Auftrag Jahwes nicht entzogen hat. Seine vorbehaltlose Bereitschaft zu der ihm auferlegten Sendung hat jedoch zur Folge gehabt, daß er bei seinem Wirken in Stellvertretung für Jahwe den Widerstand der Sünder leidvoll zu spüren bekam. Gleichwohl blieb die Reaktion des Mittlers auf den Widerstand der Sünder stets von der Haltung und dem Geist der Gewaltlosigkeit bestimmt. Bei all den Schlägen, die ihn trafen, hat er willig und ohne Gegenwehr, wie er bekennt, den Rücken für Jahwe hingehalten, ohne an seinem Auftrag auch nur für einen Augenblick irre zu werden. Was ihm dabei die Kraft zum Durchhalten verliehen hat, ist die unerschütterliche Zuversicht gewesen, daß er im Hinblick auf das von Gott festgesetzte Ziel seiner Sendung nicht zuschanden werden kann, während seine Gegner angesichts dieses Zieles ebenso gewiß zum Scheitern verurteilt sind (Jes 50, 6–9).

Zum rechten Verständnis der hier beschriebenen Gewaltlosigkeit des Mittlers ist zweierlei zu beachten. Auf der einen Seite erscheint die von dem Gottesknecht in seiner Eigenschaft als Heilsmittler praktizierte Gewaltlosigkeit als ein Begleitmoment der von Jahwe bewirkten Erlösung, die als solche ein Ausdruck seiner Rettertätigkeit ist. Von daher kommt es, daß die Gewaltlosigkeit des Gottesknechts sich in gewisser Hinsicht mit der Unzulänglichkeit des von Jahwe berufenen Retters berührt, wie sie das Formelement des Einwandes im Retterschema zum Ausdruck bringt[31]. Während die Unzulänglichkeit des Retters nämlich den Umstand hervorhebt, daß Jahwe bei der Rettung seines Volkes nicht der Machtmittel des Geschöpfes bedarf, stellt die Gewaltlosigkeit des Heilsmittlers die entschiedenste Absage an den Machteinsatz des Sünders dar. Denn das Verhalten des Mittlers muß sittlich jener Heilsordnung entsprechen, als deren Repräsentant er auftritt. Die Gewaltlosigkeit des Gottesknechts verdient jedoch auf der anderen Seite auch insofern Beachtung, als sie keineswegs ein Nachgeben aus Schwachheit bedeutet, sondern die Selbstbehauptung des „Rechtes" zur unaufgebbaren Voraussetzung hat. So hebt der Hinweis des Gottesknechts auf das Scheitern seiner Gegner mit Nachdruck die Tatsache hervor, daß die Offenbarung des Heils, deren Mittler und Zeuge er nach Jahwes Anordnung ist, einen Machterweis darstellt, vor dem die Anmaßung aller Sünder verblaßt und der für die Widersacher Gottes den sicheren Untergang bringt (Jes 50, 7.9). Der Verzicht auf Gewalt im Verhalten des Gottesknechts stellt demnach negativ seine Distanz zu den Äußerungen der Sünde heraus; positiv ist seine Gewaltlosigkeit dagegen ein Ausdruck der Stärke und ein Beweis für seine Tapferkeit.

2.2.2.3 Die stellvertretende Sühne

Hatte bereits der Gottesknecht von einer Behinderung seines Auftrags berichtet, die ihm aus dem gewalttätigen Widerstand der Sünder erwachsen war, so weist das Volk in seiner Stellungnahme zu dem Wirken des Mittlers auf die bedrückende Tatsache hin, daß er in dem von Gott verhängten Strafgericht trotz persönlicher Unschuld dennoch genau wie die Sünder dahingerafft worden ist. Angesichts eines solchen Endes, das nach menschlichem Ermessen die Sendung des Gottesknechts völlig zum Scheitern bringt, stellt sich die Frage nach dem Sinn seines mittlerischen Einsatzes und nach

---

[31] Vgl. Ex 3, 11; 4, 1.10; Ri 6, 15; 1 Sam 9, 21; Jer 1, 6.

dem Wert seines hierbei bezeugten Gehorsams vor Gott. Was für einen Sinn, so fragt man sich, hat die von Gott als Ausdruck seines Heilsschaffens proklamierte Sendung des Mittlers, wenn dieser, statt die Verwirklichung des „Rechts" auf Erden zu vollenden, vorher selbst ein Opfer der Widersacher dieses „Rechts" wird? Und welchen Wert hat der von dem Gottesknecht bis in den Tod hinein bezeugte Gehorsam, wenn sein Verhalten im Hinblick auf den erwarteten Machterweis Jahwes wie das Eingeständnis einer enttäuschenden Schwäche wirkt? Die Antwort auf diese wichtigen Fragen gibt in einer eigenen Stellungnahme das betroffene Volk, das sich im Glauben an die Macht Jahwes um ein Verständnis seiner Offenbarung im Schicksal des Mittlers bemüht (Jes 53,1–3).

Auf die erste Frage nach dem Sinn der dem Gottesknecht auferlegten Sendung antwortet das Volk mit einer Darstellung, die das Schicksal des Mittlers mit dem Gedanken der Stellvertretung zu erfassen sucht. Danach hat der Gottesknecht die für die Sünder bestimmten Schläge des Strafgerichtes Jahwes und die zu ihrem Heil verhängte Züchtigung durch Gott stellvertretend auf sich genommen und bis zum Ende mitgetragen (Jes 53,4–6a). Dieser Deutungsversuch des Volkes nimmt Bezug auf das Selbstverständnis der Prophetie, wie es vor allem bei Ezechiel in dem bekannten Wächtergleichnis zum Ausdruck kommt (Ez 33,1–9)[32]. Nach der Darstellung dieses Gleichnisses wählen die Bewohner eines von Krieg bedrohten Landes einen Wächter mit dem Auftrag, nach dem herannahenden Feind sorgfältig Ausschau zu halten und im gegebenen Fall sein Auftauchen zu melden. Nimmt einer der Bewohner die Warnung nicht ernst, so daß ihn der Feind überrascht und tötet, dann trifft den Wächter keine Schuld; er hat seine Pflicht getan und das Warnzeichen gegeben. Hat es dagegen der Wächter versäumt, das verabredete Zeichen zu geben, dann wird er für den Tod des ungewarnten Bewohners verantwortlich gemacht. Wenn Ezechiel darauf zur Deutung des ganzen Vorgangs bemerkt, daß Gott ihn, den Propheten, zum Wächter für das vom Gericht Jahwes bedrohte Haus Israel bestellt hat, dann bringt er mit dieser Anwendung auf seine Person eine merkwürdige Spannung in das von ihm gewählte Bild. Denn der Feind, vor dem der Prophet das Haus Israel warnen soll, ist nicht

---

[32] Vgl. hierzu W. *Eichrodt,* Der Prophet Hesekiel, Göttingen ²1978, 311–313.

irgendeine beliebige Macht, sondern Jahwe, der Gott Israels, selbst; sein richtendes Handeln schwebt über dem Volk und bildet dessen gefährlichste Bedrohung. Aber – und das ist hier für das Selbstverständnis des Propheten von ausschlaggebender Wichtigkeit – dieser Gott bestellt einen Wächter, der vor ihm und der tödlichen Gefahr seines Gerichtes die Bedrohten warnen soll.

Was an dieser Darstellung des Gleichnisses theologisch beeindruckt, ist die außerordentlich enge und folgenreiche Solidarität des Propheten mit Gott und seinem Volk. Die Einsetzung des Propheten zum Wächter für Israel und seine persönliche Haftung für das Leben der ihm anvertrauten Glieder des Volkes lassen an dieser Tatsache keinerlei Zweifel. Hatte jedoch die so verstandene Solidarität mit Gott und dem Volk noch den Propheten Jeremia in schwerste Gewissenskonflikte gestürzt, weil er sich zur Bejahung des Anspruches beider Seiten zeitweilig außerstande sah, so wird bei Ezechiel schon die Voraussetzung für eine neues Verständnis seiner Sendung erkennbar, insofern er seinen Dienst als Prophet im Sinne eines stellvertretenden Mittleramtes versteht. Auf dieser Linie liegt auch eine Zeichenhandlung des Propheten, bei deren Vollzug er in schwerem körperlichem und seelischem Erleiden in Stellvertretung für sein sterbendes Volk die Last des Gerichtes auf sich nimmt (Ez 4, 4–8)[33]. Hatte er doch selbst die Aufgabe des wahren Propheten dahingehend beschrieben, daß er am Tage Jahwes für die Bedrohten in die Bresche springen und eine Mauer für sein Volk aufrichten müsse (Ez 13, 5).

Welchen Wert aber in diesem Fall die Stellvertretung des Mittlers hat, hängt nicht mehr von dem Menschen und seinem Wollen, sondern von Gott und der Eigenart seiner Offenbarung ab, deren Zeuge der Prophet mit dem Einsatz seines Lebens ist. Deshalb bekennt das Volk auch in seiner Stellungnahme zu dem Schicksal des Gottesknechts, daß Jahwe selbst den Mittler die Schuld aller Sünder treffen ließ (Jes 53, 6 b). Nicht die Hochherzigkeit und der Heldenmut eines altruistisch eingestellten Menschentums sind es demnach gewesen, die den Gottesknecht bei dem mittlerischen Einsatz seines Lebens bewegt haben, sondern die Anordnung Jahwes und die Ver-

---

[33] Vgl. *W. Zimmerli*, Zur Vorgeschichte von Jes 53: VT.S 17 (1969) 236–244; *W. Eichrodt*, Der Prophet Hesekiel, 313.

wirklichung des „Rechts" bei der Durchführung seines Planes. Auf dem Hintergrund dieser heilsgeschichtlichen Bestimmung durch Jahwe darf aber dann der Untergang des Mittlers nicht mehr unter dem Gesichtspunkt des Scheiterns seiner Sendung gesehen und beurteilt werden, wie es bei dem noch nicht vom Glauben erleuchteten Volk der Fall gewesen ist. Die Sendung des Gottesknechts erhält vielmehr durch den ausdrücklichen Rückbezug auf die Anordnung Jahwes und auf die Offenbarung seiner Macht im Schicksal des Mittlers den Charakter einer wahrhaft einmaligen stellvertretenden Sühne und damit einen Wert, der alle bisher bekannten Vorstellungen von der Vermittlung des göttlichen Heils wesenhaft übersteigt. Denn dieser mittlerische Einsatz des Gottesknechts bringt für alle Sünder Heil und Heilung in einer unüberbietbaren Weise, weil er von Jahwe selbst bei der Verwirklichung seiner endzeitlichen Herrschaft getragen und vollendet wird[34].

Die Wirksamkeit dieser dem Gottesknecht auferlegten stellvertretenden Sühne hängt aber nicht nur von Jahwe und seiner Offenbarung zum Heil, sondern auch von dem Mittler und seinem frei geäußerten Ja zu der Anordnung Gottes ab. Mit Nachdruck hebt daher die Stellungnahme des Volkes in diesem Zusammenhang die keineswegs selbstverständliche Tatsache hervor, daß der Gottesknecht die ihm zugedachte Preisgabe an das Strafgericht über die Sünder und an die Heillosigkeit ihres Untergangs im Gericht persönlich bis in den Tod hinein voll bejaht hat, und das, obwohl er selbst ohne Sündenschuld war (Jes 53, 7–9)[35]. Im Rückblick auf die Erfüllung all dieser Bedingungen, die Gott für die wirksame Durchführung der stellvertretenden Sühne angeordnet hat, kann daher das Volk, in Ent-

[34] Mit Recht hat daher neuerdings *M. Hengel,* Der stellvertretende Sühnetod Jesu: Internationale Katholische Zeitschrift 9 (1980) 1–25.135–147 auf die entscheidende Bedeutung von Jes 53 für die Entstehung und Ausgestaltung des frühesten Kerygmas von dem stellvertretenden Sühnetod Jesu verwiesen.
[35] Die Preisgabe an das Strafgericht über die Sünder und an die Heillosigkeit ihres Untergangs im Gericht kommt in dem Wort zum Ausdruck, daß der Gottesknecht „ohne den Schutz des Rechts", das er im Auftrag Jahwes zu verwirklichen hat, im Tod schon dahingerafft wird. Das Bild des Lammes, das zur Schlachtbank geführt wird und vor seinen Scherern verstummt, hebt dabei die Haltung des Gehorsams und der Bereitwilligkeit, nicht jedoch des Gewaltverzichts, hervor. Der Gewaltverzicht ist bereits vorher in dem Bericht des Gottesknechts, wo es um den Widerstand gegen seine Sendung ging, deutlich herausgestellt worden.

sprechung zu der vorher geäußerten Zuversicht des Gottesknechts (Jes 50, 7.9), mit dem Vertrauensbekenntnis schließen, daß der Heilsplan Gottes durch diesen Mittler gelingen wird (Jes 53, 10).

2.3 Die Botschaft vom Gottesknecht –
ein Weg zur Überwindung der Gewalt

Will man den Beitrag der Ebed-Jahwe-Dichtung zu dem Thema Gewalt und Gewaltlosigkeit zusammenfassend darstellen, dann ist zuerst auf den Sitz im Leben dieser prophetischen Botschaft und ihre für Israel spezifische Problematik zu achten. Denn die Ebed-Jahwe-Dichtung ist, wie die Untersuchungen zu ihrer Form und Tradition gezeigt haben, das Ergebnis einer im babylonischen Exil Israels entstandenen Reflexion, die sich an der Frage nach dem Heilsmittler der in dem Volk Jahwes offenbarten Theokratie entzündet hat. Wie sollte sich diese Theokratie in Zukunft gestalten, wenn die sie bisher tragende Mittlerinstanz des Königtums der Davididen nicht mehr bestand? War es nicht in dieser gefährlichen Krise, die nach einer Überbrückung der durch das Exil entstandenen Diskontinuität verlangte, ein Gebot der Stunde, auf die ältere und nach wie vor bestehende Mittlerinstanz des Jahweglaubens, die Prophetie, zu schauen, weil in deren Engagement in der Zeit des Gerichts eine neue Form der Kontinuität für die Theokratie im Volk Jahwes sich abzuzeichnen begann? Im Horizont dieser für die Zeit des Exils charakteristischen Problematik, die zu einer theologisch weiterführenden Auseinandersetzung mit der Verwirklichung und der Vollendung der in Israel offenbarten Theokratie einerseits und mit dem Schicksal des durch den Widerstand der Sünder behinderten und schließlich mit ihnen im Strafgericht Gottes dahingerafften Mittlers andererseits geführt hat, ist der Beitrag der Ebed-Jahwe-Dichtung zu dem Thema Gewalt und Gewaltlosigkeit zu verstehen.

Grundlegend für diesen Beitrag ist die mit prophetischer Autorität durchgeführte Entlarvung der Gewalt als eines Ausdrucks der Sünde und des Mißbrauchs geschöpflicher Macht. Die Notwendigkeit einer solchen Entlarvung hatte sich aus der nur für den Glauben erkennbaren Tatsache ergeben, daß die Gewalt mit der Lüge verbunden ist und daher über die Fähigkeit verfügt, ihr wahres Wesen zu verschleiern. Die Lüge ist nämlich nach Ausweis der alttestamentlichen Offenbarung ebenso wie die Gewalt ein Ausdruck der Sünde, insofern sie den diametralen Gegensatz zu einer auf Umkehr gegründeten Gotteserkenntnis markiert. Mit anderen Worten: Weil der Sünder die Norm für ein sittlich gutes Verhalten durch seine Abkehr von Gott aus dem Auge verloren hat, verfällt er bei dem Versuch, sich als Sünder zu behaupten, dem Wahn der Gewalt; doch statt der erhofften Steigerung seiner Macht bringt ihm dieser Versuch nur das Chaos der Zerstörung und der Vernichtung ein.

Die Überwindung der Gewalt erfolgt aufgrund einer eigenen Heilsinitiative Gottes und ist daher der Sache nach mit dem Werk der Erlösung identisch; denn erst die mit der Erlösung geschaffene Heilsgemeinschaft mit Gott beseitigt den Zustand der Sünde, der nach der Auffassung des Jahweglaubens die Ursache für Lüge und Gewalttat ist. Schon bei der Durchführung dieses Werkes der Erlösung zeigt sich in dem Verhalten des Gottesknechts die Auswirkung der neuen Heilsgemeinschaft mit Gott. So kennt der Gottesknecht bei der Konfrontation mit dem Widerstand und den Angriffen der gewalttätigen Sünder weder die Mimesis der Gewalt noch die Rivalität mit den Bösen. Was den Gottesknecht prägt, ist vielmehr die Heilsgemeinschaft mit Gott und das Zeugnis seiner erlösenden Liebe. Die entscheidende Tat zur Vollendung der Erlösung und damit auch zur Überwindung der Gewalt vollbringt jedoch der Gottesknecht in der von Gottes Selbstmitteilung getragenen stellvertretenden Sühne für die Sünder.

Die sachgemäße Beurteilung dieser Vermittlung des Heils und der damit verbundenen Überwindung der Gewalt kann nicht an der Tatsache vorbeigehen, daß die neue Lebensordnung der Erlösten auch eine legitime Form der Selbstbehauptung des Menschen und seiner Verteidigung kennt. Natürlich erfolgt die hier gemeinte Selbstbehauptung des Menschen und seine Verteidigung ohne die für den Sünder charakteristische Anwendung von Gewalt, doch nicht, wie man zur Verdeutlichung gleich hinzufügen muß, ohne den von Gottes Offenbarung her erlaubten, wirksamen Einsatz von Macht. Auf diese Tatsache weist zunächst die Beobachtung hin, daß die neue Lebensordnung der Erlösten auf dem Hintergrund eines Strafgerichtes Gottes verwirklicht wird, das dem Aufbegehren der Sünder eine für sie unüberwindliche Grenze setzt. Die bei diesem Strafgericht offenbar gewordene Schöpfermacht Gottes bildet jedoch, wie man aus der Heilsbotschaft des Deuterojesaja weiß, auch die uner- läßliche Basis für die Verwirklichung der neuen Lebensordnung der Erlösten, weil nur unter dieser Voraussetzung die Liebe Gottes den durch die Sünder angerichteten Schaden zu heilen vermag. In die- sem Zusammenhang verdient nun der Umstand Beachtung, daß die von dem Gottesknecht verwirklichte Lebensordnung der Erlösten innerhalb der Ebed-Jahwe-Dichtung die Bezeichnung „Recht" er- hält; denn das Recht schützt nach der Auffassung des Jahweglau- bens sittliche Werte, die in dem von der Schöpfermacht Gottes ge- tragenen Sein des Menschen und seiner Welt verankert und daher auch mit Macht ausgestattet sind. Da somit die Schöpfermacht Got- tes die Basis seiner Offenbarung sowohl zum Gericht wie auch zum Heil bildet, ergibt sich der Schluß, daß die neue Lebensordnung der Erlösten von ihrem Wesen her den Anspruch auf eine legitime Form der Selbstbehauptung und der Verteidigung gegenüber der Nichtbe- achtung und der Verletzung durch die Sünder erhebt[36].

Die Anwendung dieses Rechtes auf Selbstbehauptung und Vertei- digung ist bei dem Gottesknecht von seiner Stellung als Mittler zwi- schen Gott und Volk bestimmt. Gegenüber dem Volk hat der Gottes- knecht, wie er selbst in seinem Bericht über die ihm aufgetragene Sendung bekennt, trotz der ihm entgegenschlagenden Ablehnung durch die Sünder keinerlei Gewalt angewandt. Gleichwohl hat er die Opposition der Sünder gegen seine Sendung und ihre gewalttä- tige Aggression gegen seine Person nicht ohne Widerstand hinge- nommen und ertragen. Der Gottesknecht hat vielmehr aufgrund der Erkenntnis, daß sich in der Opposition gegen ihn und seine Sendung das Unrecht einer letzten Endes gegen Gott selbst gerichteten Auf- lehnung der Sünder manifestiert, demgegenüber in seinem Vorge- hen die Macht des von ihm vertretenen „Rechtes" mit der gebotenen Unnachgiebigkeit und Härte zur Geltung gebracht. Ganz anders ver- hält es sich jedoch, wenn Gott persönlich dem Mittler entgegentritt und ihm für den rechten Vollzug seiner Sendung das Opfer der stell- vertretenden Sühne auferlegt; denn hier steht der Mittler nicht mehr vor der Unrechtsfront der Sünder und ihrer Gewalttat, sondern vor Gott, der ihn durch die Mitteilung seiner selbst erst zu der vollkom-

---

[36] Vgl. hierzu auch Jes 11,4, wo es von dem neuen David der Endzeit heißt, daß er den Gewalttätigen mit dem Stock seines Wortes schlägt und den Schuldigen mit dem Hauch seines Mundes tötet.

menen Entsprechung bei der Durchführung seines Auftrages befähigt. Die Stellungnahme des Volkes zu dem Schicksal des Mittlers erwähnt darum in diesem Zusammenhang nicht mehr den Verzicht auf Gewalt; was vielmehr bei dem Volk an dem Verhalten des Gottesknechts Bewunderung und Staunen erregt, ist der im Vergleich mit dem Verhalten der Sünder absolut ungewohnte Gehorsam eines Menschen vor Gott bis in den Tod. Dennoch besteht zwischen dem Verhalten des Gottesknechts vor Gott und seiner Einstellung zu dem Widerstand der Sünder eine innere Verbindung, insofern nämlich der vorbehaltlose Gehorsam vor Gott erst jenen Gewaltverzicht bei dem Mittler möglich macht, der für sein Martyrium konstitutiv ist.

Der Zusammenhang zwischen Gewalt und Gewaltverzicht einerseits und dem Recht auf Selbstbehauptung und Verteidigung andererseits beleuchtet die Vielschichtigkeit des hier anstehenden Problems, die eine für alle Fälle geltende Handlungsmaxime praktisch unmöglich macht. So steht den verschiedenen Ebenen der Entscheidung vor Gott und den Menschen die alles umgreifende heilsgeschichtliche Tatsache gegenüber, daß der Gottesknecht zwar eine Einzelgestalt von singulärer Bedeutung, aber gleichzeitig auch ein Mittler von eschatologischer Qualität und folglich universal verpflichtender Repräsentanz ist. Wenn demnach die Reaktion des Gottesknechts auf die Opposition der Sünder in keiner Weise durch eine Haltung des Nachgebens um jeden Preis gekennzeichnet ist und er im Hinblick auf die von ihm verwirklichte Lebensordnung der Erlösten durch sein Verhalten das Recht auf Selbstbehauptung und Verteidigung deutlich dokumentiert, so ist doch wiederum der Umstand zu beachten, daß in dieser neuen Lebensordnung der Erlösten der höchste sittliche Wert, der alle anderen sittlichen Werte trägt und bestimmt, die Offenbarung der erlösenden Liebe Gottes ist. Das Recht auf die eigene Selbstbehauptung und Verteidigung kann daher für den Gläubigen immer nur unter der strengen Beachtung dieser obersten Norm und in Anlehnung an das Vorbild des Gottesknechts gültig zur Anwendung kommen.

V

Eindrücke von einer Begegnung

Von Raymund Schwager, Innsbruck

Wenn sich ein Dogmatiker unter Alttestamentler verirrt – oder besser gesagt, freundlichst von ihnen eingeladen wird –, stoßen Vertreter zweier theologischer Disziplinen zusammen, die insofern ziemlich gut miteinander auszukommen scheinen, als sie in neuerer Zeit meistens wenig voneinander zur Kenntnis genommen haben. Bleibt dieser ‚Friede‘ aber erhalten, wenn einer sich ins Gebiet der anderen vorwagt und dabei eine eigene Stellungnahme zu vertreten sucht? Hier sollen kurz einige Überlegungen zu einem Versuch tieferer Konfrontation dargelegt werden. Nach Hinweisen auf die allgemeine Problematik möchte ich einige persönliche Eindrücke und Reaktionen festhalten, um mit einem kleinen Ausblick zu schließen.

Als Markion im zweiten Jahrhundert die paulinische Rechtfertigungslehre entdeckte, empfand er einen solchen Widerspruch zwischen dem guten Gott Jesu Christi und dem gerechten, aber schwer auf den Menschen lastenden Gott des AT, daß er meinte, diesen Widerspruch nur durch die gnostische Lehre von zwei Göttern lösen zu können. Die Kirche reagierte instinktiv auf die neue Herausforderung, und sie lehnte den Versuch ab, einen grundsätzlichen Gegensatz zwischen der Botschaft Jesu und den überlieferten Schriften des Mose und der Propheten aufzureißen. Einige Jahrzehnte später gab Irenäus, der erste eigentliche Schrifttheologe, auf die Problematik des Markion auch eine umfassende theologische Antwort. Er versuchte von immer neuen Seite her aufzuzeigen, wie die beiden Testamente trotz beträchtlicher Unterschiede in einer inneren Übereinstimmung stehen. Die reflexe Antwort des Irenäus, die sich im wesentlichen der spontanen Grundüberzeugung der neutestamentlichen Schriftsteller anschloß, wurde von der Kirche voll angenommen, und sie bildete die selbstverständliche Grundlage allen weiteren theologischen Denkens. Mochten später noch so große Auseinandersetzungen entstehen, weder Arianer noch Pelagianer, weder Nestorianer noch Monophysiten oder Reformatoren haben den Grundkonsens bezüglich der inneren Einheit der beiden Testamente je wieder in Frage gestellt. Anders wurde es erst mit dem Aufkommen der historisch-kritischen Methode in den Bibelwissenschaften. Nun entdeckte man immer stärker, daß die neutestamentliche und kirchliche Deutung in vielem nicht den ursprünglichen und wörtlichen Aussagen des AT entsprach. Eine Folge dieser Entdekkung war, daß man das AT in den Hintergrund treten ließ und die meisten Dogmatiker und systematischen Theologen anfingen, es mit einem vornehmen Schweigen zu übergehen.

Bereits Irenäus hatte gesehen, daß die Übereinstimmung der beiden Testamente nicht problemlos aufgezeigt werden kann. Er entwickelte deshalb seine große Theorie von der göttlichen Heilsökonomie. Gott habe zwar nie von etwas anderem als vom Heil in Jesus Christus gesprochen, er habe aber entsprechend den Zeiten je auf andere Weise seine Wahrheit kundgetan. Der Buchstabe des AT sei deshalb für sich allein genommen zweideutig. Es brauche eine spirituelle Deutung im Licht des Heilsereignisses in Jesus Christus. Nur von der vollen Wahrheit her könne der vorbereitende Weg richtig erkannt werden. Die Forderung nach einer geistlichen Deutung des AT entsprach ganz einem Zug der damaligen Zeit. Bereits früher hatte die hellenistische Philosophie begonnen, die alten griechischen Göttererzählungen allegorisch zu deuten. Man wollte damit das Anstößige aus ihnen eliminieren, ohne den Buchstaben zu verändern. So hatte zum Beispiel schon Isokrates (436–338) den Dichtern (Homer, Hesiod) vorgeworfen, sie hätten über die Götter so Arges verkündet, wie kaum jemand es von seinen persönlichen Feinden zu behaupten wage. Ihnen seien nicht bloß Diebstahl und Ehebruch, sondern auch Gewalttaten gegen die eigenen Kinder und Eltern angedichtet worden. Vor allem die Stoiker bemühten sich dann, die unmoralischen Erzählungen nicht fallen zu lassen, sondern ihnen durch eine tiefere Deutung einen annehmbaren Sinn zu geben. Dabei bildeten sie die allegorische Interpretation zu einer festen Methode aus. Zusammen mit den Platonikern bekämpften sie auf diese Weise die Vorstellung, die Gottheit könne wandelbar, launisch, neidisch oder leidenschaftlich sein.

Das hellenistische Judentum hat die Vorstellung vom unwandelbaren und leidenschaftslosen Gott, der keinen Neid kennt, stark aufgegriffen. Im Buch der Weisheit wird deshalb das Übel in der Welt und der Tod ganz dem Neid des Teufels zugeschrieben (Weish 2,24). Vor allem aber für Philo von Alexandrien wurde der Gedanke, Gott sei wankelmütig, zornig und ein Gefangener von Leidenschaften, völlig unerträglich. Er bemühte sich deshalb um eine durchgehende Neuinterpretation der heiligen Schriften seines Volkes, bei der er die großen geschichtlichen Ereignisse von seiner Logosspekulation her mittels der allegorischen Methode umdeutete und jeden Gedanken an einen gewalttätigen und zornigen Gott ausmerzte. In den anstößigen Texten sah er nur pädagogische Anpassungen Jahwes an ein noch unerzogenes Volk.

In der Theologie der Kirchenväter ist die allegorische Deutung des hellenistischen Judentums und die geistlich-typologische der neutestamentlichen Schriftsteller eine unlösbare Einheit eingegangen. Dabei gelang es dieser Theologie nicht, direkt von den alt- und neutestamentlichen Schriften her mit dem Problem des göttlichen Zornes fertig zu werden. Zur entscheidenden Hilfe wurde – wie bei Philo von Alexandrien – der hellenistische Gedanke vom unveränderlichen und leidenschaftslosen Gott, der keinen Neid kennt (Apatheia). Was dieser Norm nicht entsprach, mußte in den biblischen Schriften entsprechend uminterpretiert werden.

Heute ist es Mode geworden, die griechische Vorstellung von der Unveränderlichkeit und Leidenschaftslosigkeit Gottes als unbiblisch zu kritisieren. Dabei wird aber leicht übersehen, welch unschätzbaren Dienst dieser Gedanke der christlichen Theologie geleistet hat. Schaut man nur ein wenig in die bunte Welt der vielen Religionen hinein, fällt sofort auf, daß nicht nur die griechischen Dichter, sondern alle Völker zutiefst versucht waren, ihre eigenen Leidenschaften Gott oder den Göttern anzudichten. Daß die christliche Theologie trotz mancher Einbrüche dieser menschlichen Urversuchung im wesentlichen widerstehen konnte, hat sie nicht bloß den biblischen Schriften, sondern vor allem der griechischen Idee vom unveränderlichen und leidenschaftslosen Gott zu verdanken. Sie bildete eine Schutzmauer gegen alle naiven Übertragungen ekstatisch menschlicher Erregungen auf Gott. Würde dieser Damm heute eingerissen, ohne daß gleichzeitig etwas Ebenbürtiges oder

Besseres aufgebaut wird, wären auf längere Sicht verheerende Folgen zu erwarten.

In der Theorie Girards liegt nun ein Versuch vor, die Frage nach der Vollkommenheit Gottes nicht mehr in erster Linie von der griechischen Philosophie, sondern zentral von den biblischen Texten her zu beantworten. Danach wird das Böse in der Welt vor allem als Lüge, Rivalität und vielfältige Tendenz zur Gewalt entlarvt und radikal den Menschen zugeschrieben. Demgegenüber erscheint der wahre Gott als der unverbrüchlich treue, neidlose und gewaltfreie. Nähert man sich mit dieser Theorie den alttestamentlichen Schriften, treten überraschenderweise gerade jene Texte ins Zentrum, die auch von den neutestamentlichen Schriftstellern mit Vorliebe aufgegriffen wurden. Von beiden Seiten stößt man auf die gleichen Schlüsseltexte. Die Theorie Girards scheint deshalb eine große Möglichkeit in sich zu bergen. Sie will einen Weg eröffnen, um auf eine moderne und kritische Weise jene Aufgabe zu erfüllen, die früher durch die typologische Exegese wahrgenommen wurde. Die schwierigen alttestamentlichen Texte werden dabei nicht mehr allegorisch interpretiert, sondern als Mischtexte verstanden, in denen einerseits noch alte archaische Vorstellungen aus der verschleiernden Welt des (gewalttätigen) Sakralen weiterwirken und die andererseits von einem ganz neuen Impuls der Offenbarung des wahren Gottes durchdrungen sind. Die Offenbarungsworte legen zunächst die Wahrheit über die Welt der Sünde, der Lüge und der Aggression offen und zeigen dann schrittweise neue Wege zu ihrer Überwindung auf.

Gemäß dieser Interpretation hat der wahre Gott mit der Welt der Gewalt ebenso wenig etwas zu tun wie mit der Welt der Sünde. Bei den alttestamentlichen Texten vom zornigen Gott und tötenden Gericht ist deshalb eine interpretierende Entmischung nötig. Entsprechende neutestamentliche Aussagen sind ganz von Röm 1, 18–32 her zu verstehen. Danach besteht der Zorn Gottes darin, daß er das böse Handeln der Menschen radikal ernst nimmt und sie der immanenten Logik ihres eigenen Tuns ausliefert, ohne sie jedoch letztlich zu verlassen. Zeigt sich in großen Textreihen des AT das Gericht in einem aktiven Tun Gottes, nämlich im gewaltsamen Töten der Übeltäter, so kündigt sich bereits bei Deuterojesaia eine ganz andere Weise an, wie Gott mit seinen Feinden umgeht. Er läßt die Untaten auf seinen erwählten Knecht fallen. Dieser neue Weg wird zum Zentrum des NT. Der richtende Gott ist nicht der schlagende, sondern einer, der sich in seinem eigenen Sohn selber schlagen läßt. Er richtet die Menschen zwar weiterhin, indem er sie der Logik ihres Tuns anheimgibt. Er tötet sie aber nicht, noch verstößt er sie endgültig, sondern er liefert sogar seinen eigenen Sohn ihrem lügnerischen und gewalttätigen Tun aus, damit die Logik des Bösen von innen her aufgebrochen und überwunden werde. Die Herrlichkeit Gottes strahlt damit nicht mehr im Heiligen Krieg noch im gewalttätigen Strafgericht auf, sondern in jenem Knecht und Sohn, der sich in der Kraft des Vaters vom Bösen treffen läßt, ohne selber zurückzuschlagen oder dem Bösen innerlich zu erliegen. Von diesem neuen Heilszeichen her ergeht der wahre Ruf zur Umkehr, zur Abkehr von Sünde, Lüge und Gewalt.

Wie verhält sich nun dieser ganz grob skizzierte Versuch, mittels der Theorie Girards die alt- und neutestamentlichen Texte zusammenzuartikulieren, zu jener Exegese, die mit den bisher anerkannten historisch-kritischen und literarischen Methoden arbeitet? Eine definitive Antwort kann auf diese Frage wohl erst gegeben werden, wenn die Auseinandersetzung noch weiter vorangeschritten ist. Einiges zeichnet sich aber bereits ab; und damit komme ich zu den persönlichen Eindrücken, die ich auf der Tagung der Alttestamentler gewinnen durfte. Die inhaltlichen Ergebnisse der drei großen Vorträge, die auf der Tagung gehalten wurden und die auch im vorliegenden Band abgedruckt sind, habe ich als wichtige Elemente zu einer Bestätigung jener Exegese empfunden, wie sie durch die Theorie Girards nahegelegt wird. Insofern sehe ich eine grundsätzliche Übereinstimmung sich anbahnen. In der allgemeinen Diskussion blieb diese Frage dennoch offen, ja umstritten. Es gab Schwierigkeiten, die von reinen Mißverständnissen herrührten, wie dies bei einer Theorie, die noch neu und im deutschen Sprachraum erst in ihren groben Umrissen bekannt ist, nicht weiter zu verwundern ist. Vor allem aber tauchte immer wieder der Einwand auf, die Theorie möge interessant sein und manche Aspekte der alttestamentlichen Schriften neu beleuchten, ihre monokausale Erklärung sei aber abzulehnen.

Der Eindruck einer zu engen Perspektive mag daher rühren, daß Girard eine große Reihe unterschiedlicher Faktoren klar zusammenzuartikulieren versucht, um so zu einer widerspruchsfreien, wissenschaftlichen Deutung zu gelangen. Seine Theorie ist aber alles andere als monokausal. Trotz der Betonung des Phänomens der Gewalt in menschlichen Gesellschaften nimmt Girard nicht einmal einen eigentlichen Aggressionstrieb an, sondern er versucht das Entstehen der Gewalt von der Mimesis und Rivalität her zu deuten. Er sieht ferner im Sündenbockmechanismus keineswegs den einzigen Faktor zur Erklärung des Sakralen, sondern er wertet ihn nur als jenen Vorgang, der andere Faktoren – wie etwa Gemeinschaftsbedürfnis, Sexualität, Essen, Sprache, Naturerfahrung, ja selbst individuelle Transzendenzerlebnisse – zu einem lebensmäßigen Ganzen zusammenschweißt. Die Theorie behauptet also nur, daß kein anderer Faktor diese strukturierende Funktion ausüben könne. Ihre Deutung des Sakralen durch die ordnende Funktion des Sündenbockmechanismus bezieht sich ferner nur auf die gesellschaftlichen Ausdrucksformen der sogenannten primitiven Religionen, d. h. der Religionen jener Gesellschaften, die noch keine zentrale staatliche Autorität zur Lösung des Gewaltproblems kannten. Dieser Welt stellt die Theorie Girards als ganz anderen Faktor das Offenbarungsgeschehen mit seinem Höhepunkt im Kreuz und in der Auferweckung Jesu gegenüber, durch das die untergründige Mechanik des Bösen zum ersten Mal voll aufgedeckt und im grundsätzlichen überwunden wurde. Zwischen diesen beiden großen Orientierungspunkten – gesellschaftliche Strukturen der primitiven Religionen und Kreuz/Auferweckung Christi – siedelt Girard dann die äußerst vielfältige Welt aller anderen religiösen Ausdrucksformen an und deutet sie als je neue Mischformen. Die Schwäche seiner Theorie dürfte vorläufig darin liegen, daß sie diese Mischformen bis jetzt noch wenig in die Analyse einbezogen hat. Aber diese Aufgabe ist so umfassend, daß sie nicht mehr von einem einzelnen Wissenschaftler, sondern nur noch von einer großen Forschergemeinschaft zu leisten ist. Vom Gesagten her dürfte aber klar werden, daß der Vorwurf monokausaler Erklärung nicht sachlich begründet ist. Desgleichen ist unzutreffend, was weiter als Kritik geäußert wurde, daß die verschiedenen alttestamentlichen Opfer kurzschlüssig in einen Korb geworfen würden. Eine Exegese im Lichte der Theorie Girards rechnet nur damit, daß in allen Opferformen je verschiedene Elemente des ursprünglichen Sakralmechanismus nachwirken, zugleich ist sie aber ebenso stark darauf ausgerichtet, auch in den alttestamentlichen Opfern, Ansätze zu suchen, die zur Aufdeckung und Überwindung der Sakralwelt vorbereitend mitgewirkt haben.

Diese vielfältige Problematik konnte – um auf die Eindrücke von der Tagung der Alttestamentler zurückzukommen – nur sehr bruchstückhaft besprochen werden. Ein Hauptgrund war, daß die Diskussion sich immer wieder ganz spontan rein literarischen Fragen zuwandte. In dieser Tendenz manifestierte sich wohl, was die heutige alttestamentliche Exegese weitgehend beherrscht, nämlich die Arbeit mit der historisch-kritischen und literarischen Methode, wobei vor allem Textschichten und unterschiedliche Traditionen voneinander abgehoben und miteinander verglichen werden. Auf diese analytische Weise gelangt man aber kaum zu einer Gesamtschau und noch weniger zu einem Urteil, das nicht bloß historisch interessant, sondern auch theologisch bedeutungsvoll, ja verbindlich sein könnte.

Ob es zur Aufgabe der alttestamentlichen Exegese gehöre, ein Urteil über den Offenbarungsgehalt der Schriften zu fällen, ja ob ein solches Urteil überhaupt sinnvollerweise versucht werden könne, darüber entstand eine längere, sehr engagiert und trotzdem frei und entspannt geführte Diskussion. Die Meinungen gingen weit auseinander und ließen sich auf keinen gemeinsamen Nenner bringen. Hier wurde wohl zugleich das zentrale Problem im Verhältnis zwischen alttestamentlicher Exegese und Dogmatik angeschnitten. Führt nämlich der wissenschaftliche Umgang mit den alttestamentlichen Texten zu keinem theologischen Urteil, was Offenbarungswahrheit sein könnte, dann dürften sich die meisten Dogmatiker weiterhin davon dispensiert fühlen, näher auf das AT einzugehen. Ist dieser Zustand aber wünschenswert und theologisch zu verantworten? Wenn eine Grundstruktur der großen theologischen Tradition in der unangefochtenen Überzeugung von der inneren Übereinstimmung der beiden Testamente bestand und wenn in den großen theologischen Kontroversen ständig auch mit alttestamentlichen Texten argumentiert wurde, kann dann eine heutige Theologie diesen Teil der Heiligen Schrift einfach ins Bedeutungslose fallen lassen? Erleidet sie dann auf Dauer nicht selber großen Schaden? Die Antwort dürfte naheliegen. Wie kann man zum Beispiel ein angemessenes Offenbarungsverständnis entwickeln, wenn nicht gleichzeitig die Frage nach der Einheit der beiden Testamente eine befriedigende Antwort findet? Dabei ist eine formale Antwort, etwa nach dem Schema „Verheißung–Erfüllung" oder „fortschreitende Neuinterpretation" noch nicht befriedigend; es bedarf auch einer inhaltlichen Klärung, durch die konkret gezeigt wird, in welchem Sinne die großen alttestamentlichen Aussagekomplexe tatsächlich mit dem NT in Übereinstimmung stehen. Bei diesem Suchen stellt sich selbstverständlich auch die Frage nach der Mitte des NT, denn hier sind viel Aussagen für sich allein genommen ebensowenig eindeutig.

Gerade die Frage nach der Mitte des NT dürfte aber weit sachgerechter gelöst werden können, wenn sie zusammen mit der Problematik von der Einheit der beiden Testamente gestellt und nicht isoliert von gnostischen, hellenistischen oder modernen Fragestellungen her angegangen wird.

Wie die Diskussion auf der Tagung gezeigt hat, scheint unter Alttestamentlern heute Einmütigkeit darüber zu herrschen, daß die historisch-kritische Methode durch eine mehr literarische zu ergänzen ist. Nur der weitere Schritt ist umstritten. Kann und muß man von der literarischen zu einer eigentlich theologischen Problematik fortschreiten? Es stellt sich allerdings noch eine Zwischenfrage, nämlich die, ob Texte nur im Hinblick auf andere Texte, also textimmanent, oder im bezug auf eine gemeinte Sache zu deuten sind. Girard hat seine Theorie in ständiger Auseinandersetzung mit jener strukturalistischen Literaturwissenschaft entwickelt, die ihre wissenschaftliche Arbeit auf rein textimmanente Fragestellungen beschränkt hat. Gegen diese hartnäckige Tendenz vertritt er zwar keinen naiven Realismus im Sinne einer unmittelbaren Entsprechung von Sprache und Wirklichkeit, wohl aber meint er zeigen zu können, daß gerade eine strenge textimmanente Analyse schließlich den Schritt über den Text hinaus zur gemeinten Sache (référent) erzwingt. Die angezielte Wirklichkeit ist dabei solcher Art, daß es zu ihr keinen unmittelbaren Zugang am Text vorbei gibt, sondern daß sie nur als „sichere Hypothese" durch den Text hindurch erschlossen werden kann (vgl. Girard, Des choses cachées depuis la fondation du monde, 136 ff). Wird anerkannt, daß Texte letztlich nur im Blick auf eine gemeinte Sache, auf eine außertextliche Wirklichkeit angemessen gedeutet werden können, ergibt sich der nächste Schritt von selbst. Es stellt sich dann notwendigerweise die Frage nach der Beziehung zwischen beiden Größen und damit nach der Wahrheit. Im biblischen Raum ist diese Frage identisch mit der eigentlich theologischen Problematik.

Auf den Disput unter Alttestamentlern, ob zu ihrer exegetischen Arbeit das eigentliche theologische Urteil gehöre oder nicht, kann man zwar auch mit einem eher pragmatischen Hinweis antworten. Wenn die theologische Entscheidung in der Exegese ausfalle, dann werde diese Disziplin zu einer reinen Hilfswissenschaft, und es stelle sich dann die Notwendigkeit nach einer von der Exegese unterschiedenen alttestamentlichen Bibeltheologie, die vielleicht von der systematischen Theologie betrieben werden müßte. Doch dieses pragmatische Argumentieren dürfte die Vertreter der gegenteiligen Position kaum überzeugen. So drängt sich für die alttestamentliche Exegese wohl eine Vorgangsweise auf, die der Girards entspricht, nämlich konsequent und unerbittlich zu fragen, ob nicht eine streng textimmanente Analyse den Schritt über den Text hinaus erforderlich macht. So könnte aus der immanenten Entwicklung der literarischen Methode ein neuer Zugang zur eigentlich theologischen Fragestellung gewonnen werden.

Für die neutestamentliche Exegese, vor allem aber für die Dogmatik, hat sich die Problematik einer rein literaturwissenschaftlichen Arbeitsweise bis jetzt nicht mit der gleichen Schärfe gestellt. Dies heißt aber keineswegs, daß die systematische Theologie an den Methodenproblemen der alttestamentlichen Exegese vorbeigehen kann. Analoge Fragen sind nämlich auch hier vorhanden. Die Arbeiten zur Theologiegeschichte stoßen praktisch in allen Themenkreisen auf sehr unterschiedliche Anschauungen. Wie kommt dabei die dogmatische Theologie vom Darstellen theologischer Meinungen zu ihren normativen Aussagen? Ein einfacher Ausweg kann sich hier anbieten. Man überläßt die historische Darstellung bewußt oder unbewußt dem Apriori lehramtlicher Entscheidungen und orientiert und stilisiert alles auf dieses Ziel hin. Die Norm ergibt sich dann von selbst aus der kirchlich anerkannten Lehre. Eine solche Vorgangsweise endet aber, mag sie noch so sehr durch historische Dokumentation ausstaffiert sein, in einem lehramtlichen Positivismus. Die letzten normativen Aussagen werden nicht mehr verständlich gemacht, sondern nur als Glaubensformeln von der Autorität her übernommen. Wo bleibt dann aber das große Anliegen der Vätertheologie und der mittelalterlichen Scholastik, die Glaubenseinsicht (intellectus fidei) zu vermitteln? Dadurch daß man eine Denzinger-Theologie durch umfassende historische Darstellungen ergänzt oder ersetzt, wird das Problem gewiß nicht gelöst.

Die theologische Aufgabe der großen Tradition, die Glaubenseinsicht zu ermöglichen, wurde vor allem gestützt und getragen durch die Mittel der griechischen Philosophie. Wie für die allegorisch-spirituelle Exegese der biblischen Schriften, so bot sie auch für die systematische Theologie entscheidende denkerische Normen an. Damit band sie diese aber auch an ihr Geschick. Als das griechische Denken und das griechische Weltbild durch den Nominalismus, die Reformation und die naturwissenschaftliche Revolution schrittweise zerschlagen wurden, mußte die Theologie in einen Notstand geraten. Die allgemein anerkannten geistigen Grundstrukturen begannen zu fehlen, mittels derer die Glaubenswahrheiten dem Denken nahegebracht werden konnten. Als Reaktion entwickelte sich im Sinne einer theologischen Notwehr die positivistische Dogmatik mit ihrem Anhängsel in der Apologetik.

Da an eine allgemeine spontane Rückkehr zur griechischen Philosophie heute selbstverständlich nicht zu denken ist und da der lehramtliche Positivismus auf die Dauer sehr unbefriedigend bleibt, steht die Dogmatik vor einem grundlegenden Methodenproblem. Nur durch die moderne historische Arbeitsweise kann dieses nicht befriedigend gelöst werden. Es stellt sich vielmehr die Frage, wie durch die Vielfalt der historischen Texte hindurch eine normative Einsicht erschlossen werden kann. Die Dogmatik steht damit vor einem ähnlichen Problem wie die alttestamentliche Exegese. So würde sich auch von dieser Seite her nahelegen, daß beide ihre Aufgabe soweit wie möglich gemeinsam angehen.

Eine Tagung, die dem Thema „Gewalt und Gewaltlosigkeit im AT" gewidmet war, hat in der Diskussion die direkt gestellte Frage nur am Rand gestreift und sich sonst literarischen und methodischen Fragen zugewandt. War dies Zufall, oder ist man einem heiklen Thema unbewußt ausgewichen? Eine tiefenpsychologische Deutung soll hier nicht versucht werden. Nicht ganz zufällig dürfte aber sein, daß sich die Methodenfragen an der Gewaltproblematik besonders scharf entzündet haben. Kein menschliches Tun steht dem Wort (und dem Text) so entgegen wie die Gewalt. Wo Gewalt herrscht, werden alle Worte, die auf Einsicht und Verständnis zielen, zunichte gemacht. Die Gewalt ist im radikalen Sinn texttranszendent. An dieser Thematik muß sich deshalb besonders scharf die Frage stellen, ob auch der Gegensatz zu jedem Wort und zu jedem Text nur als innertextliches Problem behandelt werden kann. Nach Girard weist gerade die außertextliche Wirklichkeit der Gewalt und die Frage ihrer Überwindung auf die übertextliche Wirklichkeit des Handelns Gottes hin. Und schon in der hellenistisch-patristischen Zeit hat die Frage der göttlichen Leidenschaften, des Neides, des Zornes und der Gewalt, die Ausbildung einer neuen literarischen Methode, der allegorisch spirituellen Exegese, in besonderer Weise vorangetrieben. Beide großen Themenkreise scheinen untrennbar zusammenzugehören.

Literaturverzeichnis

Von Norbert Lohfink (Endredaktion)

Hinweise:
1. Zu Anlaß, Anlage, Mitarbeitern und Grenzen vgl. das Vorwort.
2. Die Abkürzungen halten sich an das von S. Schwertner zusammengestellte „Abkürzungsverzeichnis" der „Theologischen Realenzyklopädie", Berlin 1976.
3. Werden Titel vom Namen des Autors her gesucht, ist beim Autorenregister zu beginnen. Dort wird auch auf die Titel dieses Literaturverzeichnisses verwiesen.

I. Zu Vokabular und Metaphorik der Gewalt

a) dam

Vgl. *B. Kedar-Kopfstein, dam,* in: ThWAT II 248–266, 248 f (Bibliographie). Ferner:

W. Brandt, Miscelle 6. Zur Bestreichung mit Blut: ZAW 33 (1913) 80 f.

E. Merz, Die Blutrache bei den Israeliten (BWAT 20) Stuttgart 1916.

M. Buttenwieser, Blood Revenge and Burial Rites in Ancient Israel: JAOS 39 (1919) 301–321.

G. Quell, Die Auffassung des Todes in Israel, Leipzig 1925.

A. M. Stibbs, The Meaning of the Word „Blood" in Scripture (TynNTL 1947) London 1947.

J. Weill, „Sein Blut über uns und unsere Kinder": FrRu 10 (1957) 59–61.

P. Nober, „Sein Blut komme über uns und unsre Kinder": FrRu 11 (1958/59) 73–77.

N. A. van Uchelen, 'nšj dmjm in the Psalms, in: J. G. Vink u. a., The Priestly Code and Seven Other Studies (OTS 15) Leiden 1969, 205–212.

D. J. McCarthy, The Symbolism of Blood and Sacrifice: JBL 88 (1969) 166–177.

H. Kosmala, „His Blood on Us and Our Children" (The Background of Mat. 27,24–25): ASTI 7 (1970) 94–126.

N. H. Snaith, The Springkling of Blood: ET 82 (1970/71) 23 f.

D. J. McCarthy, Further Notes on the Symbolism of Blood and Sacrifice: JBL 92 (1973) 205–210.

M. Bič, Davids Kriegsführung und Salomos Bautätigkeit, in: M. S. H. G. Heerma van Voss u. a., Travels in the World of the Old Testament. FS M. A. Beek (SSN 16) Assen 1974, 1–11.

H. Christ, Blutvergießen im Alten Testament. Der gewaltsame Tod des Menschen, untersucht am hebräischen Wort *dām* (ThDiss 12) Basel 1977.

A. D. Grad, Studies in Biblical Uses of the Word „dām" (Diss. Brandeis University, Jahr unbekannt).

b) ḥrm

Vgl. *N. Lohfink, ḥāram,* in: ThWAT III 192–213, 192 f (Bibliographie). Ferner:

C.-H. Hunzinger, Die jüdische Bannpraxis im neutestamentlichen Zeitalter (Diss. Göttingen 1954).

225

J. M. Miller, The Moabite Stone as a Memorial Stela: PEQ 106 (1974) 9–18.

J. Milgrom, Profane Slaughter and a Formulaic Key to the Composition of Deuteronomy: HUCA 47 (1976) 1–17.

–, A Formulaic Key to the Sources of Deuteronomy (hb), in: M. Haran (Hg), H. L. Ginsberg Volume (ErIs 47) Jerusalem 1978, 42–47.

P. Welten, Bann I. Altes Testament, in: TRE 5, Berlin 1980, 159–161.

M. Weinfeld, The Transition from Tribal Rule to Monarchy and its Impact on the History of Israel, in: D. J. Elazar (Hg), Kinship and Consent. The Jewish Political Tradition and its Contemporary Uses, Jerusalem 1981, 151–166, 154f.

c) Zu anderen Vokabeln und Vorstellungen

H. Gunkel, Schöpfung und Chaos in Urzeit und Endzeit, Göttingen 1895.

K. H. Fahlgren, ṣᵉdāḳā, nahestehende und entgegengesetzte Begriffe im Alten Testament, Uppsala 1932.

G. E. Mendenhall, „God of Vengeance, Shine Forth!": Wittenberg Bulletin 45 (1948) 37–42.

O. Eißfeldt, Schwerterschlagene bei Hesekiel, in: Studies in Old Testament Prophecy. FS T. H. Robinson, Edinburgh 1950, 73–81 (= –, KlSchr III, Tübingen 1966, 1–8).

G. J. Botterweck, Die Tiere in der Bildersprache des Alten Testaments unter besonderer Berücksichtigung der ägyptischen und akkadischen Literatur (Diss. habil. Bonn 1953).

J. Fichtner, Der Zorn im Alten Testament, in: ThWNT V, Stuttgart 1954, 392–410.

R. Knierim, Studien zur israelitischen Rechts- und Kultusgeschichte, I: ḥṭ' und ḥmś, zwei Begriffe für Sünde in Israel und ihr Sitz im Leben (Diss. Heidelberg 1957. Der Teil über ḥmś ist unveröffentlicht geblieben).

S. Grill, Der Schlachttag Jawhes: BZ 2 (1958) 278–283.

L. Morris, The Punishment of Sin in the Old Testament: ABR 6 (1958) 61–86.

O. Kaiser, Die Mythische Bedeutung des Meeres in Ägypten, Ugarit und Israel (BZAW 78) Berlin 1959 (²1962).

M. Z. Kaddary, ḥll = „Bore", „Pierce"?: VT 13 (1963) 486–489.

H. Wohlstein, Zur Tier-Dämonologie der Bibel: ZDMG 113 (1963) 483–492.

R. Mayer, Sünde und Gericht in der Bildersprache der vorexilischen Prophetie: BZ 8 (1964) 22–44.

R. Knierim, Die Hauptbegriffe für Sünde im Alten Testament, Gütersloh 1965 (²1967).

P. D. Miller, Fire in the Mythology of Canaan and Israel: CBQ 27 (1965) 256–261.

I. L. Seeligmann, Zur Terminologie für das Gerichtsverfahren im Wortschatz des biblischen Hebräisch, in: B. Hartmann u.a. (Hg), Hebräische Wortforschung. FS W. Baumgartner (VT.S 16) Leiden 1967, 251–278.

H. J. Stoebe, Raub und Beute, in: ebd. 340–354.

J. A. Wharton, The Role of the Beast in the Old Testament. An Investigation on the Impact of the Animal World upon Old Testament Literature (Diss. Basel 1968).

L. van den Wijngaert, Die Sünde in der priesterlichen Urgeschichte: ThPh 43 (1968) 35–50.

H. A. Brongers, Der Zornesbecher, in: J. G. Vink u.a., The Priestly Code and Seven Other Studies (OTS 15) Leiden 1969, 177–192.

W. Eisenbeis, Die Wurzel šlm im Alten Testament (BZAW 113) Berlin 1969.

J. J. Glück, Ḥalālîm (H.ālāl), „carnage, massacre": RdQ 7 (1969–71) 417–419.

G. J. Botterweck, Gott und Mensch in den alttestamentlichen Löwenbildern, in: J. Schreiner (Hg), Wort, Lied und Gottesspruch. FS J. Ziegler (II) Beiträge zu Psalmen und Propheten (FzB 2) Würzburg 1972, 117–128.

K. *Koch* (Hg), Um das Prinzip der Vergeltung in Religion und Recht des Alten Testaments (WdF 125) Darmstadt 1972.

G. E. *Mendenhall*, The Tenth Generation, Baltimore 1973 (69–104: The „Vengeance" of Yahweh).

W. *Dietrich*, Rache. Erwägungen zu einem alttestamentlichen Thema: EvTh 36 (1976) 450–472.

R. P. *Carroll*, Rebellion and Dissent in Ancient Israelite Society: ZAW 89 (1977) 176–204.

D. J. A. *Clines – D. M. Gunn*, „You tried to persuade me" and „Violence! Outrage!" in Jeremia xx 7–8: VT 28 (1978) 20–27.

A. H. W. *Curtis*, The „Subjugation of the Waters" Motif in the Psalms: Imagery or Polemic?: JSSt 23 (1978) 254–256.

J. A. *Thompson*, Israel's „Haters": VT 29 (1979) 200–205.

W. *McKane*, Poison, Trial by Ordeal and the Cup of Wrath: VT 30 (1980) 474–492.

W. T. *Pitard*, Amarna *ekēmu* and *Hebrew nāqam:* Maarav 3 (1982) 5–25.

Weitere Titel finden sich unter den einschlägigen Stichworten der Wörterbücher, vor allem ThWNT, THAT und ThWAT. Besonders aufmerksam gemacht sei auf die nach griechischen Stichworten geordneten „Literaturnachträge" im ThWNT, X, Stuttgart 1979, 945–1294.

II. Zu Schlüsseltexten für die Frage nach der Gewalt

a) Gen 4

Literatur bis 1968: vgl. C. *Westermann*, Genesis (BK I, 1) Neukirchen-Vluyn 1974, 381–383 (und zu einzelnen Versen dann noch im Gang der Auslegung). Ab 1968:

C. *Hartlich*, Warum verwirft Gott das Opfer Kains? (Gen 4, 1–16): EvErz 20 (1968) 190–200.

A. *Nédoncelle*, Pourqui Cain a-t-il tué?: ScEs 20 (1968) 165–170.

W. *Zimmerli*, Zur Exegese von Gen 4, 1–16: EvErz 20 (1968) 200–203.

A. *Goldberg*, Kain: Sohn des Menschen oder Sohn der Schlange?: Jud. 25 (1969) 203–221.

W. *Beltz*, Religionsgeschichtliche Anmerkungen zu Gen 4: ZAW 86 (1974) 83–68.

H. H. *Cohen*, The Drunkeness of Noah, Alabama 1974, 72–129; 142–155.

J. M. *Miller*, The Descendants of Cain: Notes on Gen 4: ZAW 86 (1974) 164–174.

J. *Illies* (Hg), Brudermord. Zum Mythos von Kain und Abel, München 1975.

L. *Beirnaert*, La violence homicide. L'histoire de Cain et d'Abel: Le Supplément 119 (1976) 435–444.

U. *Rüterswörden*, Kanaanäisch-städtische Mythologie im Werk des Jahwisten. Eine Notiz zu Gen 4: Biblische Nachrichten 1 (1976) 19–23.

W. *Dietrich*, „Wo ist dein Bruder?" Zu Tradition und Intention von Gen 4, in: H. Donner u.a. (Hg), Beiträge zur alttestamentlichen Theologie. FS W. Zimmerli, Göttingen 1977, 94–111.

E. *Drewermann*, Strukturen des Bösen I. Die jahwistische Urgeschichte in exegetischer Sicht (PaThSt 4) München 1977, 111–161.

J. *Goldin*, The Youngest Son or Where does Genesis 38 Belong?: JBL 96 (1977) 27–44, 32 f.

S. *Liptzin*, Cain, the Anti-Establishment Hero: Dor le-Dor 6 (1977) 27–34.

B. *Sussarellu*, La vocazione di Abele, in: Doctrina Sacra. Saggi di Teologia, Cagliari 1977, 185–203.

I. von Löwenclau, Genesis iv 6–7 – eine jahwistische Erweiterung?, in: Congress Volume Göttingen 1977 (VT. S 29) Leiden 1978, 177–188.

S. Levin, The More Savory Offering: A Key to the Problem of Gen 4: 3–5: JBL 98 (1979) 85.

F. Crüsemann, Autonomie und Sünde. Gen 4, 7 und die „jahwistische" Urgeschichte, in: W. Schottroff – W. Stegemann (Hg), Traditionen der Befreiung I, München 1980, 60–77.

F. W. Golka, Keine Gnade für Kain (Genesis 4, 1–16), in: R. Albertz u. a. (Hg), Werden und Wirken des Alten Testamentes. FS C. Westermann, Göttingen 1980, 58–73.

E. Nielsen, Sur la théologie de l'auteur de Gn 2–4, in: M. Carrez u. a. (Hg), De la Torah au Messie. Mélanges H. Cazelles, Paris 1981, 55–63.

N. Lohfink, Wie sollte man das Alte Testament auf die Erbsünde hin befragen?, in: N. Lohfink u. a., Zum Problem der Erbsünde. Theologische und Philosophische Versuche, Essen 1981, 9–52, 32–48.

b) Ex 4, 24–26

Vgl. die Literaturzusammenstellung bei *B. S. Childs,* The Book of Exodus. A Critical, Theological Commentary (OTL) Philadelphia 1974, 90. Ferner:

G. Richter, Zwei alttestamentliche Studien, I. Der Blutbräutigam: ZAW 39 (1921) 123–137.

G. Vermès, Scripture and Tradition in Judaism. Haggadic Studies (StPB 4) Leiden 1961 (^{2}1973), 178–192 (Circumcision and Exodus iv 24–26).

L. F. Rivera, El „esposo sangriento" (Ex 4, 24–26): RevBib 25 (1963) 129–136.

W. Beltz, Religionsgeschichtliche Marginalie zu Ex 4, 24–26: ZAW 87 (1975) 209–211.

c) Kultkritische Texte

P. Volz, Die radikale Ablehnung der Kultreligion durch die alttestamentlichen Propheten: ZSTh 14 (1937) 63–85.

M. Schmidt, Prophet und Tempel. Eine Studie zum Problem der Gottesnähe im Alten Testament, Zürich 1948.

H. W. Hertzberg, Die prophetische Kritik am Kult: ThLZ 75 (1950) 219–226 = ders., Beiträge zur Traditionsgeschichte und Theologie des Alten Testaments, Göttingen 1962, 81–90.

R. Rendtorff, Priesterliche Kulttheologie und prophetische Kultpolemik: ThLZ 81 (1956) 339–342.

K. Roubos, Profetie en Cultus in Israel. Achtergrond en betekenis van enige profetische uitspraken inzake de cultus. Een exegetische studie, Wageningen 1956.

H. H. Rowley, Ritual and the Hebrew Prophets: JSSt 1 (1956) 338–360 = ders., From Moses to Qumran. Studies in the Old Testament, London 1963, 111–138.

R. Hentschke, Die Stellung der vorexilischen Schriftpropheten zum Kultus (BZAW 75) Berlin 1957.

R. Dobbie, Sacrifice and Morality in the Old Testament: ET 60 (1958/59) 297–300.

H. H. Rowley, Sacrifice and Morality: a Rejoinder: ET 60 (1958/59) 341.

R. Dobbie, Deuteronomy and the Prophetic Attitude to Sacrifice: SJTh 12 (1959) 68–82.

A. Caquot, Remarques sur la fête de la „néoménie" dans l'Ancien Israel: RHR 158 (1960) 1–18.

J. P. Hyatt, The Prophetic Criticism of Israelite Worship. Goldenson Lecture of 1963, Cincinnati 1963.

E. Würthwein, Kultpolemik oder Kultbescheid? Beobachtungen zu dem Thema „Prophetie und Kult", in: E. Würthwein u. O. Kaiser (Hg), Tradition und Situation. Studien zur alttestamentlichen Prophetie. FS A. Weiser, Göttingen 1963, 115–131.

M. J. Buss, The Meaning of „Cult" and the Interpretation of the Old Testament: JBR 32 (1964) 317–325.

H.-J. Hermisson, Sprache und Ritus im altisraelitischen Kult. Zur „Spiritualisierung" der Kultbegriffe im Alten Testament (WMANT 19) Neukirchen-Vluyn 1965, 132–143 (Prophetische Kultpolemik).

R. B. Wright, Sacrifice in the Intertestamental Literature. Diss. Hartford Seminary 1966.

M. Sekine, Das Problem der Kultpolemik bei den Propheten: EvTh 28 (1968) 605–609.

H. Schüngel-Straumann, Kritik des Jahwekultes bei den Schriftpropheten: Diakonia 4 (1969) 129–138.

J. Schreiner, Prophetische Kritik an Israels Institutionen, in: ders. (Hg), Die Kirche im Wandel der Gesellschaft, Würzburg 1970, 15–29.

H. Schüngel-Straumann, Gottesbild und Kultkritik vorexilischer Propheten (SBS 60) Stuttgart 1972.

F. J. Stendebach, Kult und Kultkritik im Alten Testament, in: M. Frenkle (Hg), Zum Thema Kult und Liturgie, Stuttgart 1972, 41–63.

G. Braulik, Psalm 40 und der Gottesknecht (fzB 18) Würzburg 1975, 131–182.

J. P. Brown, The Sacrifice Cult and its Critique in Greek and Hebrew (I) JSSt 24 (1979) 159–173 (II) JSSt 25 (1980) 1–21.

W. Kornfeld, Die Gesellschafts- und Kultkritik alttestamentlicher Propheten, in: R. Schulte (Hg), Leiturgia – Koinonia – Diakonia. FS Kard. König zum 75. Geburtstag, Wien 1980, 181–200.

G. Fohrer, Kritik an Tempel, Kultus und Kultausübung in nachexilischer Zeit, in: ders., Studien zu alttestamentlichen Texten und Themen (1966–1972) (BZAW 155) Berlin 1981, 81–95.

Weitere, vor allem ältere Literatur über die Literaturangaben bei *Rowley* 1956, *Hentschke* 1957 und *Schüngel-Straumann* 1972.

d) Gottesknechtslieder in Deuterojesaja

Für Literatur vor 1958 vgl. *H. Haag,* Ebed-Jahwe-Forschung 1948–1958: BZ 3 (1959) 174–204. Für spätere Zeiträume vgl. auch die Literaturübersichten zu Deuterojesaja bei *G. Fohrer,* Neue Literatur zur alttestamentlichen Prophetie (1961–1970): ThR 45 (1980) 1–39; 109–132; 193–225, speziell 23–39; *A. Richter,* Hauptlinien der Deuterojesaja-Forschung von 1964–1974, in: C. Westermann, Sprache und Struktur der Prophetie Deuterojesaja (CThM A, 11) Stuttgart 1981, 89–131. Literatur ab 1958:

E. Fascher, Jes 53 in christlicher und jüdischer Sicht, Berlin 1958.

J. Scharbert, Stellvertretendes Sühneleiden in den Ebed-Jahwe-Liedern und in altorientalischen Ritualtexten: BZ 2 (1958) 190–213.

J. Coppens, Les origines littéraires des Poèmes du Serviteur de Yahvé: Bib. 40 (1959) 248–258.

–, Le serviteur de Yahvé. Vers la solution d'une énigme, in: J. Coppens u. a. (Hg), Sacra Pagina. Miscellanea biblica Congressus Internationalis Catholici de Re Biblica, I (EThL. B 12) Paris/Gembloux 1959, 434–453.

D. N. Freedman, The Slave of Yahweh: Western Watch 10 (1959) 1–19.

C. H. Giblin, A Note on the Composition of Isaias 49, 1–6(9 a): CBQ 21 (1959) 207–212.

J. Guillet, La polémique contre les idoles et le Serviteur de Yahvé: Bib. 40 (1959) 428–434.

H. Haag, Ebed-Jahwe-Forschung 1948–1958: BZ 3 (1959) 174–204.

O. Kaiser, Der königliche Knecht. Eine traditionsgeschichtlich-exegetische Studie über die Ebed-Jahwe-Lieder bei Deuterojesaja (FRLANT 70) Göttingen 1959.

J. Schildenberger, Die Gottesknecht-Lieder des Isaiasbuches. Ein Höhepunkt messianischer Weissagung: BenM 35 (1959) 92–108.

M. Dahood, Textual Problems in Isaiah: CBQ 22 (1960) 400–409.

T. H. Robinson, Note on the Text and Interpretation of Isaiah LIII, 3.11: ET 71 (1960) 383.

E. Vogt, Die Ebed-Jahwe-Lieder und ihre Ergänzungen: EE 24 (1960) 775–788.

A. Brunot, Les Poèmes du Serviteur et ses problèmes (Is XL–LV): R. Thom 61 (1961) 5–24.

H. Haag, Das Lied vom leidenden Gottesknecht (Is 52, 13–53, 12): BiKi 16 (1961) 3–5.

H. W. Hertzberg, Die „Abtrünnigen" und die „Vielen". Ein Beitrag zu Jes 53, in: A. Kuschke (Hg), Verbannung und Heimkehr. Beiträge zur Geschichte und Theologie Israels im 6. und 5. Jahrhundert v. Chr. FS W. Rudolph, Tübingen 1961, 97–108.

J. Morgenstern, The Message of Deutero-Isaiah, Cincinnati 1961.

–, The Suffering Servant – A New Solution: VT 11 (1961) 292–320. 406–431.

C. F. Whitley, Textual Notes on Deutero-Isaiah: VT 11 (1961) 457–561.

L. C. Allen, Isaiah LIII, 11 and its Echoes: VoxEv 1 (1962) 24–28.

H. W. Wolff, Wer ist der Gottesknecht in Jes 53?: EvTh 22 (1962) 338–342.

G. Bachl, Zur Auslegung der Ebedweissagung (Is 52, 13–53, 12) in der Literatur des späten Judentums und im Neuen Testament (Diss. Pont. Univ. Gregoriana, Rom 1963).

F. Buri, Vom Sinn des Leidens. Eine Auslegung des Liedes vom leidenden Gottesknecht Jesaja 58, Basel 1963.

J. Coppens, La finale du quatrième chant du Serviteur (Is LIII, 10–12). Miscellanea Biblica 32: EThL 39 (1963) 114–121.

M. Fischer, Vom leidenden Gottesknecht nach Jes 53, in: O. Betz u. a. (Hg), Abraham unser Vater. Juden und Christen im Gespräch über die Bibel. FS O. Michel (AGSU 5) Leiden 1963, 116–126.

A. Kerrigan, Echoes of Themes from the Servant Songs in Pauline Theology, in: Studiorum Paulinorum Congressus Internationalis Catholicus 1961, simul Secundus Congressus Internationalis Catholicus de Re Biblica, Completo Undevigesimo Saeculo post S. Pauli in Urbem Adventum, II (AnBib 18) Rom 1963, 217–228.

J. Morgenstern, Two additional Notes to „The Suffering Servant – A New Solution": VT 13 (1963) 321–332.

M. Rese, Überprüfung einiger Thesen von Joachim Jeremias zum Thema des Gottesknechts im Judentum: ZThK 60 (1963) 21–41.

C. Chavasse, The Suffering Servant and Moses: CQR 165 (1964) 152–163.

E. Dussel, Universalismo y misión en los poemas del Siervo de Jahveh: CiFe 20 (1964) 419–464.

J. Hempel, Zu Jes 50,6: ZAW 76 (1964) 327.

A. A. MacRae, The Servant of the Lord in Isaiah: BS 121 (1964) 125–132; 218–227.

C. R. North, Is 40–55. The Suffering Servant of God (Torch Bible Paperback) London 1964.

R. E. O'Donnel, A Possible Source for the Suffering of the Servant in Isaiah 52, 13–53, 12: DunR 4 (1964) 29–42.

H. M. Orlinski, The So-Called „Suffering Servant" in Isaiah 53. Goldenson Lecture of 1964, Cincinnati 1964.

W. M. W. Roth, The Anonymity of the Suffering Servant: JBL 83 (1964) 171–179.

J. Scharbert, Heilsmittler im Alten Testament und im Alten Orient (QD 23/24) Freiburg i. Br. 1964.

K. Hruby, Die rabbinische Exegese messianischer Schriftstellen: Jud. 21 (1965) 100–122.

R. A. Rosenberg, Jesus, Isaac and the Suffering Servant: JBL 84 (1965) 381–388.

H. H. Rowley, The Servant of the Lord, Oxford ²1965 (Literatur!).

A. S. van der Woude, De liederen van de knecht des Heren: HeB 24 (1965) 1–6; 25–31; 49–51.

N. Alonso, The Problem of the Servant Songs: Scrip. 18 (1966) 18–26.   •

I. Blythin, A Consideration of Difficulties in the Hebrew Text of Is 53,11: BiTrans 17 (1966) 27–31.

G. Dip Rame, Plegaria y sufrimiento del Siervo de Yavé: EE 41 (1966) 303–350.

G. Kehnscherper, Der „Sklave Gottes" bei Deuterojesaja: FuF 40 (1966) 279–282.

P. Massi, Teologia del Servo di Jahvé e suoi riflessi nel Nuovo Testamento: ASB 18, 1964 (1966) 105–134.

E. Kutsch, Sein Leiden und Tod – unser Heil. Eine Auslegung von Jes 52,13–53,12 (BSt 52) Neukirchen-Vluyn 1967.

M. Miguéns, Is 53 en el Nuevo Testamento. Nota exegética, in: Studi sullOriente e la Bibbia. FS G. Rinaldi, Genua 1967, 337–347.

J. P. Oberholzer, „Die Kneg van Jahwe" in Deuterojesaja: HTS 22 (1967) 11–37.

H. M. Orlinsky, The So-Called „Servant of the Lord" and „Suffering Servant" in Second Isaiah, in: Studies on the Second Part of the Book of Isaiah (VT. S 14) Leiden 1967, 1–133 (Literatur!); ²1977.

–, „Israel" in Isa. XLIX, 3. A Problem in the Methodology of Textual Criticism: ErIs 8 (1967) 42–45.

–, „A Light to the Nations". A Problem in Biblical Theology: JQR 75 (1967) 409–428.

B. Reicke, The Knowledge of the Suffering Servant, in: F. Maass (Hg), Das ferne und nahe Wort. FS L. Rost (BZAW 105) Berlin 1967, 186–192.

N. H. Snaith, Isaiah 40–66. A Study of the Teaching of the Second Isaiah and its Consequences, in: Studies on the Second Part of the Book of Isaiah (VT.S 14) Leiden 1967, 135–264.

R. A. Soloff, The Fifty-Third Chapter of Isaiah According to the Jewish Commentators (Diss. Drews University 1967).

G. W. Ahlström, Notes to Is 53,8 f: BZ 13 (1968) 96–98.

A. Alonso, Anotaciones críticas a Is 53,8: CDios 181 (1968) 89–100.

–, La suerte del Siervo: Is 53,9–10: CDios 181 (1968) 292–305.

W. Baars, Een weinig bekende oudlatijnse tekst van Jesaja 53: NedThT 22 (1968) 241–248.

G. R. Driver, Isaiah 52,13–53,12: the Servant of the Lord, in: M. Black u. G. Fohrer (Hg), In Memoriam Paul Kahle (BZAW 103) Berlin 1968) 90–105.

J. Koenig, L'allusion inexpliquée au roseau et à la mèche (Is 42,3): VT 18 (1968) 159–172.

D. W. Thomas, A Consideration of Is 53 in the Light of Recent Textual and Philological Study: EThL 44 (1968) 79–86.

J. M. Ward, The Servant Songs in Isaiah: RExp 65 (1968) 433–446.

P. Williams Jr., The Poems about Incomparable Yahweh's Servant: SWJT 11 (1968) 73–88.

G. M. Behler, Le premier chant du Serviteur, Is 42, 1–7: VS 120 (1969) 253–281.

G. M. de Durand, „Sa génération, qui racontera?" (Is 53,8 b). L'exégèse des Pères: RSPhTh 53 (1969) 638–657.

K. Elliger, Jes 53,10: alte crux – neuer Vorschlag: MIOF 15 (1969) 228–233.

G. *Fohrer,* Stellvertretung und Schuldopfer in Jes 52, 13–53, 12 vor dem Hintergrund des Alten Testaments und des Alten Orients, in: Das Kreuz Jesu, Theologische Überlegungen, Göttingen 1969, 7–31.

N. *Hillyer,* The Servant of God: EvQ 41 (1969) 143–160.

A. R. *Millard,* Is 53, 2: TynB 20 (1969) 127.

H. P. *Müller,* Ein Vorschlag zu Jes 53, 10 f: ZAw 81 (1969) 377–380.

W. H. *Schmidt,* Die Ohnmacht des Messias: KuD 15 (1969) 18–34.

W. *Zimmerli,* Zur Vorgeschichte von Jes LIII, in: Congress Volume Rome 1968 (VT. S 17) Leiden 1969, 236–244.

P. E. *Dion,* Les chants du Serviteur de Yahweh et quelques passages apparantés d'Is 40–55. Un essai sur leur limites et sur leur origines respectives: Bib. 51 (1970) 17–38.

N. *Füglister,* Alttestamentliche Grundlagen der neutestamentlichen Christologie, in: Mysterium Salutis. Grundriß heilsgeschichtlicher Dogmatik, III, 1, Einsiedeln 1970, 105–226.

R. P. *Gordon,* Isaiah LIII 2: VT 20 (1970) 491 f.

H. *Junker,* Der Sinn der sogenannten Ebed-Jahwe-Stücke: TThZ 79 (1970) 1–12.

G. H. *Livingston,* The Song of the Suffering Servant: AsbSem 24 (1970) 34–44.

J. W. *Miller,* Prophetic Conflict in Second Isaiah. The Servant Songs in the Light of their Context, in: H. J. Stoebe u. a. (Hg), Wort – Gebot – Glaube. Beiträge zur Theologie des Alten Testaments. FS W. Eichrodt (AThANT 59) Zürich 1970, 77–85.

B. *Pipal,* The Lord's Ebed in the Exile: CV 13 (1970) 177–180.

G. *Schwarz,* „...zum Bund des Volkes"? Eine Emendation: ZAW 82 (1970) 279–281.

A. O. *Swartzentruber,* The Servant Songs in Relation to Their Context in Deutero-Isaiah. A Critique of Contemporary Methodologies (Diss. Princeton University 1970).

L. C. *Allen,* Isaiah LIII 2 again: VT 21 (1971) 490.

K. *Baltzer,* Zur formgeschichtlichen Bestimmung der Texte vom Gottesknecht im Deuterojesajabuch, in: H. W. Wolff (Hg), Probleme biblischer Theologie. FS G. von Rad, München 1971, 27–43.

M. C. *Barth-Frommel,* Le Serviteur du Seigneur dans És. 40–55, in: Reconnaissance à Suzanne de Diétrich, Paris 1971, 48–65.

H. *Cazelles,* Le roi Yoyakin et le Serviteur du Seigneur: Proceedings of the World Congress of Jewish Studies 5, 1969 (1971) 121–125.

M. *Dahood,* Phoenician Elements in Isaiah 52. 13–53. 12, in: H. Goedicke (Hg), Near Eastern Studies in Honor of W. F. Albright, Baltimore / London 1971, 63–73.

F. *Frezza,* Annotazioni sperimentali su Is 42, 1–4; RivBib 19 (1971) 307–320.

A. *Gelston,* Some Notes on Second Isaiah: VT 21 (1971) 517–527.

W. *Hoerschelmann,* Summary and Evaluation of Bultmann's View on the Use of Is 53 by Jesus and the Early Church: IJT 20 (1971) 98–108.

A. S. *Kapelrud,* The Identity of the Suffering Servant, in: H. Goedicke (Hg), Near Eastern Studies in Honor of W. F. Albright, Baltimore / London 1971, 307–314.

–, Second Isaiah and the Suffering Servant, in: A. Caquot u. M. Philonenko (Hg), Hommages à A. Dupont-Sommer, Paris 1971, 297–303.

D. F. *Payne,* The Servant of the Lord. Language and Interpretation: EvQ 43 (1971) 131–143.

G. *Schwarz,* „...wie ein Reis vor ihm?": ZAW 83 (1971) 255 f.

J. J. *Stamm,* Berît àm bei Deuterojesaja, in: H. W. Wolff (Hg), Probleme biblischer Theologie. FS G. von Rad, München 1971, 510–524.

W. A. M. *Beuken,* Mišpaṭ: The First Servant Song and its Context: VT 22 (1972) 1–30.

P.-E. *Bonnard,* Le second Isaïe, son disciple et leurs editeurs. Isaie 40–66 (EtB) Paris 1972, 37–56.

A. Charbel, Os Cânticos do Servo de Javé: RCB 9 (1972) 147–169.

J. Coppens, Le serviteur de Yahvé figure prophétique de l'avenir: EThL 48 (1972) 5–36.

–, La mission du serviteur de Yahvé et son statut eschatologique: EThL 48 (1972) 343–371.

K. Elliger, Nochmals Textkritisches zu Jes 53, in: J. Schreiner (Hg), Wort, Lied und Gottesspruch. Beiträge zu Psalmen und Propheten. FS Joseph Ziegler (fzb 2) Würzburg 1972, 137–144.

W. H. Gispen, Jes 53,10 en het schuldoffer: GThT 72 (1972) 193–204.

J. Jeremias, mišpaṭ im ersten Gottesknechtslied Jes 42,1–4: VT 22 (1972) 31 42.

K. Koch, Messias und Sündenvergebung in Jes 53 – Targum: JSJ 3 (1972) 117–148.

N. Lohfink, „Israel" in Jes 49,3, in: J. Schreiner (Hg), Wort, Lied und Gottesspruch. Beiträge zu Psalmen und Propheten. FS Joseph Ziegler (fzb 2) Würzburg 1972, 217 229.

E. Ruprecht, Die Auslegungsgeschichte zu den sogenannten Gottesknechtsliedern im Buche Deuterojesaja unter methodischen Gesichtspunkten bis zu Bernhard Duhm (Diss. Heidelberg 1972).

G. Sauer, Deuterojesaja und die Lieder vom Gottesknecht, in: G. Fitzer (Hg), FS der Evangelisch-Theologischen Fakultät Wien, München 1972, 58–66.

G. Schwarz, „... sieht er ... wird er satt ..." Eine Emendation: ZAW 84 (1972) 356–358.

W. A. M. Beuken, Jes 50,10–11: Eine kultische Paränese zur dritten Ebedprophetie: ZAW 85 (1973) 168–182.

G. Schwarz, Jesaja 50,4–5 a. Eine Emendation: ZAW 85 (1973) 356 f.

H. Welshman, The Atonement effected by the Servant, Is 52:13–53:12: BibTh 23 (1973) 46–49.

J. Coppens, Le Messianisme et sa Relève prophétique. Les anticipations vétérotestamentaires. Leur accomplissement en Jésus (EThL.B 38) Gembloux 1974.

Y. Komlosh, The Countenance of the Servant of the Lord, Was it Marred?: JQR 65 (1974 f) 217–220.

N. L. Tidwell, My Servant Jacob, Is. XLII 1. A Suggestion, in: Studies on Prophecy. A Collection of Twelve Papers (VT. S 26) Leiden 1974, 84–91.

M. Trèves, Isaiah LIII: VT 24 (1974) 98–108.

H. Blocher, Songs of the Servant. Isaiah's Good News, London / Downers Grove 1975.

A. Feuillet, Les Poèmes du Serviteur, in: ders., Etudes d'Exégèse et de théologie biblique, Paris 1975, 119–175.

J. L. Sicre, La mediación de Ciro y la del Siervo de Dios en Deuteroisaías: EstB 50 (1975) 179–210.

P. C. Roodenburg, Israël, de knecht en de knechten. Onderzoek naar de betekenisen de functie van het nomen in Jes 40–66, Meppel 1975.

J. A. Soggin, Tod und Auferstehung des leidenden Gottesknechtes Jes 53,8–10: ZAW 87 (1975) 346–355.

L. E. Wilshire, The Servant City: A New Interpretation of the „Servant of the Lord" in the Servant Songs of Deutero-Isaiah: JBL 94 (1975) 356–367.

G. Behler, Serviteur et roi, Fangeaux 1976.

D. J. A. Clines, I, He, We and They: A Literary Approach to Is 53 (JSOT.SupplSer 1) Sheffield 1976.

J. Coppens, Le Serviteur de Yahvé – personification de Sion – Jérusalem en tant que centre cultuel des repatriés: EThL 52 (1976) 344–346.

H. Günther, Gottes Knecht und Gottes Recht. Zum Verständnis der Knecht-Gottes-Lieder (Oberurseler Hefte 6) Oberursel 1976.

K. Nakazawa, A New Proposal for the Emendation of Is 53,11: AJBI 2 (1976) 101–109.

H. D. Preuß, Deuterojesaja. Eine Einführung in seine Botschaft, Neukirchen 1976 (Literatur!).

L. *Ruppert,* Der leidende Gottesknecht: Conc(D) 12 (1976) 571–575.

E. *Haag,* Das Opfer des Gottesknechts (Jes 53, 10): TThZ 86 (1977) 81–98.

–, Bund für das Volk und Licht für die Heiden (Jes 42, 6): Didaskalia 7 (1977) 3–14.

A. *Lauha,* „Der Bund des Volkes". Ein Aspekt der deuterojesajanischen Missionstheologie, in: H. Donner u. a. (Hg), Beiträge zur alttestamentlichen Theologie. FS W. Zimmerli, Göttingen 1977, 257–261.

K. *Seybold,* Thesen zur Entstehung der Lieder vom Gottesknecht: Biblische Notizen 3 (1977) 33 f.

W. A. M. *Beuken,* De vergeefse moeite van de knecht. Gedachten over de plaats van Jesaja 49, 1–6 in de context, in: H. H. Grosheide u. a., De Knecht. Studies rondom Deutero-Jesaja aangeboden aan Prof. Dr. J. L. Koole, Kampen 1978, 23–40.

D. R. *Hillers,* Berit 'am: „Emancipation of the People": JBL 97 (1978) 175–182.

C. G. *Kruse,* The Servant Songs: Interpretative Trends since C. R. North: SBTh 8 (1978) 3–27.

P. *van der Lugt,* De strofische structuur van het derte knechtslied (Jes 50, 4–11), in: FS Koole (vgl. oben bei Beuken), 102–117.

W. *van der Meer,* Schepper en schepsel in Jes 42, 5, in: FS Koole (vgl. oben bei Beuken) 118–127.

T. N. D. *Mettinger,* Die Ebed-Jahwe-Lieder: Ein fragwürdiges Axiom: ASTI 11 (1978) 68–76.

J. C. *de Moor,* Knechten van Goden en de knecht van JHWH, in: FS Koole (vgl. oben bei Beuken) 127–140.

B. J. *Oosterhoff,* Tot een licht der volken, in: FS Koole (vgl. oben bei Beuken) 157–172.

J. *Renkemar,* De verkondiging van het eerste lied van de knecht (Jes 42, 1–4), in: FS Koole (vgl. oben bei Beuken) 178–187.

J. E. *Walsh,* Making Sense of our Suffering. The Suffering Servant Songs of Isaiah: A Call to Justice: BiTod 96 (1978) 1622–1627.

J. M. *Ward,* The Servant's Knowledge in Isaiah 40–55, in: J. G. Gammie u. a. (Hg), Israelite Wisdom. Theological and Literary Essays in Honor of Samuel Terrien, Missoula 1978, 121–136.

R. N. *Whybray,* Thanksgiving for a Liberated Prophet. An Interpretation of Isaiah Chapter 53 (JSOT.SupplSer 4) Sheffield 1978.

H. G. M. *Williamson,* DA'AT in Isaiah LIII 11: VT 28 (1978) 118–122.

A. S. *Kapelrud,* God and His Friends in the Old Testament, Oslo 1979.

B. *Keller u.* R. *Voeltzel,* Les „Serviteurs" dans le livre d'Essaie: RHPhR 59 (1979) 413–426.

K. *Kida,* Second Isaiah and the Suffering Servant – A New Proposal for a Solution: AJBI 5 (1979) 45 66.

D. F. *Payne,* Recent Trends in the Study of Isaiah 53: Irish Biblical Studies 1 (1979) 3–18.

A. *Phillips,* The Servant – Symbol of Divine Powerlessness: ET 90 (1979) 370–374.

J. *Day, Da'at* „Humiliation" in Isaiah LIII 11 in the Light of Isaiah LIII 3 and Daniel XII 4, and the Oldest Known Interpretation of the Suffering Servant: VT 30 (1980) 97–103.

G. *Gerlemann,* Der Gottesknecht bei Deuterojesaja, in: ders., Studien zur alttestamentlichen Theologie (Franz-Delitzsch-Vorlesungen, NF 1978) Heidelberg 1980, 38–60.

R. P. *Merendino,* Jes 49, 1–6: ein Gottesknechtslied?: ZAW 92 (1980) 236–248.

P. *Grelot,* Les Poèmes du Serviteur. De la lecture critique à l'herméneutique (LeDiv 103) Paris 1981.

e) Völkerorakel

F. *Schwally*, Die Reden des Buches Jeremia gegen die Heiden. XXV. XLVI–LI, Gießen 1888.

E. *Coste*, Die Weissagungen des Propheten Jeremias wider die fremden Völker, Leipzig 1895.

H. *Gunkel*, Schöpfung und Chaos in Urzeit und Endzeit, Göttingen 1895.

H. *Schmökel*, Jahwe und die Fremdvölker. Der Werdegang einer religiösen Idee (BSTRG 1) Breslau 1934.

H. *Bardtke*, Jeremia der Fremdvölkerprophet: ZAW 53 (1935) 209–239 und 54 (1936) 240–262.

C. *Schmerl*, Die Völkerorakel in den Prophetenbüchern des Alten Testamentes, Würzburg 1939.

R. *Mayer*, Die biblische Vorstellung vom Weltenbrand. Eine Untersuchung über die Beziehungen zwischen Parsismus und Judentum (BOS 4) Bonn 1956.

S. *Grill*, Der Schlachttag Jahwes: BZ 2 (1958) 278–283.

L. C. *Hay*, The Oracles against the Foreign Nations in Jeremiah 46–51 (Diss. Vanderbilt University, Nashville 1960).

O. *Eißfeldt*, Jeremias Drohorakel gegen Ägypten und gegen Babel, in: A. Kutschke (Hg), Verbannung und Heimkehr. FS W. Rudolph, Tübingen 1961, 31–37 = ders., KlSchr 4, Tübingen 1968, 32–38.

R. *Bach*, Die Aufforderungen zur Flucht und zum Kampf im alttestamentlichen Prophetenspruch (WMANT 9) Neukirchen-Vluyn 1962.

H. *Donner*, Israel unter den Völkern. Die Stellung der klassischen Propheten des 8. Jahrhunderts v. Chr. zur Mußenpolitik der Könige von Israel und Juda (VT.S 11) Leiden 1964.

N. K. *Gottwald*, All the Kingdoms of the Earth, New York 1964.

J. H. *Hayes*, The Oracles against the Nations in the Old Testament: Their Usage and Theological Importance (Diss. Princeton 1964).

D. R. *Hillers*, Treaty-Curses and the Old Testament Prophets (BibOr 16) Rom 1964.

H. *Schmidt*, Israel, Zion und die Völker (Diss. Zürich 1966).

G. *Wanke*, Die Zionstheologie der Korachiten in ihrem traditionsgeschichtlichen Zusammenhang (BZAW 97) Berlin 1966.

B. B. *Margulis*, Studies in the Oracles against the Nations (Diss. Brandeis University 1967).

J. H. *Hayes*, The Usage of Oracles against Foreign Nations in Ancient Israel: JBL 87 (1968) 81–92.

H.-M. *Lutz*, Jahwe, Jerusalem und die Völker. Zur Vorgeschichte von Sach 12, 1–8 und 14, 1–5 (WMANT 27) Neukirchen-Vluyn 1968.

G. H. *Jones*, An Examination of Some Leading Motifs in the Prophetic Oracles against the Nations (Diss. University of Wales 1970).

H. R. *Macy*, The Legal Metaphor in Oracles Against Foreign Nations in the Pre-Exilic Prophets (M. A. Thesis Earlham School of Religion 1970).

F. *Stolz*, Strukturen und Figuren im Kult von Jerusalem. Studien zur altorientalischen, vor- und frühisraelitischen Religion (BZAW 118) Berlin 1970, 72–101 (Die feindlichen Fremdvölker).

G. *Fohrer*, Vollmacht über Völker und Königreiche. Beobachtungen zu den prophetischen Fremdvölkersprüchen anhand von Jer 46–51, in: J. Schreiner (Hg), Wort, Lied und Gottesspruch. Beiträge zu Psalmen und Propheten. FS Joseph Ziegler 2 (fzb 2) Würzburg 1972, 145–153.

O. *Kaiser*, Der geknickte Rohrstab. Zum geschichtlichen Hintergrund der Überlieferung und Weiterbildung der prophetischen Ägyptensprüche im 5. Jahrhundert, in: H. Gese – H. P. Rüger (Hg), Wort und Geschichte. FS K. Elliger (AOAT 18) Kevelaer 1973, 99–106.

H. G. May, Aspects of the Imagery of World Dominion and World State in the Old Testament, in: J. L. Crenshaw, Essays in Old Testament Ethics. J. P. Hyatt in memoriam, New York 1974, 57–76.

F. Huber, Jahwe und die anderen Völker beim Propheten Jesaja (BZAW 137) Berlin 1976.

W. R. Millar, Isaiah 24–27 and the Origin of Apocalyptic (HSM 11) Missoula, MT, 1976.

D. L. Christensen, Transformations of the War Oracle in Old Testament Prophecy. Studies in the Oracles against the Nations (Harvard Dissertations in Religion 3) Missoula, MT, 1978.

J. Kegler, Das Leid des Nachbarvolkes. Beobachtungen zu den Fremdvölkersprüchen Jeremias, in: R. Albertz u. a. (Hg), Werden und Wirken des Alten Testaments. FS C. Westermann, Göttingen 1980, 271–287.

Y. Hoffmann, The Day of the Lord as a Concept and a Term in the Prophetic Literature: ZAW 93 (1981) 37–50.

III. Zu Formen und Gestalten der Gewalt

a) Krieg, heiliger Krieg, Jahwekrieg

F. Schwally, Semitische Kriegsaltertümer, I. Der heilige Krieg im alten Israel, Leipzig 1901.

W. Caspari, Was stand im Buche der Kriege Jahwes?: ZWTh 54 (1912) 110–158.

A. Bertholet, Religion und Krieg, Tübingen 1915.

K. Dunkmann, Die Bibel und der Krieg (BZSF 10/1) Berlin 1915.

O. Eißfeldt, Krieg und Bibel (RV 5,15/16) Tübingen 1915.

H. Gunkel, Israelitisches Heldentum und Kriegsfrömmigkeit im Alten Testament, Göttingen 1916.

R. Kittel, Das Alte Testament und unser Krieg, Leipzig 1916.

M. Weber, Gesammelte Aufsätze zur Religionssoziologie, III. Das antike Judentum, Tübingen 1921, 49–52 und 98–104.

T. Fish, War and Religion in Ancient Mesopotamia: BJRL 23 (1939) 387–402.

W. Müller, Die Vorstellung vom Rest im Alten Testament (Diss. Leipzig 1939) Neukirchen-Vluyn ²1973 (Hg. v. H. D. Preuß).

J. Pedersen, Israel. Its Life and Culture, III–IV, London-Kopenhagen 1940, 1–32.

J. P. Hyatt, Jeremiah and War: CrozQ 20 (1943) 52–58.

H. Frederiksson, Jahwe als Krieger, Lund 1945.

H. E. Del Medico, Le rite de la guerre sainte dans l'Ancien Testament: Ethnog. 45 (1947–50) 127–170.

H. Kruse, Ethos victoriae in Vetere Testamento (Diss. Pont. Ist. Bibl. Rom 1951).

G. von Rad, Der Heilige Krieg im alten Israel (AThANT 20) (Zürich 1951).

–, The Origin of the Concept of the Day of Yahweh: JSSt 4 (1959) 97–108.

N. Lohfink, Darstellungskunst und Theologie in Dtn 1,6–3,29: Bib. 41 (1960) 105–134.

J. A. Soggin, Der prophetische Gedanke über den Heiligen Krieg, als Gericht gegen Israel: VT 10 (1960) 79–83.

E. Nielsen, La guerre considerée comme une religion et la religion comme une guerre: StTh 15 (1961) 93–112.

R. *Bach,* Die Aufforderungen zur Flucht und zum Kampf im alttestamentlichen Prophetenspruch (WMANT 9) Neukirchen-Vluyn 1962.

N. *Lohfink,* Die deuteronimistische Darstellung des Übergangs der Führung Israels von Moses auf Josue. Ein Beitrag zur alttestamentlichen Theologie des Amtes: Schol. 37 (1962) 32–44.

R. *de Vaux,* Das Alte Testament und seine Lebensordnungen II, Freiburg i. Br. 1962 (franz. Original: 1960), 13–81 (Heer und Kriegswesen).

A. *Goetze,* Warfare in Asia Minor: Iraq 25 (1963) 124–130.

J. *Helewa,* L'institution de la guerre sainte au désert à la lumière de l'alliance mosaique: ECarm 14 (1963) 3–63.

W. L. *Moran,* The End of the Unholy War and the Anti-Exodus: Bib. 44 (1963) 333–342.

H. W. F. *Saggs,* Assyrian Warfare in the Sargonid Period: Iraq 25 (1963) 145–154.

R. *Smend,* Jahwekrieg und Stämmebund (FRLANT 84) Göttingen 1963.

W. *von Soden,* Die Assyrer und der Krieg: Iraq 25 (1963) 131–144.

Y. *Yadin,* The Art of Warfare in Biblical Lands. In the Light of Archeology, New York 1963.

N. K. *Gottwald,* „Holy War" in Deuteronomy: Analysis and Critique: RExp 61 (1964) 296–310.

A. *Caquot,* La guerre dans l'ancien Israël: RÉJuivHJud 224 (1965) 257–269.

K. *von Rabenau,* Die beiden Erzählungen vom Schilfmeerwunder in Ex 13,17–14,31, in: P. Wätzel – G. Schille (Hg), Theologische Versuche, Berlin 1966, 7–29.

A. E. *Glock,* Warfare in Mari and Early Israel (Diss. University of Michigan 1968).

N. *Kirst,* Formkritische Untersuchung zum Zuspruch „Fürchte dich nicht!" im Alten Testament (Diss. Hamburg 1968).

P. D. *Miller,* The Divine Council and the Prophetic Call to War: VT 18 (1968) 100–107.

G. G. *Ramey,* The Horse and Chariot in Israelite Religion (Diss. Southern Baptist Theological Seminary 1968).

J. G. *Heintz,* Oracles prophétiques et „guerre sainte" selon les archives royales de Mari et l'Ancien Testament: Congress Volume Rome 1968 (VT.S 17) Leiden 1969, 112–138.

P. *von der Osten-Sacken,* Gott und Belial. Traditionsgeschichtliche Untersuchungen zum Dualismus in den Texten aus Qumran (StUNT 6) Göttingen 1969.

P.-E. *Dion,* The „Fear Not" Formula and Holy War: CBQ 32 (1970) 565–570.

G. *Schmitt,* Du sollst keinen Frieden schließen mit den Bewohnern des Landes. Die Weisungen gegen die Kanaanäer in Israels Geschichte und Geschichtsschreibung (BWANT 91) Stuttgart 1970.

H. *Weippert,* Jahwekrieg und Bundesfluch in Jer 21,1–7: ZAW 82 (1970) 396–409.

J. P. *Brown,* Peace Symbolism in Ancient Military Vocabulary: VT 21 (1971) 1–24.

M. C. *Lind,* Paradigm of Holy War in the Old Testament: BR 16 (1971) 16–31.

D. J. *McCarthy,* Some Holy War Vocabulary in Joshua 2: CBQ 33 (1971) 228–230.

W. *Janzen,* War in the Old Testament: MennQR 46 (1972) 155–166.

F. *Stolz,* Jahwes und Israels Kriege. Kriegstheorien und Kriegserfahrungen im Glauben des alten Israel (AThANT 60) Zürich 1972.

M. *Weippert,* „Heiliger Krieg" in Israel und Assyrien. Kritische Anmerkungen zu Gerhard von Rads Konzept des „Heiligen Krieges im alten Israel": ZAW 84 (1972) 460–492.

F. M. *Cross,* Canaanite Myth and Hebrew Epic. Essays in the History of the Religion of Israel, Cambridge, MA, 1973.

P. *Kearney,* The Role of the Gibeonites in the Deuteronomic History: CBQ 35 (1973) 1–19.

D. L. Christensen, Num 21:14–15 and the Book of the Wars of Yahweh: CBQ 36 (1974) 359–360.

O. Keel, Wirkmächtige Siegeszeichen im Alten Testament (OBO 5) Fribourg 1974.

H. H. Schmid, Heiliger Krieg und Gottesfrieden im Alten Testament, in: ders., Altorientalische Welt in der alttestamentlichen Theologie, Zürich 1974, 91–120.

J. S. Ackermann, Prophecy and Warfare in Early Israel. A Study of the Deborah-Barak Story: BASOR 220 (1975) 5–13.

J. H. Collins, The Mythology of Holy War in Daniel and the Qumran War Scroll: A Point of Transition in Jewish Apocalyptic: VT 25 (1975) 596–612.

J. Halbe, Das Privilegrecht Jahwes Ex 34,10–26. Gestalt und Wesen, Herkunft und Wirken in vordeuteronomischer Zeit (FRLANT 114) Göttingen 1975.

P. D. Hanson, The Dawn of Apocalyptic. The Historical and Sociological Roots of Jewish Apocalyptic Eschatology, Philadelphia 1975.

G. H. Jones, „Holy War" or „Jahweh War"?: VT 25 (1975) 642–658.

M. Rose, Der Ausschließlichkeitsanspruch Jahwes. Deuteronomische Schultheologie und die Volksfrömmigkeit in der späten Königszeit (BWANT 106) Stuttgart 1975.

G. Krinetzki, Prahlerei und Sieg im alten Israel (Gen 4,23 f; Ri 15,16; 16,23 f; 1 Sam 18,7par): BZ 20 (1976) 45–58.

M. Rose, „Entmilitarisierung des Kriegs"? (Erwägungen zu den Patriarchenerzählungen der Genesis): BZ 20 (1976) 197–211.

P. Weimar, Die Jahwekriegserzählungen in Exodus 14, Josua 10, Richter 4 und 1 Samuel 7: Bib. 57 (1976) 38–73.

H.-J. Kraus, Vom Kampf des Glaubens. Eine biblisch-theologische Studie, in: H. Donner u.a. (Hg), Beiträge zur alttestamentlichen Theologie. FS W. Zimmerli, Göttingen 1977, 239–256.

Th. W. Mann, Divine Presence and Guidance in Israelite Tradition. The Typology of Exaltation (The John Hopkins Near Eastern Studies) Baltimore 1977.

P. D. Miller – J. J. M. Roberts, The Hand of the Lord. A Reassessment of the „Ark Narrative" of 1 Samuel (The John Hoplins Near Eastern Studies) Baltimore 1977.

D. L. Christensen, Transformations of the War Oracle in Old Testament Prophecy. Studies in the Oracles Against the Nations (Harvard Dissertations in Religion 3) Missoula, MT, 1978.

P. C. Craigie, The Problem of War in the Old Testament, Grand Rapids 1978.

N. Lohfink, ḥaräm, in: ThWAT III, Stuttgart 1978, 192–213.

M. Weinfeld, „They fought from Heaven". Divine Intervention in War in Israel and the Ancient Near East (hb), in: M. Haran (Hg), H. L. Ginsberg Volume (ErIs 47) Jerusalem 1978, 23–30.

M. C. Lind, Yahweh is a Warrior. The Theology of Warfare in Ancient Israel, Scottdale, PA, 1980.

J. Ebach, Das Erbe der Gewalt. Eine biblische Realität und ihre Wirkungsgeschichte (GTB Siebenstern 378) Gütersloh 1980, 14–42.

N. Lohfink, jaräš, in: ThWAT III, Stuttgart 1982, 953–985.

b) Frieden als Gegenbegriff zu Krieg

W. Caspari, Vorstellung und Wort „Friede" im Alten Testament (BFChTh 14,4) Gütersloh 1910.

–, Der biblische Friedensgedanke nach dem Alten Testament (BZSF) Berlin 1916.

W. Eichrodt, Die Hoffnung des ewigen Friedens im alten Israel. Ein Beitrag zur Frage nach der israelitischen Eschatologie (BFChTh 25,3) Gütersloh 1920.

G. von Rad, šalôm im AT, in: ThWNT II, Stuttgart 1935, 400–405.

J. *Pedersen,* Israel. Its Life and Culture, I–II, London-Kopenhagen 1926, 263–335.

T. O. *Martin,* Peace in the Scriptures: AEcR 111 (1944) 257–273.

M. *Wald,* Šâlôm, New York 1944.

F. *Sauer,* Die Friedensbotschaft der Bibel, Graz 1954.

D. M. *Dakin,* Peace and Brotherhood in the Old Testament, 1956.

H. *Groß,* Die Idee des ewigen und allgemeinen Weltfriedens im Alten Orient und im Alten Testament (TThSt 7) Trier 1956 (²1967).

J. J. *Stamm* – H. *Bietenhard,* Der Weltfriede im Alten und Neuen Testament, Zürich 1959.

J. *Pirenne,* L'organisation de la paix dans le Proche-Orient aux 3ᵉ et 2ᵉ millenaires: RSJB 14 (1961) 189–222.

J. *Scharbert,* ŠLM im Alten Testament, in: H. Groß – F. Mußner (Hg), Lex tua veritas. FS H. Junker, Trier 1961, 209–229.

H. W. *Wolff,* Frieden ohne Ende. Jes 7, 1–17 und 9, 1–6 ausgelegt (BSt 35) Neukirchen-Vluyn 1962.

J. *Comblin,* Theologie des Friedens. Biblische Grundlagen. Graz 1963.

H. D. *Preuß,* Das biblisch-theologische Zeugnis vom Frieden, in: Vom Frieden (Hannoversche Beiträge zur politischen Bildung 4) Hannover 1967, 209–232.

P. *Mikat,* Schalom – Eirene – Heil – Friede: BiKi 23 (1968) 78–80.

H. P. *Schmidt,* Schalom – die hebräisch-christliche Provokation, in: H.-E. Bahr (Hg), Weltfriede und Revolution, Hamburg 1968, 185–235.

W. *Eisenbeis,* Die Wurzel *šlm* im Alten Testament (BZAW 113) Berlin 1969.

H. *Schmidt,* Frieden (ThTh 3) Stuttgart 1969.

W. H. *Schmidt,* Die Ohnmacht des Messias. Überlieferungsgeschichte der messianischen Weissagungen im Alten Testament: KuD 15 (1969) 18–34.

C. *Westermann,* Der Frieden (Shalom) im Alten Testament, in: G. Picht – H. E. Tödt (Hg), Studien zur Friedensforschung 1, Stuttgart 1969, 144–177 = C. Westermann, Forschung am Alten Testament. Gesammelte Studien 2 (TB 55) München 1974, 196–229.

J. I. *Durham,* Shalom and the Presence of God, in: J. I. Durham – J. R. Porter (Hg), Proclamation and Presence. FS G. H. Davies Richmond, VA, 1970, 272–293.

D. J. *Harris,* Shalom. The Biblical Concept of Peace, Grand Rapids 1970.

J. P. *Brown,* Peace Symbolism in Ancient Military Vocabulary: VT 21 (1971) 1–24.

L. M. *Pákozdy,* Der Begriff „Frieden" im Alten Testament und sein Verhältnis zum Kampf: CV 14 (1971) 253–266.

L. *Rost,* Erwägungen zum Begriff *šalôm,* in: K.-H. Bernhardt (Hg), Schalom. Studien zu Glaube und Geschichte Israels. FS A. Jepsen, Stuttgart 1971, 41–45.

H. H. *Schmid, šalôm.* „Frieden" im Alten Orient und im Alten Testament (SBS 51) Stuttgart 1971.

–, Frieden ohne Illusionen. Die Bedeutung des Begriffs schalom als Grundlage für eine Theologie des Friedens, Zürich 1971.

J. J. *Enz,* The Christian and Warfare. The Roots of Pacifism in the Old Testament, Scottdale, PA, 1972.

G. *Liedke,* Israel als Segen für die Völker. Bemerkungen zu Lothar Perlitt „Israel und die Völker", in: G. Liedke (Hg), Frieden – Bibel – Kirche (SFF 9) Stuttgart 1972, 65–74.

–, Theologie des Friedens. Literaturbericht zu Arbeiten aus dem Bereich der alttestamentlichen Wissenschaft, in: dass., 174–186.

L. *Perlitt,* Israel und die Völker, in: dass., 17–64.

G. *Scharffenorth* – W. *Huber* (Hg), Bibliographie zur Friedensforschung (SFF 6) Stuttgart – München 1970, 143 f (Biblisch-exegetische Beiträge).

O. H. *Steck,* Friedensvorstellungen im alten Jerusalem. Psalmen, Jesaja, Deuterojesaja (ThSt [B] 111) Zürich 1972.

–, Jerusalemer Vorstellungen vom Frieden und ihre Abwandlungen in der Prophetie des alten Israel, in: G. Liedke (Hg), Frieden – Bibel – Kirche (SFF 9) Stuttgart 1972, 75–95.

G. *Scharffenroth – W. Huber*(Hg), Neue Bibliographie zur Friedensforschung (SFF 12) Stuttgart 1973, 266–270 (Biblisch-exegetische Beiträge).

J. *Piper,* „Love Your Enemies". Jesus' Love Command in the Synoptic Gospels and in the Early Christian Paranesis. A History of the Tradition and Interpretation of Its Uses (MSSNTS 38) Cambridge 1974, 27–35.

C. *Westermann,* Alttestamentliche Elemente in Lk 2, 1–20, in: ders., Forschung am Alten Testament. Gesammelte Studien 2 (TB 55) München 1974, 269–279.

J. *Lasserre* (Hg), Non-violence et Ancien Testament, Poitiers 1977.

G. *Liedke* u. a. (Hg), Eschatologie und Frieden, Heidelberg 1978.

H. *Graf Reventlow,* Friedensverheißungen im Alten und im Neuen Testament: FÜI 3 (1979) 99–109 und 147–153.

H. H. *Schrey,* Fünfzig Jahre Besinnung über Krieg und Frieden: ThR 43 (1978) 201–239; 266–284; 46 (1981) 58–96; 149–180, hier: 149–157 (Der Friedensbegriff in der neueren Exegese).

U. *Luz* u. a., Eschatologie und Friedenshandeln. Exegetische Beiträge zur Frage christlicher Friedensverantwortung (SBS 101) Stuttgart 1981.

D. E. *Skweres,* Šalôm und Wege dorthin: LebZeug 36 (1981) 5–18.

W. *Lienemann,* Gewalt und Gewaltverzicht. Studien zur abendländischen Vorgeschichte der gegenwärtigen Wahrnehmung von Gewalt (FEST 36) München 1982.

c) Gewalttätige Züge an Jahwe

A. *Ritschl,* De ira Dei, 1859.

F. *Weber,* Vom Zorne Gottes, 1862.

M. *Pohlenz,* Vom Zorne Gottes. Eine Studie über den Einfluß der griechischen Philosophie auf das alte Christentum (FRLANT 12) Göttingen 1909.

J. *Hempel,* Jahwegleichnisse der israelitischen Propheten: ZAW 42 (1924) 74–107 = ders., Apoxysmata (BZAW 81) Berlin 1961, 1–29.

P. *Volz,* Das Dämonische in Jahwe (SVG 110) Tübingen 1924.

H. *Fredriksson,* Jahwe als Krieger, Lund 1945.

G. E. *Mendenhall,* „God of Vengeance, Shine Forth!": Wittenberg Bulletin 45 (1948) 37–42.

J. *Gray,* The Wrath of God in Canaanite and Hebrew Literature: JMUES 25 (1947–53) 9–19.

R. V. G. *Tasker,* The Biblical Doctrine of the Wrath of God, London 1951.

A. S. *Kapelrud,* God as Destroyer in the Preaching of Amos and in the Ancient Near East: JBL 71 (1952) 33–38.

J. *Fichtner,* Der Zorn im Alten Testament, in: ThWNT V, Stuttgart 1954, 392–410.

S. *Grill,* Der Schlachttag Jahwes: BZ 2 (1958) 278–283.

P. *Biard,* La puissance de Dieu dans la Bible (TICP) Paris 1960.

H. M. *Haney,* The Wrath of God in the Former Prophets, New York 1960.

H. *Ringgren,* Einige Schilderungen des göttlichen Zorns, in: E. Würthwein – O. Kaiser (Hg), Tradition und Situation. FS A. Weiser, Göttingen 1963, 107–113.

N. C. *Habel,* Yahweh versus Baal: A Conflict of Religious Cultures. A Study in the Relevance of Ugaritic Materials for the Early Faith of Israel, New York 1964.

F. *Schnutenhaus,* Das Kommen und Erscheinen Gottes im Alten Testament: ZAW 76 (1964) 1–22.

J. Jeremias, Theophanie (WMANT 10) Neukirchen-Vluyn 1965.

E. Lipiński, La royauté de Yahvé, Brüssel 1965.

P. D. Miller, God the Warrior. A Problem in Biblical Interpretation and Apologetics: Interp. 19 (1965) 39–46.

–, El the Warrior: HThR 60 (1967) 411–431.

L. Wächter, Der Tod im Alten Testament, Stuttgart 1967, 129–157.

W. H. Simpson, Divine Wrath in the Eight Century (Diss. Boston 1968).

H. A. Brongers, Der Zornesbecher, in: J. G. Vink u. a., The Priestly Code and Seven other Studies (OTS 15) Leiden 1969, 177–192.

G. W. Coats, The Song of the Sea: CBQ 31 (1969) 1–17.

A. S. Kapelrud, The Violent Godess, Oslo 1969.

G. E. Wright, The Old Testament and Theology, New York 1969, 121–150 (The Divine Warrior).

F. Stolz, Strukturen und Figuren im Kult von Jerusalem. Studien zur altorientalischen, vor- und frühisraelitischen Religion (BZAW 118) Berlin 1970.

F. M. Cross, Canaanite Myth and Hebrew Epic. Essays in the History of the Religion of Israel, Cambridge, MA, 1973, 91–111 (The Divine Warrior).

J. G. Heintz, Le „feu dévorant", un symbole de triomphe divin dans l'Ancien Testament et le milieu sémitique ambiant, in: Le feu dans le Proche-Orient antique, Leiden 1973, 63–78.

G. E. Mendenhall, The Tenth Generation, Baltimore 1973, 69–104 (The „Vengeance" of Yahweh).

P. D. Miller, The Divine Warrior in Early Israel, Cambridge, MA, 1973.

M. K. Wakeman, God's Battle with the Monster. A Study in Biblical Imagery, Leiden 1973.

D. L. Christensen, Num 21:14–15 and the Book of the Wars of Yahweh: CBQ 36 (1974) 359–60.

D. J. McCarthy, The Wrath of Yahweh and the Structural Unity of the Deuteronomistic History, in: J. L. Crenshaw (Hg), Essays in Old Testament Ethics. J. Ph. Hyatt in memoriam, New York 1974, 97–110.

P. D. Hanson, The Dawn of Apocalyptic. The Historical and Sociological Roots of Jewish Apocalyptic Eschatology, Philadelphia 1975.

L. Clapham, Mythopoeic Antecedents of the Biblical World-View and their Transformation in Early Israelite Thought, in: F. M. Cross u. a. (Hg), Magnalia Dei – The Mighty Acts of God. Mem. G. E. Wright, Garden City, NY, 1976, 108–119.

W. Dietrich, Rache. Erwägungen zu einem alttestamentlichen Thema: EvTh 36 (1976) 450–472.

W. Harrelson, A Meditation on the Wrath of God: Psalm 90, in: A. L. Merrill – T. W. Overholt (Hg), Scripture in History and Theology. FS J. C. Rylaarsdam (Pittsburgh Theological Monograph Series 14) Pittsburgh 1977, 181–191.

W. Berg, Die Eifersucht Gottes – ein problematischer Zug des alttestamentlichen Gottesbildes?: BZ 23 (1979) 197–211.

R. R. Wilson, The Hardening of Pharao's Heart: CBQ 41 (1979) 18–36.

M. C. Lind, Yahweh is a Warrior. The Theology of Warfare in Ancient Israel, Scottdale, PA, 1980.

W. Wifall, The Sea of Reeds as Sheol: ZAW 92 (1980) 325–332.

N. Lohfink, ka'as, in: ThWAT III (im Druck).

d) Die Feinde der Psalmenbeter

E. Balla, Das Ich der Psalmen (FRLANT 16) Göttingen 1912, 19f.

S. *Mowinckel,* Psalmenstudien, I. Åwän und die individuellen Klagepsalmen (SNVAO.HF 1921, 4) Kristiania 1921.

H. *Schmidt,* Das Gebet der Angeklagten im Alten Testament (BZAW 49) Gießen 1928.

G. *Marschall,* Die „Gottlosen" des ersten Psalmenbuches, Münster 1929.

H. *Gunkel – J. Begrich,* Einleitung in die Psalmen (HK.ErgBd) Göttingen 1933 (²1966), 196–211.

H. *Birkeland,* Die Feinde des Individuums in der israelitischen Psalmenliteratur, Oslo 1933.

A. *Kuschke,* Arm und Reich im Alten Testament unter besonderer Berücksichtigung der nachexilischen Zeit: ZAW 57 (1939) 31–57.

N. H. *Ridderbos,* De „werkers der ongerechtigheid" in de individueele Psalmen. Een beoordeeling van Mowinckels opvatting, Kampen 1939.

H. *Junker,* Das theologische Problem der Fluchpsalmen: PastB 51 (1940) 65–74.

C. *Barth,* Die Errettung vom Tode in den individuellen Klage- und Dankliedern des Alten Testamentes, Zollikon 1947, 91–122.

A. F. *Puukko,* Der Feind in den alttestamentlichen Psalmen, in: OTS 8, Leiden 1950, 47–65.

S. *Mowinckel,* The Psalms in Israel's Worship (2 Bde) Oxford 1962 (Übers. von „Offergesang og Sangoffer", 1951), I 225–246 und II 1–25.

C. *Westermann,* Struktur und Geschichte der Klage im Alten Testament: ZAW 66 (1954) 44–80 = ders., Forschung am Alten Testament (TB 24) München 1964, 266–305, 295–290.

H. *Birkeland,* The Evildoers in the Book of Psalms (ANVAO.HF 2) Oslo 1955.

K. *Koch,* Gibt es ein Vergeltungsdogma im Alten Testament?: ZThK 52 (1955) 1–42 = ders. (Hg) Um das Prinzip der Vergeltung in Religion und Recht des Alten Testaments (WdF 125) Darmstadt 1972, 130–180, 148–156.

J. J. *Stamm,* Ein Vierteljahrhundert Psalmenforschung: ThR 23 (1955) 1–68, 50–60.

J. W. *Wevers,* A Study in the Form Criticism of Individual Complaint Psalms: Vt 6 (1967) 80–96.

C. *Barth,* Einführung in die Psalmen (BSt 32) Neukirchen 1961, 50–56.

K. *Schwarzwäller,* Die Feinde des Individuums in den Psalmen (Diss. Hamburg 1963).

G. W. *Anderson,* Enemies and Evildoers in the Book of Psalms: BJRL 48 (1965/66) 18–29.

L. *Delekat,* Asylie und Schutzorakel am Zionheiligtum. Eine Untersuchung zu den privaten Feindpsalmen, Leiden 1967.

C. *Hauret,* Les ennemis-sorciers dans les supplications individuelles, in: C. Hauret u. a., Aux grands carrefours de la révélation et de l'exégèse de l'Ancien Testament (RechBib 8) o. O. (Brügge) 1967, 129–137.

O. *Keel,* Feinde und Gottesleugner. Studien zum Image des Widersachers in den Individualpsalmen (SBM 7) Stuttgart 1969.

N. A. *van Uchelen,* 'nšj dmjm in the Psalms, in: J. G. Vink u. a., The Priestly Code and Seven Other Studies (OTS 15) Leiden 1969, 205–212.

W. *Beyerlin,* Die Rettung der Bedrängten in den Feindpsalmen der Einzelnen auf institutionelle Zusammenhänge untersucht (FRLANT 99) Göttingen 1970.

H. *Goeke,* Das Menschenbild der individuellen Klagelieder. Ein Beitrag zur alttestamentlichen Anthropologie (Diss. Bonn 1971).

E. *Jenni,* 'ojēḇ Feind, in: THAT I, München 1971, 118–122.

R. *Knierim,* 'awæn Unheil, in: ebd. 81–84.

H. *Graf Reventlow,* Rechtfertigung im Horizont des Alten Testaments (BEvTh 58) München 1971, 85–92.

O. *Keel*, Die Welt der altorientalischen Bildsymbolik und das Alte Testament. Am Beispiel der Psalmen, Zürich 1972 (²1977), 68–89.

L. *Ruppert*, Der leidende Gerechte. Eine motivgeschichtliche Untersuchung zum Alten Testament und zwischentestamentlichen Judentum (FzB 5) Würzburg 1972.

–, Jesus als der leidende Gerechte? Der Weg Jesu im Lichte eines alt- und zwischentestamentlichen Motivs (SBS 59) Stuttgart 1972, 15–21.

K. H. *Bernhardt*, 'awæn, in: ThWAT I, Stuttgart 1973, 151–159.

H. *Ringgren*, 'ajäb, in: ThWAT I, Stuttgart 1973, 228–235.

L. *Ruppert*, Der leidende Gerechte und seine Feinde. Eine Wortfelduntersuchung, Würzburg 1973.

K. *Seybold*, Das Gebet des Kranken im Alten Testament (BWANT 99) Stuttgart 1973, 52 f.

E. *Gerstenberger*, Zur Interpretation der Psalmen: VF 19 (1974) 22–45.

J. *Becker*, Wege der Psalmenexegese (SBS 78) Stuttgart 1975, 24–37.

H. *Vorländer*, Mein Gott. Die Vorstellungen vom persönlichen Gott im Alten Orient und im Alten Testament (AOAT 23) Kevelaer 1975, 5–120 und 250–265.

C. *van Leeuwen*, rš^c frevelhaft/schuldig sein, in: THAT II, München 1976, 813–818.

E. S. *Gerstenberger* – W. *Schrage*, Leiden (Kohlhammer Taschenbücher, Biblische Konfrontationen 1004) Stuttgart 1977, 29–63.

H.-J. *Kraus*, Theologie der Psalmen (BK 14/3) Neukirchen-Vluyn 1979, 156–170.

E. S. *Gerstenberger*, Der bittende Mensch. Bittritual und Klagelied des Einzelnen im Alten Testament (WMANT 51) Neukirchen-Vluyn 1980.

B. *Ströhle*, Psalmen – Lieder der Verfolgten. Gebete des Friedens in friedloser Zeit: BiKi 35 (1980) 42–47.

e) Vergeltung, Rache, Fluch, „Fluchpsalmen"

F. *Steinmetzer*, Babylonische Parallelen zu den Fluchpsalmen: BZ 10 (1912) 133–142 und 363–369.

S. *Mowinckel*, Psalmenstudien V. Segen und Fluch in Israels Kult und Psalmendichtung (SNVAO.HF 1923, 3) Kristiania 1924, 61–135.

J. *Hempel*, Die israelitischen Anschauungen von Segen und Fluch im Lichte altorientalischer Parallelen: ZDMG 79 (1925) 20–110..

J. *Pedersen*, Israel. Its Life and Culture I–II, London – Kopenhagen 1926, 378–452.

N. *Nicolsky*, Spuren magischer Formeln in den Psalmen (BZAW 46) Gießen 1927.

H. *Schmidt*, Das Gebet der Angeklagten im Alten Testament (BZAW 49) Gießen 1928.

H. *Gunkel* – J. *Begrich*, Einleitung in die Psalmen (HK ErgBd) Göttingen 1933 (²1966), 226–228.

H. *Junker*, Das theologische Problem der Fluchpsalmen: PastB 51 (1940) 65–74.

A. *Miller*, Fluchpsalmen und israelitisches Recht: Ang. 20 (1943) 92–101.

S. H. *Blank*, The Curse, Blasphemy, the Spell, and the Oath: HUCA 23 (1950/51) 73–95.

F. *Baumgärtel*, Der 109. Psalm in der Verkündigung: MPTh 42 (1953) 244–253.

G. *Sauer*, Die strafende Vergeltung Gottes in den Psalmen (Diss. Basel 1957; Teildruck unter gleichem Titel: Erlangen 1961).

J. *Scharbert*, Solidarität in Segen und Fluch im Alten Testament und in seiner Umwelt, I. Väterfluch und Vätersegen (BBB 14) Bonn 1958: 132–135.

–, „Fluchen" und „Segnen" im Alten Testament: Bib. 39 (1958) 1–26.

E. *Pax*, Studien zum Vergeltungsproblem in den Psalmen: SBFLA 11 (1960/61) 56–112.

H. C. Brichto, The Problem of „Curse" in the Hebrew Bible (JBL.MS 13) Philadelphia 1963, 22–76.

H. A. Brongers, Die Rache- und Fluchpsalmen im Alten Testament, in: OTS 13, Leiden 1963, 21–42.

R. Schmid, Die Fluchpsalmen im christlichen Gebet, in: Theologie im Wandel. FS der Kath.-theol. Fakultät Tübingen 1817–1967, I, München 1967, 377–393.

N. Füglister, Vom Mut zur ganzen Schrift. Zur Eliminierung der sogenannten Fluchpsalmen aus dem Römischen Brevier: StZ 184 (1969) 186–200 (leicht gekürzt: Gott der Rache?, in: T. Sartory [Hg], Entdeckungen im Alten Testament oder Die vergessene Wurzel, München 1970, 117–133).

W. Schottroff, Der altisraelitische Fluchspruch (WMANT 30) Neukirchen-Vluyn 1969, 130–162.

C. A. Keller, 'ālā Verfluchung, in: THAT I, München 1971, 149–152.

–, 'rr verfluchen, in: ebd. 236–240.

G. E. Mendenhall, The Tenth Generation. The Origins of the Biblical Tradition, Baltimore 1973, 69–104.

J. Scharbert, 'alah, in: ThWAT I, Stuttgart 1973, 279–285.

–, 'arăr, in: ebd. 437–451.

W. Dietrich, Rache. Erwägungen zu einem alttestamentlichen Thema: EvTh 36 (1976) 450–472.

G. Sauer, nqm rächen, in: THAT II, München 1976, 106–109.

J. Ebach, Das Erbe der Gewalt. Eine biblische Realität und ihre Wirkungsgeschichte (Siebenstern 378) Gütersloh 1980, 49–54.

G. Hinricher, Die Fluch- und Vergeltungspsalmen im Stundengebet: BiKi 35 (1980) 55–59.

W. T. Pitard, Amarna *ekēmu* and Hebrew *nāqam:* Maarav 3 (1982) 5–25.

f) Menschenopfer

Vgl. *R. de Vaux,* Les Sacrifices de l' Ancien Testament (CRB 1) Paris 1964, 49–81 (Sacrifices humaines en Israel), und *A. R. W. Green,* The Role of Human Sacrifice in the Ancient Near East (ASOR.DissSer 1) Missoula 1975, für ältere Literatur. Ferner:

N. H. Snaith, The Cult of Molech: VT 16 (1966) 125 f.

H. M. Kümmel, Ersatzkönig und Sündenbock: ZAW 80 (1968) 289–318.

J. A. Soggin, A proposito di sacrifici di fanciulli e di culto dei morti nell' AT: OrAnt 8 (1969) 215–217 = Child Sacrifice and Cult of the Dead in the Old Testament, in: ders., Old Testament and Oriental Studies (BibOr 29) Rom 1975, 84–87.

P. Derchain, Les plus anciens témoignages de sacrifices d'enfants chez les Sémites occidentaux: VT 20 (1970) 351–353.

W. Zimmerli, Erstgeborene und Leviten. Ein Beitrag zur exilisch-nachexilischen Theologie, in: H. Goedicke (Hg), Near Eastern Studies in Honor of William Foxwell Albright, Baltimore 1971, 459–469.

M. Weinfeld, The Worship of Molech and of the Queen of Heaven and its Background: UF 4 (1972) 133–154.

R. Golling, Zeugnisse von Menschenopfern im Alten Testament (Diss. Humboldt-Universität, Berlin 1975).

M. Smith, A Note on Burning Babies: JAOS 95 (1975) 477–479.

O. Kaiser, „Den Erstgeborenen deiner Söhne sollst du mir geben." Erwägungen zum Kinderopfer im Alten Testament, in: ders. (Hg), Denkender Glaube. FS C. H. Ratschow, Berlin 1976, 24–48.

H. Gese, Ezechiel 20,25 f und die Erstgeburtsopfer, in: H. Donner u.a. (Hg), Beiträge zur alttestamentlichen Theologie. FS W. Zimmerli, Göttingen 1977, 140–151.

D. Michel, Überlieferung und Deutung in der Erzählung von Isaaks Opferung (Gen 22), in: Treue zur Thora, FS G. Harder, Berlin 1977, 13–15.

M. Weinfeld, Burning Babies in Ancient Israel. A Rejoinder to Morton Smith's Article in *JAOS* 95 (1975), pp. 477–379: UF 10 (1978) 411–413.

IV. Literatur um René Girard

a) Bücher von *René Girard*

Mensonge romantique et vérité romanesque, Paris 1961 (Übersetzt ins Englische, Spanische, Italienische, Tschechische, Japanische, Rumänische).

Dostoëvski: Du double à l'unité, Paris 1963.

La violence et le sacré, Paris 1972 (Übersetzt ins Englische, Spanische).

Critique dans un souterrain, Lausanne 1976.

Des choses cachées depuis la fondation du monde. Recherches avec Jean-Michel Oughourlian et Guy Lefort, Paris 1978.

„To Double Business Bound": Essays on Literature, Mimesis, and Anthropology, Baltimore 1978.

Le Bouc émissaire, Paris 1982.

b) Nichtselbständige Veröffentlichungen von *René Girard*
(Auswahl im Hinblick auf die Gewaltproblematik aus etwa 80 Titeln)

Dionysos et la genèse violente du sacré: Poétique 3 (1970) 266–281.

Vers une définition systématique du sacré: Liberté (Montréal) (Juli 1973) 58–74.

Discussion avec René Girard: Esprit 429 (1973) 528–563. Deutsche Übersetzung von S. 551–558: Das Evangelium legt die Gewalt bloß: Orient. 38 (1974) 53–56.

The Plague in Literature and Myth: Texas Studies 15 (1974) 833–850.

Les Malédictions contre les Pharisiens et la révélation évangélique: Bulletin du Centre protestant d'études, Geneva 27 (1975) 1–29.

Violence and Representation in the Mythical Text: MLN 92 (1977) 922–944.

René Girard: La subversion judéo-chrétienne. Interview durch *Jean-Luc Allouche:* Arche 269 (1979) 46–50.

Mimesis and Violence. Perspectives in Cultural Criticism: Berkshire Review 14 (1979) 9–19.

D'ou vient la violence? Table ronde entre *René Girard, Christian Mellon, Jean-Marie Muller, Hervé Ott* et *Jacques Sémelin:* Alternatives non violentes 36 (1980) 49–67.

c) Auseinandersetzung mit Girard im außerdeutschen Raum
(Auswahl im Hinblick auf die Gewaltproblematik aus etwa 250 Titeln)

P. Pachet, Violence dans la bibliothèque: Critique 28 (1972) 716–728.

J.-M. Domenach, Oedipe à l'usine: Esprit 418 (1972) 856–865.

A. Simon, Les Masques de la violence: Esprit 429 (1973) 515–527.

E. Gans, Pour une esthétique triangulaire: Esprit 429 (1973) 564–581.

M. Panoff, Cette sacrée violence: Les Temps modernes (1974) 2871–2876.

C. Bandera, Mimesis conflictiva, Madrid 1975.

C. Rosso, Un général et la violence: Spicilegio moderno 4 (1975) 185–193.

Y. Bouisseren, La Violence et le sacré: Approches 12,4 (1976) 3–35 grün.

P. G. Cosson, Sacrée violence, va!: Approches 12,4 (1976) 3–32 gelb.

J. Le Du, La Régulation de la violence: les procédures imaginaires: Approches 12,4 (1976) 33–44 gelb.

J. Caplan, The Zero-Degree of Violence: Enclitic 1,2 (1977) 1–11.

M. Faessler, Agressivité, violence et communion: CProt (1977) 5–18.

V. Farenga, Violent Structure: The Writing of Pindar's Olympian I: Arethusa 10 (1977) 197–218.

F.-X. Vershave, Peut-on désacraliser la violence?: Alternatives non-violentes 24/25 (1977) 38–42.

M. Deguy, De Violence à non-violence: Critique (1978) 911–926.

M. P. Gardeil, Le Christianisme est-il une religion du sacrifice?: NRTh 100 (1978) 341–358.

S. Goodhart, Leskas Ephaske: Oedipus and Laius' Many Murderers: Diacritics 8 (1978) 55–71.

P. Lacoue-Labarthe, Mimesis and Truth: Diacritics 8 (1978) 10–23.

C. Morón-Arroyo, Cooperative Mimesis: Don Quixote and Sancho Panza: Diacritics 8 (1978) 75–86.

J.-M. Oughourlian u. *G. Lefort,* Psychotic Structure and Girard's Doubles: Diacritics 8 (1978) 73 f.

J. D. Robert, L' „hominisation" d'après René Girard: NRTh 100 (1978) 865–887.

H. White, Ethnological „Lie" and Mythical „Truth": Diacritics 8 (1978) 1–9.

M. Bouttier, L'Evangile selon René Girard: Etudes théologiques 54 (1979) 593–607.

B. Cazes, Violence et désir, même combat: Futuribles 19 (1979) 83–93.

J.-P. Charcosset, Aveuglement et révélation. Questions à René Girard: Exister (1979) 42–57.

E. de Clermont-Tonnerre, En lisant René Girard …: VS (1979) 396–410.

P. Dumouchel u. *J.-P. Dupuy,* L'Enfer des choses. René Girard et la logique de l'économie, Paris 1979.

D. Frizot, Le sacré au passé décomposé: VS (1979) 380–394.

P. Gardeil, La Cène et la croix: NRTh 101 (1979) 683–697.

E. Granger, Autour de Girard … vagabondages théologiques: CUCa (1979) 26–30.

F. T. Griffiths, Girard on the Greeks/The Greeks on Girard: Berkshire Review 14 (1979) 20–36.

J. Guillet, René Girard et le sacrifice: Etudes 351 (1979) 91–102.

F. Lebert, Sacrifice de la croix – transcendance de l'amour: CUCa (1979) 14–25.

J. Onimus, René Girard, explorateur d'abîmes: CUCa (1979) 2–13.

E. Traube, Incest and Mythology: Anthropological and Girardian Perspectives: Berkshire Review 14 (1979) 37–54.

G. Charot, Le Refus de la violence chez René Girard. Rencontre avec la pensée de Simone Weil: Cahiers Simone Weil (1980) 179–202.

F. Chirpaz, Enjeux de la violence. Essai sur René Girard, Paris 1980.

H. Meschonnic, Religion, maintien de l'ordre: NRF 325 (1980) 94–107.

–, Il n'y a pas de judéo-chrétien: NRF 326 (1980) 80–89.

–, L'Apocalypse: NRF 327 (1980) 74–82.

P. Valadier, Bouc émissaire et Révélation chrétienne selon René Girard: Etudes 357 (1982) 251–260.

d) Auseinandersetzung mit Girard im deutschsprachigen Raum
   (Vollständigkeit ist angestrebt)

R. *Schwager,* Gewalt und Opfer: Orient. 38 (1974) 41–44.

–, Glaube, der die Welt verwandelt, Mainz 1976, 137–155.

–, Brauchen wir einen Sündenbock? Gewalt und Erlösung in den biblischen Schriften, München 1978.

N. *Lohfink* u. R. *Pesch,* Weltgestaltung und Gewaltlosigkeit. Ethische Aspekte des Alten und Neuen Testaments in ihrer Einheit und ihrem Gegensatz (Schriften der Katholischen Akademie in Bayern, 87; Patmos-Paperback) Düsseldorf 1978.

O. *Keel,* Wie böse ist Gewalt?: Orient. 42 (1978) 43–46.

R. *Schwager,* Eine neue Interpretation der Geschichte im Lichte des Christentums: StZt 197 (1979) 784–788.

–, Geschichtsphilosophie und Erlösungslehre: ZkTh 102 (1980) 14–23.

–, Der geliebte Sohn und die Rotte der Gewalttäter. Christologie und Erlösungslehre, in: J. Blank u. G. Hasenhüttl (Hg), Glaube an Jesus Christus. Neue Beiträge zur Christologie (Patmos-Paperback) Düsseldorf 1980, 117–133.

–, Der Gott des Alten Testaments und der Gott des Gekreuzigten. Eine Untersuchung zur Erlösungslehre bei Markion und Irenäus: ZkTh 102 (1980) 289–313.

H. U. *von Balthasar,* Theodramatik III. Die Handlung, Einsiedeln 1980, 276–291.

A. *Schenker,* Versöhnung und Sühne. Wege gewaltfreier Konfliktlösung im Alten Testament. Mit einem Ausblick auf das Neue Testament (BiBe 15) Fribourg 1981.

R. *Schwager,* Der Sieg Christi über den Teufel. Zur Geschichte der Erlösungslehre: ZkTh 103 (1981) 156–177.

–, Fluch und Sterblichkeit – Opfer und Unsterblichkeit. Zur Erlösungslehre des Athanasius: ZkTh 103 (1981) 377–399.

N. *Lohfink,* Wie sollte man das Alte Testament auf die Erbsünde hin befragen?, in: N. Lohfink u. a., Zum Problem der Erbsünde. Theologische und philosophische Versuche, Essen 1981, 9–52.

W. *Kornfeld,* QDŠ und Gottesrecht im Alten Testament, in: J. A. Emerton (Hg), Congress Volume Vienna 1980 (SVT 32) Leiden 1982, 1–9.

R. *Schwager,* Der wunderbare Tausch. Zur „physischen" Erlösungslehre Gregors von Nyssa: ZkTh 104 (1982) 1–24.

–, Unfehlbare Gnade gegen göttliche Erziehung. Die Erlösungsproblematik in der pelagianischen Krise: ZkTh 104 (1982) 257–290.

Register

250

7–9	95–97 104	10f	69	9,16f	177 202
7,1–4	107	10,25	88	9,17	169
7,5	103	11,12	178	9,21f	183
7,8	96	11,13f	66	9,21	206
7,12	96	11,15	178	10,6	179
7,17–24	96	11,19f	68	10,7	182
7,17	104	12,6	178	10,10	179
8,18	96	13–17	103	10,24	177 202
9,1–8	95	14,1f	81	11,6	179
9,1–6	97	14,7	178	12	
9,1f	97	14,11	79	12,23	101
9,3–5	100 104	18,1	81 101	13,13	180
9,4	97	18,6	101	13,14	178 180
9,5	96	18,7	178	14,3	101
9,16	101	18,8	101	14,33	101
9,22–24	95	18,10	101	14,34	101
10,11	72	19,51	81 101	15	69
11,23	100	21,43f	72	16,14	179
11,25	88	22	67	17,11	88
12,3	103	22,2	178	24,13	156
16,4	82	23,1–16	102f	25,30	178
16,6	82	23,5	100	28,9	139
18,12	100	23,13	102		
18,9–22	192	24,29	178	**2 Sam**	
18,15–18	192	58,8	149	3,18	178
18,18	181			3,39	188
19,16–21	152	**Ri**		5,2	178
20,10f	68	1	103	6,21	178
20,10–18	66	2	69	7,1–29	190
20,12–15	105	2,1–5	102f	7,1–6	196
20,17	69	2,1–3	104	7,5	178
20,18	101	2,8	178	7,8	178
27,16f	79	3,10	179 202	7,20	181
28,22	95	5	59	8,15	180
31	78	5,11	179	12,13	101
31,2	79	6		15,25f	188
31,8	88	6,13	101	16,11	188
31,17	101	6,15	182 206	22,5	137
33	59	6,17	182	22,22–25	180
34,10	181	6,34	179 202	23,5	190
		10,10	101		
Jos		11,23	100	**1 Kön**	
1,1f	178	11,24	71 100	2,3f	180
4,13	100	11,29	179 202	8,31f	152
6f	69	13	180	8,31	137
4,19	81	13,25	179 202	8,33	101
5,10–12	81			8,35	101
5,10	82	**1 Sam**		8,46	101
7,20	101	1,1	180	8,50	101
8,1	88	2,25	101	14,9	103
9,24	178	7,6	101	14,18	178

44,2	180 196
44,21	180 196
44,23	182 196
44,24	196
45,4	195
45,17	196
46,3	196
48,16	164
48,20	201
49,1–13	162–164
49,1–6	160 164f
	180–183 203
49,1	161
49,2	185
49,3	162 195
49,4–11	164
49,4	204–206
49,5f	167 205
49,6	201
49,7–12	167
49,14f	202
49,22	164
50,4–9	163
50,5–9	183f
50,6–9	205
50,7	167 206 210
50,8f	167
50,9	168 210
50,10f	195
51,4	201
52,13 –	
53,12	166–172
52,4	164
52,13	195
52,15	163 195
53	156
53,1–10	184–189
	206–210
53,1–9	163
53,8f	198
53,9	202
53,11f	195
53,11	197
54,5	180
55,3–5	196
60,21	182
61,3	182

Jer

| 1,4–19 | 192 |

1,5	180 182
1,6–8	193
1,6	206
1,9	181f 192f
1,10	182 193
1,17–19	184 193
4,10	186
5,27	198
6,7	199
6,14	186
8,7	186
8,11	186
8,15	186
8,22	186
9,4f	199
9,7	199
11,19	169 187
11,20	148 153
12,3	148
14,19	186
15,10	185
15,11	187
15,15f	185
15,15	148 169
15,17	186
15,18f	188
15,20	189
16,5	186
17,5f	184
17,18	148
18,21–23	148
19,11	186
20,8	199
20,9	19
20,16	149
22,15f	199
23,5f	180
23,18	193
23,22	193
23,29	193
28,9	186
31,29	157
33,21f	178
33,26	178
37–44	188
42,1	188
42,4	188
45	188
45,1–5	193
49,6	188
50,19	163

Ez

4,4–8	208
7,20	103
13,5	208
14,13	101
16,17	103
18,2	157
26,3	168
33,1–9	207
34,23f	178
34,32	183
37,24f	178
38,23	168
39,27	163 168

Dan

| 12,3f | 197 |

Hos

| 11,8f | 204 |

Joel

| 2,13 | 153 |

Am

2,6f	154
3,2	181
3,7	193
5,7	154
5,10–12	154
5,15	154

Jon

| 4,2 | 153 |

Sach

| 8,13 | 197 |
| 9,9f | 180 |

Mal

| 2,17 | 155 |

Neues Testament

Mt

| 5,34–48 | 148 |

Mk

| 7,21 | 146 |

Röm

| 1,18–32 | 217 |